비문학 독해, 동영상 강의로 실력 UP

무료 스마트 러닝

1 35개 지문 전체 강의 제공

- 비문학 독해 원리에 따라 낯선 지문도 빠르게 이해할 수 있는 지문 분석 강의
- 인문, 사회, 과학, 기술, 예술, 융합까지 영역별 깊이 있는 배경 지식 강의

2 수능 고난도 문제 풀이 강의 제공

- 수능 고난도 문제 유형인 '적용하기 / 추론하기 / 비판하기' 문제 풀이 강의

동영상 강의와 함께 중학교를 미리 준비하는 초고필 시리즈

국어 독해 지문 분석 강의 / 수능형 문제 풀이 강의

- 지문 분석 강의를 통해 작품을 제대로 이해
- 수능형 문제 풀이를 들으며 어려운 독해 문제도 완벽하게 학습

유리수의 사칙연산 / 방정식 / 도형의 각도 수학 개념 강의

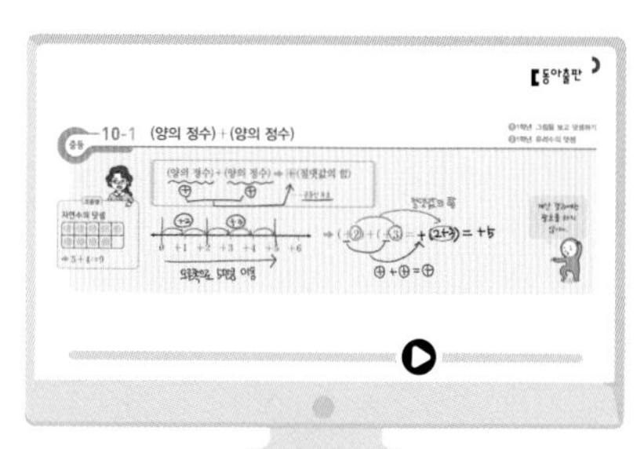

- 25일만에 끝내는 중등 수학 기초 학습
- 초등 수학과 연결하여 쉽게 중등 수학 개념 설명

국어 문법 문법 강의

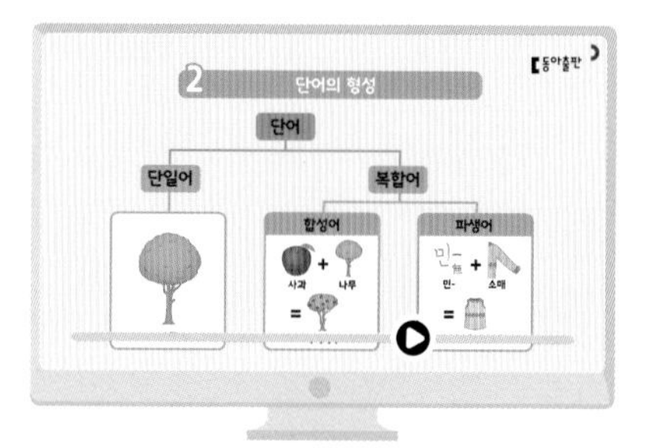

- 어려운 문법 지식도 그림으로 쉽고 재미있게 강의
- 중등 국어 문법을 위한 초등 국어 기초 완성

한국사 자료 분석 강의 / 한국사능력검정시험 대비

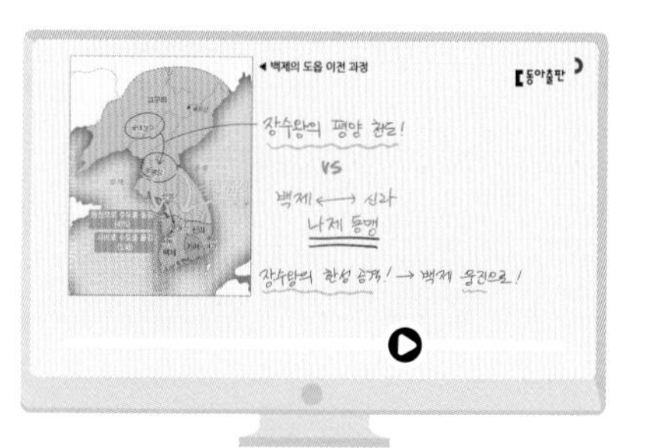

한국사 개념을 더욱 완벽하게 학습할 수 있는 한국사 자료 분석 강의

한국사능력 검정시험

- 개념 학습, 기출 문제, 모의 평가로 구성된 한국사능력검정시험 대비 특강
- 효과적인 10일 스케줄 강의 구성

국어 어휘 어휘 강의

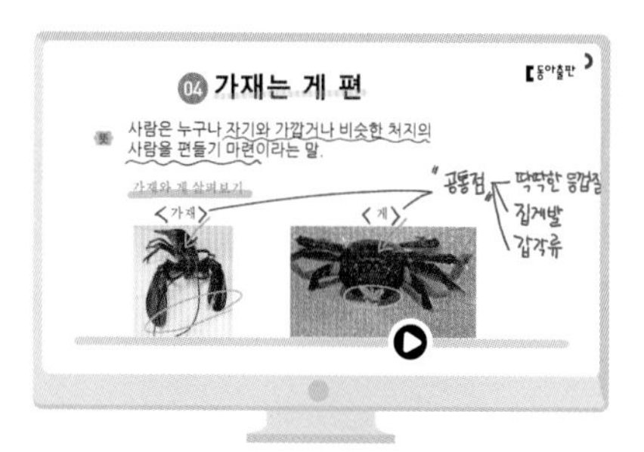

- 관용 표현과 한자어의 뜻이 한 번에 이해되는 강의
- 각 어휘의 유래와 배경 지식을 들으며 재미있게 이해

초고필

비문학 독해 1

집필 선생님의 한마디

초고필 독해는 이렇게 쓰였습니다.

문동열 선생님

말하려는 내용을 제대로 전달하는 일은 매우 어렵습니다. 상대방이 알아듣기 쉽게 표현해야 하기 때문입니다. 그런데 이보다 더 어려운 것이 있습니다. 그것은 상대방의 말을 정확하게 이해하는 것입니다.

독해력은 제대로 듣고 정확하게 말하는 능력의 바탕이 됩니다. 독해력을 기르려면 무엇보다 글을 끝까지 읽을 수 있어야 합니다. 그리고 글자가 아니라 문장을 읽어야 하며, 문장 간의 관계를 파악할 수 있어야 합니다. 그런데 의외로 많은 학생들이 문장이 아니라 한 글자 한 글자만을 읽습니다. 그러다 보니 글을 다 읽고도 주제를 스스로 정리하지 못하는 경우가 많습니다.

이런 문제가 나타나는 것은 스스로 읽고 정리하는 연습을 하지 않았기 때문입니다. 이 책은 다양한 분야의 글을 읽고 스스로 정리할 수 있는 문제들로 구성되어 있습니다. 특히 철학이나 과학 같은 어려운 분야의 글은 찬찬히 읽고 꼼꼼하게 정리하며 독해력을 키우기 바랍니다.

이석호 선생님

이 책은 '징검다리'입니다. 갑자기 중학생, 고등학생이 되고, 어쩌다 어른이 될 여러분들이 너무 당황하지 않았으면 좋겠습니다. 세상에는 기쁜 일, 예쁜 사연도 있지만, 슬픈 일, 아픈 상처도 있습니다. 한 작품 한 작품이 징검다리가 되어 더 넓은 세상을 경험할 수 있도록 도울 것입니다.

이 책은 '보물찾기'입니다. 문학 감상에는 '정해진 답'이 없습니다. 여러분이 무엇이 될지 아무도 모르는 것처럼요. 그렇지만 이 책의 문제에는 '정답'이 있습니다. 다만 그 답은, 우리들의 머릿속이 아니라 작품 안과 보기 속에 있습니다. 모두모두 숨겨진 답을 찾아내는 즐거움을 맛보길 바랍니다.

이 책에는 1960년대 교과서에 수록되었던 작품부터 반세기 후 교과서에 처음 등장한 것까지, 다양한 작품들이 있습니다. 문학을 통해 나와 다른 삶에 '공감'하고, 엄마, 아빠, 선생님과 '소통'할 수 있기를 기도합니다.

송인우 선생님

이 책은 초등학생들의 수준을 고려하여 작품을 선정하고 주제별로 제시하여 학생들이 작품을 이해하는 데 큰 도움을 줍니다. 또한 작품의 핵심을 묻는 문제를 통해 어떤 부분에 주목해서 글을 읽어야 할지 알 수 있습니다. 이 책을 바탕으로 중등은 물론 수능까지 흔들리지 않을 국어 실력을 쌓으시기 바랍니다.

국어 전문 선생님의 추천의 말

초고필 독해를 추천합니다.

대학 수학 능력 시험(수능) 국어 영역은 주어진 글을 잘 읽고 이해하는 능력을 묻습니다. 이 능력은 결코 선천적으로 타고나는 것이 아닙니다. 어릴 때부터 꾸준하게 논리적으로 글 읽기 훈련을 해 온 학생들이 수능 국어 영역에서도 좋은 성적을 내는 경우가 많습니다.

'초고필 비문학 독해'와 '초고필 문학 독해'는 여러 분야의 글들을 영역별, 수준별로 두루 다루고 있어 초등학교 고학년 수준의 눈높이에서 논리적 독해력을 키우기에 좋은 교재입니다. 또한 최신 수능 경향을 반영한 트렌디한 주제를 다루고 있어서 배경 지식을 쌓고 낯선 지문도 어렵지 않게 접근할 수 있도록 해 줍니다.

메가스터디 국어 김동욱

"선생님, 우리 아이는 책을 많이 읽는데 왜 독해력이 부족할까요?" 제가 종종 듣는 질문입니다. 요즘은 독서의 중요성을 알고 있는 학부모님이 많습니다. 그래서 어렸을 때부터 아이들에게 많은 책을 읽히지만, 노력에 비해 국어 독해력이 따라 주지 않아 고민하는 경우를 종종 봅니다.

물론 독서는 독해력의 기본 바탕입니다. 그러나 무조건 많이 읽는 것만이 독해력 향상의 지름길은 아닙니다. 문학/비문학을 구별하여 다양한 영역의 독해를 골고루 해야 독해 역량이 성장합니다.

수많은 국어 독해 교재가 있지만 문학과 비문학을 나누어 체계적으로 다루는 국어 독해서는 부족했습니다. 초등 고학년부터는 영역별, 갈래별 독해가 꼭 필요합니다. '초고필 비문학 독해'와 '초고필 문학 독해'가 그 갈증을 채워 줄 것입니다.

글로 크는 아이들 논술 학원 정석영

초등 고학년은 예비 중학생에 가깝습니다. 중학교 국어 시험에서 문학 지문은 한 갈래만 나오지 않고, 비문학 지문은 묻는 문제의 깊이도 다릅니다. '초고필 국어 독해'는 다양한 지문과 문제를 다루고 있어서 실전 능력을 키우는 데 도움이 되는 교재입니다.

반포 현문 국어 학원 오성민

같은 이동 수단이라도 자동차를 운전하는 방법과 비행기를 운전하는 방법이 전혀 다르듯이 문학과 비문학은 문제를 해결하는 데 필요한 능력이 전혀 다릅니다. '초고필 국어 독해'는 문학과 비문학을 나누어 다루는 교재로, 문학과 비문학 각각에 알맞은 독해 방법을 연습하기 가장 좋은 교재입니다.

영역별/갈래별로 나뉜 제시문과 유형별 문제를 통해 학생들이 출제 의도를 이해하고 문제를 해결하는 능력을 키울 수 있습니다.

책나무 생각숲 국어 이재진

수능 국어 영역에서는 어휘와 개념을 잘 알고 있는지 제시문을 파악할 수 있는지 등을 평가합니다. 기본적으로 어휘력이 부족하면 문제를 풀 수 없습니다. 이 교재는 기본부터 시작하여 수능 어휘까지 접할 수 있는 문제를 출제하여 어휘 확장의 기회를 제공합니다. 중학교 교과서에 쓰이는 어휘나 문장 수준의 어휘들로 구성되어 바로바로 읽고 문제를 풀 수 있게 해 주어 큰 도움이 됩니다.

오쌤 국어 논술 오은정

제시문을 읽을 때에는 어휘 간, 문단 간의 관계를 파악하며 글을 읽어 나가야만 그 행간의 의미를 올바르게 잡아낼 수 있습니다. 나아가 지문 전체를 스캔하여 구조화하고, 단계별 문제로 확인하는 과정 역시 뒷받침되어야 올바른 자기 주도를 했다고 말할 수 있습니다. 작은 단위에서 큰 단위, 반대로 큰 단위에서 작은 단위로, '초고필 국어 독해'는 혼자만의 힘으로 채우기 어려운 '유기적 독해'를 보완해 주는 교재입니다.

국어자신감 정지은

'초고필 국어 독해'는 문학과 비문학의 분리 구성으로 국어 영역의 전문성을 갖춘 교재입니다. 비문학은 최근 이슈화된 주제를 지문으로 선택하여 더욱 탄탄한 구성으로 이루어져 있고, 문학은 소설의 줄거리를 그림으로 구조화하여 한눈에 쉽게 볼 수 있도록 하였습니다. 본격적으로 '국어 교과'를 대비해야 할 학생들에게 큰 도움이 되는 구성입니다.

승희쌤 국어 독서 논술 학원 이승희

요즘 아이들 독해력의 큰 걸림돌이 어휘력입니다. 그런데 '초고필 국어 독해'는 어휘 문제의 비중이 높고 어휘 활용 능력까지 키울 수 있어 중·고등 국어 실력 향상을 위한 내공을 단단하게 다져 줍니다. 또한 문제가 아이들의 사고 과정에 맞게 체계적으로 구성되어 있어 좋습니다. 체계적인 문제를 통해 사고력을 심화하고 확장할 수 있어 수능 문제에도 쉽게 적응할 수 있을 것입니다.

자우비 분당 학원 진희영

구성과 특징

[초고필 비문학 독해 1] 6개 영역 35개 지문으로 구성한 비문학 전문 독해서

1 영역별 수록 작품 설명

- 짧은 소개와 그림으로 작품에 대한 흥미 유발

인문 01 자이가르닉 효과

시험 전에 열심히 외웠던 내용을 시험이 끝나자마자 잊어버린 경험이 한 번쯤은 있을 것이다. 왜 이런 현상이 일어날까? 그것은 우리의 뇌가 끝냈다고 판단한 일은 쉽게 잊어버리는 경향이 있기 때문이다. 반대로 아직 끝내지 못했다고 판단한 일은 오래 기억한다.

이처럼 제대로 끝내지 못한 일을 더 잘 기억하는 현상을 '자이가르닉 효과'라고 한다. 다른 말로 '미완성 효과'라고도 한다. 이런 심리적 현상이 나타나는 이유는 ㉠ 우리의 뇌가 시작한 일은 어떻게든지 끝내려는 욕구를 지니고 있기 때문이다. 좀 더 구체적으로 설명하면, 집중해서 했는데도 미처 끝내지 못한 일이 발생하면 무의식적으로 그것을 끝내야 한다는 심리적 긴장 상태가 되고, 그런 상태에서 그 일을 끝내기 위해 많은 주의를 기울이게 되어 더 오랫동안 기억할 수 있는 것이다.

자이가르닉 효과는 우연히 발견되었다. 러시아의 심리학자 자이가르닉은 어느 날 식당에 갔다가 식당 직원이 여러 손님의 주문을 모두 기억한다는 것을 발견하고는 놀랐다. 하지만 식사를 마친 그녀가 직원에게 자신이 주문한 메뉴를 지금도 기억하느냐고 물었을 때, 그 직원은 전혀 기억하지 못했다. 주문 받은 음식을 제공하고 난 뒤에 깨끗이 잊어버린 것이다. 이런 현상에 흥미를 느낀 자이가르닉은 이후 몇 번의 …

• 지문 해설
• 지문 난이도: 중
• 글자 수: 1039자 (900–1300)

2 필수 작품들로 구성

- 수능의 출제 경향 및 특징을 고려하여 영역별 주제 선별
- 초등 고학년에게 필요한 배경 지식을 중심으로 구성

3 수능 출제 유형을 분석·구조화한 5문항 문제 구성
• [1. 글의 구조 → 2. 내용 이해 → 3. 전개 방식 → 4. 적용하기 → 5. 어휘·어법]의 입체적인 문항 구성
• 수능 고난도 문제 유형 「적용하기」 수록
4 유형별 어휘 학습
[낱말 이해, 낱말 관계, 낱말 적용, 관용 표현]으로 어휘 학습 최적화
어휘력 완성
1 다음 빈칸에 들어갈 말로 알맞은 것은 무엇입니까? ( )
네가 얼마나 노력했는지 잘 안단다. 네 꿈을 이룰 기회는 많아. 그러니 너무 ( )하지 말고 평소 실력대로만 하렴.
① 기억
② 긴장
③ 이완
④ 주의
⑤ 집중
2 다음 낱말의 뜻을 찾아 선으로 이으시오.
독해 비법
내용 이해
핵심 내용 파악하기
5 독해 비법 수록
영역별 독해 원리를 통해 글을 읽는 기본 방법 학습

차례

자이가르닉 효과

자이가르닉 효과의 개념과 발견 계기, 활용 방법 등을 설명하는 글입니다. 자이가르닉 효과를 활용하여 학습 내용을 더 오랫동안 기억할 수 있는 방법도 함께 알아볼 수 있습니다.

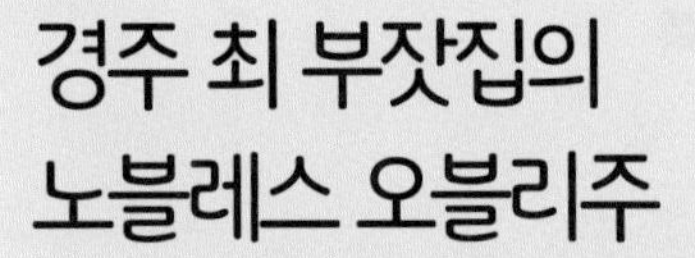

경주 최 부잣집의 노블레스 오블리주

노블레스 오블리주의 개념과 필요성, 우리나라의 실천 사례 등을 설명하는 글입니다. 특히 경주 최 부잣집의 가훈을 통해 노블레스 오블리주의 정신을 잘 알 수 있습니다.

신라에만 여왕이 존재한 까닭

선덕 여왕, 진덕 여왕, 진성 여왕과 같이 신라에만 여왕이 존재했던 까닭을 여러 측면에서 설명하는 글입니다.

인간과 닮은 도깨비

우리 고유의 귀신인 도깨비의 특성과 생김새를 일본 요괴인 오니와 비교하여 설명하는 글입니다.

역사란 무엇인가

역사는 과거의 사건인 역사적 사실과 그것에 대한 역사적 해석으로 이루어진다는 것을 설명하는 글입니다. 왜 역사를 '과거와 현재의 끊임없는 대화'라고 하는지 알 수 있습니다.

인문

'인문' 영역의 글은 인간의 가치관, 역사적 사건, 철학 이론 등을 바탕으로 우리 삶의 가치와 의미를 알려 줍니다.

인간에 관한 순자의 생각

옛날 사람들은 하늘을 절대적인 존재로 여겼지만 순자는 인간을 독립적, 주체적으로 생각했습니다. 이렇듯 하늘과 인간의 관계를 새롭게 규정한 순자가 인간을 보는 관점을 설명하는 글입니다.

귀납법의 원리

'이순신 장군은 죽었다. 세종 대왕도 죽었다. 소크라테스도 죽었다. 이들은 모두 사람이다. 그러므로 모든 사람은 죽는다.'와 같이 개별적 사실로부터 일반적인 법칙을 이끌어 내는 귀납법의 개념 및 원리와 의의, 한계 등을 구체적인 사례를 활용하여 설명하는 글입니다.

존엄사 허용 문제

존엄사란 인간으로서 지녀야 할 최소한의 품위를 지키면서 죽을 수 있도록 하는 것인데, 이러한 존엄사를 확대 허용할 때에 생각할 점 등을 설명하는 글입니다.

인문 01 자이가르닉 효과

• 지문 해설

• 지문 난이도: 중

• 글자 수: 1039자

900 1300

시험 전에 열심히 외웠던 내용을 시험이 끝나자마자 잊어버린 경험이 한 번쯤은 있을 것이다. 왜 이런 현상이 일어날까? 그것은 우리의 뇌가 끝냈다고 판단한 일은 쉽게 잊어버리는 경향이 있기 때문이다. 반대로 아직 끝내지 못했다고 판단한 일은 오래 기억한다.

이처럼 제대로 끝내지 못한 일을 더 잘 기억하는 현상을 '자이가르닉 효과'라고 한다. 다른 말로 '미완성 효과'라고도 한다. 이런 심리적 현상이 나타나는 이유는 ㉠우리의 뇌가 시작한 일은 어떻게든지 끝내려는 욕구를 지니고 있기 때문이다. 좀 더 구체적으로 설명하면, 집중해서 했는데도 미처 끝내지 못한 일이 발생하면 무의식적으로 그것을 끝내야 한다는 심리적 긴장 상태가 되고, 그런 상태에서 그 일을 끝내기 위해 많은 주의를 기울이게 되어 더 오랫동안 기억할 수 있는 것이다.

자이가르닉 효과는 우연히 발견되었다. 러시아의 심리학자 자이가르닉은 어느 날 식당에 갔다가 식당 직원이 여러 손님의 주문을 모두 기억한다는 것을 발견하고는 놀랐다. 하지만 식사를 마친 그녀가 직원에게 자신이 주문한 메뉴를 지금도 기억하느냐고 물었을 때, 그 직원은 전혀 기억하지 못했다. 주문 받은 음식을 제공하고 난 뒤에 깨끗이 잊어버린 것이다. 이런 현상에 흥미를 느낀 자이가르닉은 이후 몇 번의 실험을 통해 끝내지 못한 문제는 끝낸 일보다 더 기억을 잘 해낸다는 원리를 이끌어 냈다.

자이가르닉 효과는 광고에서 특히 많이 활용된다. 예를 들어, 광고 문장 같은 짧은 문구나 시각적 이미지의 일부를 일부러 생략하면 소비자는 무의식중에 생략된 부분을 완성하려 애쓰면서 더 집중해서 광고를 보게 되고, 그 결과 더 오래 기억하게 된다. 불완전한 문장이나 이미지를 통해 궁극적으로 전달하려는 내용에 대한 인지 수준을 높이는 것이다.

한편, 자이가르닉 효과를 이용하면 학습 효과를 높일 수도 있다. 어떻게 하면 될까? 그것은 바로 공부를 하루에 몰아서 하지 말고 매일 조금씩 나누어서 하는 것이다. 특정 과목을 매일 조금씩 나누어서 공부하면 우리의 뇌는 해당 과목의 공부가 끝나지 않은 것으로 여겨서 내용을 오랫동안 기억할 수 있다.

• **경향**(傾 기울 경, 向 향할 향) 마음이나 형편 등이 어떤 방향으로 기울어서 쏠림.
• **미완성**(未 아닐 미, 完 완전할 완, 成 이룰 성) 아직 덜 됨.
• **긴장** 마음을 가다듬어 정신을 바짝 차림.
• **문구**(文 글월 문, 句 글귀 구) 한 토막의 말이나 글.
• **시각적**(視 볼 시, 覺 깨달을 각, 的 과녁 적) 눈으로 보는 것.
• **무의식중** 자기도 모르는 사이.
• **궁극적**(窮 다할 궁, 極 다할 극, 的 과녁 적) 어떤 일이 마지막에 이르는 것.
• **인지**(認 알 인, 知 알 지) 어떤 사실을 이성이나 감각을 통하여 분명하게 앎.

글의 구조 문단 내용 정리하기

1 이 글의 문단별 주요 내용을 정리한 것입니다. 빈칸에 적절한 말을 쓰시오.

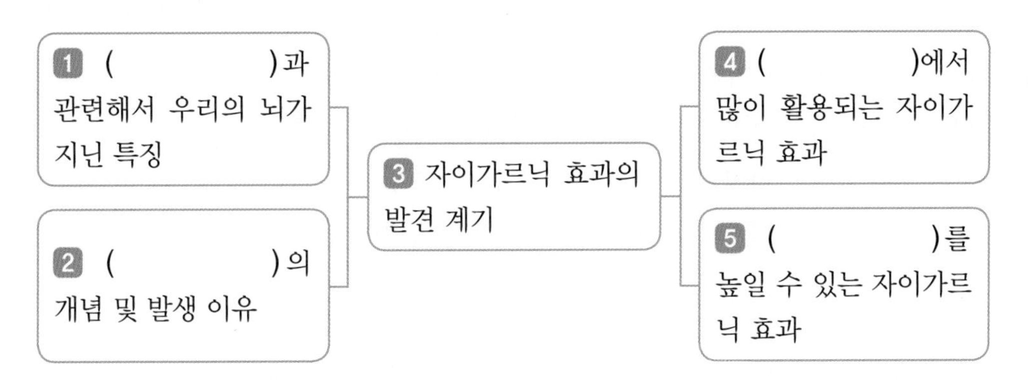

글의 구조 TIP

이 글은 총 다섯 개의 문단으로 이루어져 있습니다. 1, 2문단에서는 우리 경험을 예로 들어 그것이 자이가르닉 효과임을 설명하였고, 3문단에서는 자이가르닉 효과의 발견 계기를, 4, 5문단에서는 자이가르닉 효과의 활용 분야와 학습에서의 활용 방법에 대해 구체적으로 설명했습니다.

내용 이해 세부 정보 파악하기

2 이 글의 내용과 일치하지 <u>않는</u> 것은 무엇입니까? (   )

① 우리의 뇌는 아직 끝내지 못했다고 판단한 일은 오래 기억한다.
② 우리의 뇌는 미완성으로 끝난 일은 어떻게든지 끝내려는 욕구가 있다.
③ 특정 과목을 집중적으로 공부하여 끝내 버리면 내용을 더 잘 기억할 수 있다.
④ 불완전한 문장이나 이미지를 보면 완전한 것보다 더 오랫동안 기억할 수 있다.
⑤ 집중해서 했는데도 미처 끝내지 못한 일이 발생하면 심리적으로 긴장 상태가 된다.

전개 방식 내용 전개 방식 파악하기

3 이 글에 대한 설명으로 적절하지 <u>않은</u> 것은 무엇입니까? (   )

① 핵심 용어에 대해 뜻풀이를 하고 있다.
② 예를 들어 이해하기 쉽게 설명하고 있다.
③ 묻고 답하는 방식으로 내용을 전개하고 있다.
④ 비유의 방식으로 중요 내용을 강조하고 있다.
⑤ 설명하는 대상이 발견된 계기를 밝혀 흥미를 끌고 있다.

어휘

- **비유** 어떤 사물의 모양이나 상태 등을 보다 효과적으로 표현하기 위하여 그것과 비슷한 다른 사물에 빗대어 표현함.

수능형

4

추론하기 | 세부 내용 추론하기

문제 풀이

이 글과 보기 를 읽은 학생이 추론한 내용으로 적절한 것은 무엇입니까? (   )

보기

텔레비전 드라마를 보면 시청자가 어떻게 될지 궁금해하며 집중해서 보고 있는 부분이나 주인공들이 출생의 비밀을 확인하려는 중요한 순간에 '다음 이 시간에……'라는 자막과 함께 드라마가 끝나는 경우가 많다. 그런데 신기하게도 시간이 지나 다음 편 드라마를 볼 때 지난 편 드라마의 상황이 선명하게 기억나면서 그때 느꼈던 궁금함이 다시 살아나곤 한다.

① 이야기를 중간에서 끝내는 것은 이야기를 조금씩 전개하여 드라마를 더 오랫동안 방송하기 위해서이다.

② 사람들이 한창 집중할 때 이야기를 끝내는 것은 드라마 작가가 글을 쓸 시간을 충분히 갖기 위해서이다.

③ '다음 이 시간에……'라는 자막은 드라마 뒤에 이어지는 광고에 대한 시청자의 관심을 불러일으키기 위한 방법이다.

④ 하나의 이야기가 끝나지 않은 채로 끝을 내는 것은 시청자들이 드라마 내용을 더 잘 기억하여 이어서 보도록 하기 위해서이다.

⑤ 시청자가 궁금해할 줄 알면서도 그냥 드라마를 끝내는 것은 정해진 시간이 다 되었기 때문에 어쩔 수 없이 중간에서 끝내는 것이다.

어휘

• **추론** 어떠한 판단을 근거로 삼아 다른 판단을 이끌어 냄.

5

어휘·어법 | 속담으로 표현하기

㉠과 어울리는 속담으로 가장 적절한 것은 무엇입니까? (   )

① 하나를 보고 열을 안다

② 시작한 일은 끝을 보라

③ 닭 잡아먹고 오리 발 내놓기

④ 고래 싸움에 새우 등 터진다

⑤ 개구리 올챙이 적 생각 못 한다

어휘 · 어법 TIP

• **하나를 보고 열을 안다** 일부만 보고 전체를 미루어 안다는 말.

• **시작한 일은 끝을 보라** 한번 시작한 일은 끝까지 하여야 한다는 말.

• **닭 잡아먹고 오리 발 내놓기** 옳지 못한 일을 저질러 놓고 엉뚱한 수작으로 속여 넘기려 하는 일.

• **고래 싸움에 새우 등 터진다** 강한 자들끼리 싸우는 통에 아무 상관도 없는 약한 자가 중간에 끼어 피해를 입게 됨.

• **개구리 올챙이 적 생각 못 한다** 지난날의 어렵던 때의 일을 생각지 않고 처음부터 잘난 듯이 뽐냄.

어휘력 완성

정답 및 풀이 01쪽

1

낱말 이해 | 낱말 관계 | 낱말 적용 | 관용 표현

다음 빈칸에 들어갈 말로 알맞은 것은 무엇입니까? (　　　　)

네가 얼마나 노력했는지 잘 안단다. 네 꿈을 이룰 기회는 많아. 그러니 너무 (　　　　)하지 말고 평소 실력대로만 하렴.

① 기억　　② 긴장
③ 이완　　④ 주의
⑤ 집중

어휘력 +

- **기억** 지난 일을 잊지 않거나 도로 생각해 냄.
- **긴장** 마음을 가다듬어 정신을 바짝 차림.
- **이완** 바짝 조였던 정신이 풀려 늦추어짐.
- **주의** 마음에 새겨 두고 조심함.
- **집중** 한 가지 일에 모든 힘을 쏟아부음.

2

낱말 이해 | 낱말 관계 | 낱말 적용 | 관용 표현

다음 낱말의 뜻을 찾아 선으로 이으시오.

(1) 궁극적 •　　• ㉮ 아직 덜 됨.
(2) 시각적 •　　• ㉯ 눈으로 보는 것.
(3) 미완성 •　　• ㉰ 어떤 일이 마지막에 이르는 것.

3

낱말 이해 | 낱말 관계 | 낱말 적용 | 관용 표현

다음 밑줄 친 부분과 바꿔 쓸 수 있는 말은 무엇입니까? (　　　　)

> 특정 과목을 매일 조금씩 나누어서 공부하면 우리의 뇌는 해당 과목의 공부가 끝나지 않은 것으로 <u>여겨서</u> 내용을 오랫동안 기억할 수 있다.

① 각오해서　　② 관찰해서　　③ 검사해서
④ 상상해서　　⑤ 판단해서

인문 02 경주 최 부잣집의 노블레스 오블리주

• 지문 해설

• 지문 난이도: 중

• 글자 수: 1042자

900 1300

외국 언론에 'Gapjil[갑질]'이라고 적힌 말이 보도될 정도로 '갑질'은 우리 사회의 부끄러운 모습이 되어 버렸다. '갑질'은 권력 관계에서 우위에 있는 '갑'이 약자인 '을'에게 하는 부당 행위를 뜻하는 말이다. 따라서 '갑질'은 기본적으로 사회적 지위나 권력, 경제력 등에서 상층에 속하는 사람들에게 해당한다. 하지만 현실적으로 '갑질'은 특정 계층만이 아니라 우리 사회 전 계층에서 나타나고 있다.

'갑질'과 반대되는 의미를 지닌 말로 '노블레스 오블리주'를 들 수 있다. 프랑스에서 유래된 이 말은 높은 사회적 신분을 지닌 사람들에게 요구되는 도덕적 의무, 혹은 사회적 책임을 의미한다. 사회 지도층 혹은 사회적 상층의 도덕성은 그 사회 전체의 도덕적 지표가 될 수 있다. 따라서 '갑질'이 만연한 사회는 노블레스 오블리주 정신이 부족한 사회라고 할 수 있다.

하지만 우리 사회에 존경 받을 사회 지도층이나 사회적 상층이 없는 것은 아니다. 조금만 살펴보아도 사회적 약자나 공동체를 위해 자신이 지닌 것을 아낌없이 쓴 사람들을 많이 찾을 수 있다. 재산 가치를 따지기도 어려울 만큼 큰 기업을 자식들에게 물려주지 않고 사회에 환원한 유일한 박사가 그러했고, 전 재산을 ㉠털어 우리나라의 문화유산을 지킨 간송 전형필이 그러했으며, 지역 공동체에 대한 책임을 진 경주 최 부잣집 가문이 그러했다.

특히 12대에 걸쳐 엄청난 부를 지녔던 경주 최 부잣집의 가훈은 노블레스 오블리주의 정신을 매우 잘 보여 준다. 최 부잣집의 가훈은 '과거를 보되 진사 이상은 하지 마라.', '만석 이상의 재산은 사회에 환원하라.', '과객을 후하게 대접하라.', '흉년에는 남의 논밭을 사지 마라.', '며느리들은 시집온 후 3년 동안 무명옷을 입어라.', '사방 백 리 안에 굶어 죽는 사람이 없게 하라.' 등 여섯 개로 이루어져 있다. 하나하나가 놀랍지만 이 중에서도 공동체에 대한 책임감을 강조하는 '흉년에는 남의 논밭을 사지 마라.'와 '사방 백 리 안에 굶어 죽는 사람이 없게 하라.', '과객을 후하게 대접하라.'의 항목은 노블레스 오블리주 정신의 실현으로 볼 수 있다.

▲ 경주 최 부잣집의 모습 (출처: 한국관광공사)

• **우위**(優 뛰어날 우, 位 자리 위) 남보다 나은 위치나 수준.

• **부당**(不 아닐 부, 當 마땅 당) 도리에 벗어나서 정당하지 않음.

• **상층**(上 위 상, 層 층 층) 계급이나 신분, 지위 따위가 높은 계층.

• **지표**(指 가리킬 지, 標 표할 표) 방향이나 목적, 기준 따위를 나타내는 표지.

• **만연한** 널리 퍼진.

• **환원**(還 돌아올 환, 元 으뜸 원)**한** 본디의 상태로 돌아간. 또는 돌아가게 한.

• **진사**(進 나아갈 진, 士 선비 사) 조선 시대에, 과거 제도의 하나인 소과와 진사과에 합격한 사람을 이르던 말.

• **과객**(過 지날 과, 客 손 객) 지나가는 나그네.

• **무명옷** 무명으로 지은 옷.

▲ 무명

• **리**(里 마을 리) 우리나라의 거리의 단위. 1리는 약 393미터임.

글의 구조 문단 내용 정리하기

1 이 글의 문단별 주요 내용을 정리한 것입니다. 빈칸에 적절한 말을 쓰시오.

1 우리 사회에 만연한 (   )의 의미 ↔ 2 '갑질'과 반대되는 (   )의 의미

3 노블레스 오블리주를 실천한 사례들

4 경주 최 부잣집의 (   )

글의 구조 TIP

이 글은 총 네 개의 문단으로 이루어져 있습니다. 1문단에서는 갑질의 의미를 설명하였고, 2문단에서는 갑질의 반대 개념으로 '노블레스 오블리주'를 소개하였습니다. 3, 4문단에서는 '노블레스 오블리주'의 구체적인 사례를 제시하였습니다.

내용 이해 세부 정보 파악하기

2 이 글에 대한 이해로 적절하지 않은 것은 무엇입니까? (   )

① 전형필은 전 재산을 들여 우리나라의 문화유산을 지킨 사람이군.
② 경주 최 부잣집의 가훈은 노블레스 오블리주의 정신을 담고 있군.
③ '갑질'이 흔한 사회는 노블레스 오블리주 정신이 부족한 것이겠군.
④ 노블레스 오블리주는 사회적 상층의 도덕적 의무를 뜻하는 말이군.
⑤ 우리나라에서 '갑질'은 사회적 지위가 높은 계층에서만 일어나는군.

전개 방식 내용 전개 방식 파악하기

3 이 글에 사용된 설명 방식을 보기에서 모두 골라 짝 지은 것은 무엇입니까?

(   )

보기

ㄱ. 구체적인 예를 들어 관련 내용을 적절하게 뒷받침하고 있다.
ㄴ. 대조의 방식을 활용하여 중심 화제의 특성을 강조하고 있다.
ㄷ. 문제 현상의 발생 원인을 분석하고 해결책을 제시하고 있다.
ㄹ. 핵심 용어의 개념을 제시하여 독자의 이해를 돕고 있다.

① ㄱ, ㄷ ② ㄴ, ㄷ ③ ㄴ, ㄹ
④ ㄱ, ㄴ, ㄷ ⑤ ㄱ, ㄴ, ㄹ

어휘

• **대조** 서로 달라서 대비가 됨.

수능형

4

적용하기 구체적인 상황에 적용하기

보기 의 ㉠~㉤ 중에서, 지역 공동체에 대한 도덕적·사회적 책임을 져야 한다는 '노블레스 오블리주' 정신과 가장 거리가 먼 것은 무엇입니까? (   )

보기

경주 최 부잣집에는 대대로 내려오는 여섯 가지 항목의 가훈이 있다. 첫째, ㉠과거를 보되 진사 이상은 하지 마라. 이 항목은 부와 재산을 모두 가지려고 욕심내지 말라는 뜻이다. 둘째, ㉡만석 이상의 재산은 사회에 환원하라. 이 항목은 재산이 일정 규모를 넘으면 나머지는 지역 공동체에 환원하라는 뜻이다. 셋째, ㉢과객을 후하게 대접하라. 이 항목은 먹고 잘 곳이 마땅치 않은 나그네들이 집을 찾아오면 먹을 것과 잘 곳을 마련해 주어야 한다는 뜻이다. 넷째, ㉣흉년에는 남의 논밭을 사지 마라. 이 항목은 남의 불행을 이용하여 재산을 늘리지 말라는 뜻이다. 다섯째, 며느리들은 시집온 후 3년 동안 무명옷을 입어라. 이 항목은 항상 검소하게 지내야 한다는 뜻이다. 여섯째, ㉤사방 백 리 안에 굶어 죽는 사람이 없게 하라. 이 항목은 지역 공동체가 어려움에 처했을 때 적극적으로 나서서 도와야 한다는 뜻이다.

① ㉠ ② ㉡ ③ ㉢ ④ ㉣ ⑤ ㉤

5

어휘·어법 어휘의 사전적 의미 파악하기

다음 밑줄 친 낱말이 ㉠ '털어'와 같은 뜻으로 쓰인 것은 무엇입니까? (   )

① 그는 옷에 묻은 먼지를 말끔히 털었다.
② 도둑이 집에 있는 돈을 몽땅 털어 갔다.
③ 그녀는 자신의 병을 털고 건강을 되찾았다.
④ 용돈을 다 털어도 그것을 사기에는 모자란다.
⑤ 지금은 우리가 슬픈 과거를 말끔히 털어 내야 할 때이다.

어휘 · 어법 TIP

• 털다
「1」 달려 있는 것, 붙어 있는 것 따위가 떨어지게 흔들거나 치거나 하다.
「2」 자기가 가지고 있는 것을 남김없이 내다.
「3」 남이 가진 재물을 몽땅 빼앗거나 그것이 보관된 장소를 모조리 뒤지어 훔치다.
「4」 일, 감정, 병 따위를 완전히 극복하거나 말끔히 정리하다.

어휘력 완성

정답 및 풀이 02쪽

낱말 이해 | 낱말 관계 | 낱말 적용 | 관용 표현

1 ㉠과 ㉡의 뜻으로 알맞은 것을 찾아 선으로 이으시오.

(1) 방송 자막에 맞춤법에 어긋나는 ㉠ 표기가 많아졌다. • • ㉮ 방향이나 목표 따위를 가리키는 표지.

(2) 아버지에 대한 존경심은 내 삶의 한 ㉡ 지표가 되었다. • • ㉯ 문자나 기호를 써서 말을 표시함.

낱말 이해 | 낱말 관계 | 낱말 적용 | 관용 표현

2 다음 대화에서 밑줄 친 부분과 바꿔 쓸 수 있는 말은 무엇입니까? (　　　　)

① 구성하다　② 생성하다　③ 소집하다
④ 집합하다　⑤ 만연하다

낱말 이해 | 낱말 관계 | 낱말 적용 | 관용 표현

3 최 부잣집의 가훈 중 다음 조항과 관련있는 한자성어는 무엇입니까? (　　　　)

• 흉년에는 남의 논밭을 사지 마라.
• 사방 백 리 안에 굶어 죽는 사람이 없게 하라.

① 갑남을녀(甲男乙女)　② 선우후락(先憂後樂)
③ 어부지리(漁父之利)　④ 주마가편(走馬加鞭)
⑤ 조족지혈(鳥足之血)

어휘력 +

- **갑남을녀** 평범한 사람들.
- **선우후락** 세상의 근심할 일은 남보다 먼저 근심하고 즐거워할 일은 남보다 나중에 즐거워함.
- **어부지리** 두 사람이 싸우는 사이 엉뚱한 사람이 이익을 가로챔.
- **주마가편** 달리는 말에 채찍질한다는 뜻으로, 잘하는 사람을 더욱 장려함.
- **조족지혈** 새 발의 피. 매우 적은 분량.

인문 03 신라에만 여왕이 존재한 까닭

• 지문 해설

• 지문 난이도: 중

• 글자 수: 1119자

900 1300

신라의 27대 왕인 선덕왕, 28대 왕인 진덕왕, 51대 왕인 진성왕의 공통점은 무엇일까? 그것은 이들이 모두 여왕이라는 점이다. 재위 시절에는 왕이라고 불렸지만 후대에 다른 왕들과 구별하기 위해서 여왕이라고 부른다. 그런데 신라와 같은 시기의 나라인 고구려와 백제는 물론, 후대 나라인 고려나 조선에도 여왕은 존재하지 않았다.

신라에만 여왕이 존재한 까닭은 무엇일까? 그것은 당시 신라에 왕위를 계승할 성골 남자가 없었기 때문이다. 과거에는 엄격한 계급 제도가 있었는데, 신라에서는 성골이 가장 높은 계급이었다. 당시 신라의 왕은 부모가 둘 다 성골인 왕족만 할 수 있었다. 그런데 26대 왕인 진평왕이 아들을 두지 못한 채 죽자, 왕이 될 조건을 갖춘 사람은 진평왕의 딸인 덕만 공주와 덕만 공주의 사촌 동생인 승만 공주뿐이었다. 결국 덕만 공주가 왕위에 오르는데, 이가 바로 선덕 여왕이다. 여기에는 여성의 지위가 높았던 당시의 사회 모습도 영향을 끼쳤다.

하지만 그렇다 해도 귀족의 힘이 강했던 신라에서 그들의 지지를 받지 못하면 여왕은 탄생하지 못했을 것이다. 실제 귀족들의 반대는 극심했다. 그런 상황에서 누가 여왕을 지지했을까? 바로 뒷날 태종 무열왕이 되는 김춘추와 신라의 삼국 통일에 중요한 역할을 한 김유신이다. 이들의 지지가 있었기에 선덕 여왕은 왕위에 오를 수 있었다.

김춘추와 김유신은 왜 여왕을 지지했을까? 이는 그들의 출신 배경 때문이다. 김춘추의 할아버지는 25대 왕인 진지왕이었으나 폐위되어 쫓겨났고, 김춘추는 성골에서 진골로 계급이 낮아졌다. 김유신은 증조할아버지가 금관가야의 마지막 왕이었다. 금관가야가 멸망한 뒤에 김유신의 집안은 신라의 진골 귀족이 되었지만, 신라 출신의 진골 귀족들에게 따돌림을 당하던 처지였다. 비슷한 처지인 두 사람은 자연히 힘을 모았고, 다른 귀족에게 대항하기 위해 선덕 여왕을 지지했다.

이들의 지지를 바탕으로 최초의 여왕인 선덕 여왕이 탄생하였고, 이어서 두 번째 여왕인 진덕 여왕으로 이어질 수 있었다. 진덕 여왕이 승만 공주이다. 그러나 마지막 여왕인 진성 여왕은 진덕 여왕 이후 233년이 지나서야 나타났다. 남성에게 왕위가 먼저 주어졌기 때문이다. 이후로는 고려를 거쳐 조선이 끝날 때까지 천 년이 넘도록 여왕은 ㉠ 나오지 않았다.

• **재위**(在 있을 재, 位 자리 위) 임금의 자리에 있음. 또는 그 동안.

• **후대**(後 뒤 후, 代 대신할 대) 뒤의 세대.

• **계승할** 조상이나 앞사람의 뒤를 이어받음.

• **성골**(聖 성스러울 성, 骨 뼈 골) 신라의 신분 제도에서, 부모가 모두 왕족인 사람.

• **지지**(支 지탱할 지, 持 가질 지) 남의 생각을 옳다고 여겨 도와서 힘을 씀.

• **극심**(極 다할 극, 甚 심할 심)**했다** 매우 심했다.

• **폐위** 왕이나 왕비 등의 자리를 폐함.

• **진골**(眞 참 진, 骨 뼈 골) 신라의 신분 제도에서, 부모의 어느 한쪽이 왕족 혈통이 아닌 자손.

글의 구조 문단 내용 정리하기

1 이 글의 문단별 주요 내용을 정리한 것입니다. 빈칸에 적절한 말을 쓰시오.

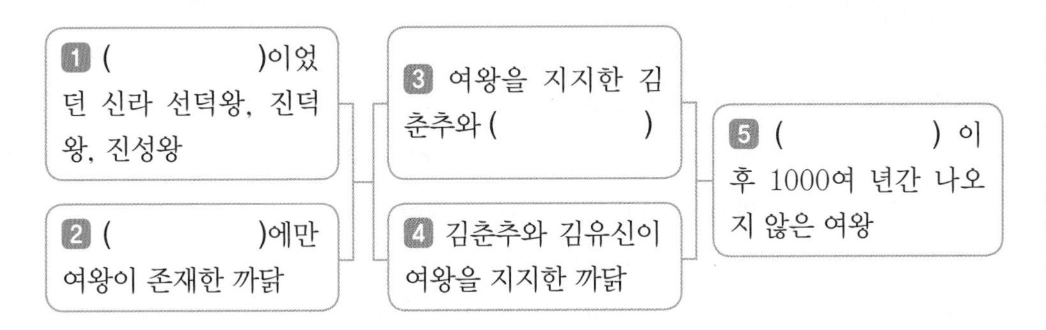

글의 구조 TIP

이 글은 총 다섯 개의 문단으로 이루어져 있습니다. 1문단은 선덕왕과 진덕왕, 진성왕이 여왕이라는 점을 소개하고, 2문단에서는 신라에만 여왕이 존재한 까닭을 설명했습니다. 3~4문단에서는 여왕을 지지한 세력을 설명하였고, 5문단에서는 이후 천 년이 넘도록 여왕이 나오지 않았음을 말했습니다.

내용 이해 세부 정보 파악하기

2 이 글의 내용과 일치하지 않는 것은 무엇입니까? (   )

① 신라의 선덕왕, 진덕왕, 진성왕은 모두 여왕이다.
② 신라 시대 이후로는 여왕이 더 이상 나오지 않았다.
③ 신라 시대에는 성골을 으뜸으로 하는 신분 제도가 있었다.
④ 김춘추와 김유신의 지지를 바탕으로 여왕이 탄생할 수 있었다.
⑤ 김춘추의 선조는 금관가야의 왕족이었다가 신라의 진골이 되었다.

전개 방식 내용 전개 방식 파악하기

3 글쓴이가 내용을 효과적으로 전달하기 위해 사용한 방법은 무엇입니까? (   )

① 속담이나 한자성어 같은 **관용적 표현**을 사용하고 있다.
② 스스로 묻고 답하는 방식을 활용하여 내용을 전달하고 있다.
③ 현재 상황과 과거 상황을 대조하여 독자의 흥미를 끌고 있다.
④ 전문가의 의견을 **인용**하여 내용에 대한 신뢰성을 높이고 있다.
⑤ 구체적인 통계 수치를 인용하여 자신의 주장을 뒷받침하고 있다.

어휘

- **관용적 표현** 속담이나 한자성어, 관용어 등 한 사회에서 오랫동안 쓰여 마치 한 단어처럼 사용되는 말.
- **인용** 남의 말이나 글 가운데서 필요한 부분만을 끌어다 씀.

수능형

4

추론하기 세부 내용 추론하기

보기는 선덕 여왕에 대한 자료입니다. 이 글을 읽은 학생이 보기를 읽고 보인 반응으로 적절하지 않은 것은 무엇입니까? (   )

보기

> 선덕왕(善德王) 또는 선덕 여왕(善德 女王)
>
> 재위: 632년~647년. 신라의 제27대 왕이며 한국사 최초의 여왕이다. 성은 김(金), 이름은 덕만(德曼)이다. 진평왕과 마야부인 사이에서 태어난 딸이며, 632년 아버지 진평왕이 죽자 화백 회의의 **추대**로 왕이 되었다. 김춘추, 김유신을 중요한 자리에 **임용**하여 신라의 외교력과 군사력의 **기반**을 닦은 통치자로 평가받는다. 647년에 자식을 두지 못한 채로 죽었다.

① 한국사 최초의 여왕이고, 왕으로서 자신의 역할에 충실했다고 볼 수 있겠군.
② 선덕 여왕에게 아들이 있었다면 진덕 여왕은 두 번째 여왕이 되지 못했겠군.
③ 김춘추와 김유신을 중요한 자리에 임용한 것은 그들의 도움을 받았기 때문이겠군.
④ 만약 아버지 진평왕에게 아들이 있었다면 선덕 여왕이 왕위에 오르기는 어려웠겠군.
⑤ 당시 신라는 여성의 지위가 높았으니 여성이 왕위에 오르는 데 신하들의 반대가 없었겠군.

어휘
- **추대** 임금으로 받들어 모심.
- **임용** 일을 맡기어 사람을 씀.
- **기반** 기초가 될 만한 바탕.

5

어휘·어법 어휘의 사전적 의미 파악하기

다음 밑줄 친 낱말 중 ㉠ '나오지'와 같은 뜻으로 쓰인 것은 무엇입니까? (   )

① 학급 신문에 내 사진이 크게 나왔다.
② 씨를 뿌린 곳에서 싹이 나오기 시작했다.
③ 우리 마을에서는 뛰어난 인물이 많이 나왔다.
④ 하루 종일 찾던 전화기가 냉장고 속에서 나왔다.
⑤ 우리 집 강아지는 집 밖으로 나오는 것을 좋아한다.

어휘·어법 TIP
- **나오다**
「1」 안에서 밖으로 오다.
「2」 속에서 바깥으로 솟아나다.
「3」 어떠한 물건이 발견되다.
「4」 상품이나 인물 따위가 나타나다.
「5」 책, 신문 따위에 글, 그림이 실리다.

어휘력 완성

정답 및 풀이 03쪽

낱말 이해 / 낱말 관계 / 낱말 적용 / 관용 표현

1 다음 빈칸에 들어갈 말로 알맞은 것은 무엇입니까? (   )

> 얼쑤! 여러분이 우리 전통음악을 자주 듣고 좋아해야 이를 보존하고 대대로 (   )할 수 있습니다.

① 계몽 ② 계승 ③ 출산
④ 탄생 ⑤ 탑승

어휘력 +

- **계몽** 지식수준이 낮거나 낡은 관습에 젖은 사람을 가르쳐서 깨우침.
- **계승** 조상이나 앞사람의 뒤를 이어받음.
- **출산** 아이를 낳음.
- **탄생** 사람이 태어남.
- **탑승** 배나 비행기, 차 따위에 올라탐.

낱말 이해 / 낱말 관계 / 낱말 적용 / 관용 표현

2 다음 낱말의 뜻을 찾아 선으로 이으시오.

(1) 재위 •	• ㉮ 매우 심함.
(2) 후대 •	• ㉯ 뒤에 오는 세대나 시대.
(3) 극심 •	• ㉰ 임금의 자리에 있음. 또는 그 동안.

낱말 이해 / 낱말 관계 / 낱말 적용 / 관용 표현

3 다음 밑줄 친 부분과 바꿔 쓰기에 알맞지 않은 것은 무엇입니까? (   )

> 선덕 여왕의 탄생 배경에는 김춘추와 김유신의 지지가 있었다.

① 도움 ② 지원 ③ 간섭
④ 후원 ⑤ 뒷받침

인문 04 인간과 닮은 도깨비

• 지문 해설

• 지문 난이도: 중

• 글자 수: 1187자 (900 — 1300)

가 도깨비는 우리나라 귀신으로, 인간다운 모습이 많다. 노래와 씨름과 장난을 좋아하고, 수수팥떡과 술을 좋아한다. ㉠착한 사람들에게는 행운과 재물을 주고, 악한 사람들에게는 악운과 벌을 내린다. 거짓말을 하지 않으며, 순진해서 어떤 거짓말이라도 잘 믿는다. 내기를 하거나 씨름을 할 때에도 항상 인간과 대등한 입장에서 겨룬다. 때로는 시기와 질투를 하기도 하고, 가끔은 멍청한 면을 보이기도 한다.

나 마실을 다녀오던 남자가 도깨비를 만나 밤새워 씨름을 하였는데 날이 새고 보니 빗자루 몽둥이를 껴안고 씨름을 벌이고 있었다는 이야기, 도깨비에게 돈을 빌려주었는데, 그 도깨비가 갚은 것을 잊어먹고는 매일 돈을 갚아서 벼락부자가 되었다는 이야기, 인간을 속이려다 도리어 자신이 속는 도깨비 이야기 등 인간적인 면모를 보이는 도깨비 이야기는 무수히 많다.

다 오늘날에도 도깨비 이야기는 새롭게 각색되기도 하고 창작되기도 하면서 널리 읽히고 있다. 그림의 소재로 등장하기도 하고, 상품 광고나 만화영화 등에 등장하기도 한다. 그런데 도깨비의 모습이 잘못된 경우가 많다. 대개 머리에 뾰족한 뿔이 달려 있고, 송곳니가 크며 손에는 울퉁불퉁한 쇠몽둥이를 들었고, 원시인같이 동물 가죽으로 된 옷이나 치마형의 짧은 하의를 입고 있다. 이런 생김새의 도깨비는 우리 도깨비가 아니다. 일본의 요괴인 오니의 모습이다. 일본의 오니는 도깨비와 달리 인간을 위협하며 해치는 악귀이다. 그리고 인간다운 면을 찾을 수 없으며 잔인하고 폭력적이다.

라 도깨비는 덩치가 크고 수염과 털이 덥수룩하다. 나무 방망이를 들고 다니기도 한다. 보통 뿔은 없지만 뿔이 있는 도깨비도 가끔 존재한다. 인간의 모습이 아닐 때는 불꽃 같은 형태로 나타나기도 한다. 그리고 오니와 달리 사람을 직접 해치지 않는다. 그런데 우리 고유의 도깨비가 왜 오니의 모습으로 그려지는 것일까? 그것은 일제 강점기를 거치면서 도깨비의 모습이 오니의 모습으로 바뀌어 버렸기 때문이다.

마 도깨비 연구자인 김종대 교수는 일제 강점기에 당시 초등학교 국어책에 실린 '혹부리 영감 이야기'를 그 시초로 보고 있다. 혹부리 영감 이야기의 삽화에 그려진 오니를 도깨비로 착각한 것이다. 어린 시절에 교과서에서 본 오니를 우리 고유의 도깨비로 잘못 알게 되었고, 그 인식이 지금까지 내려온 것이다. 특히 아이들이 즐겨 읽는 동화책에 잘못된 도깨비 그림이 많다. 우리 도깨비의 생김새와 특성을 바로잡아야 한다.

• **악운** 사나운 운수.
• **대등한** 낫고 못함이 없이 서로 비슷한.
• **시기** 샘하여 미워함.
• **마실** 이웃에 놀러 다니는 일.
• **벼락부자** 갑자기 큰돈을 벌어 부자가 된 사람.
• **각색**(脚 다리 각, 色 빛 색) 시·소설 등을 각본이나 시나리오로 고쳐 쓰는 일.
• **요괴**(妖 아리따울 요, 怪 기이할 괴) 사람을 해치는 나쁜 귀신.
• **위협** 해칠 듯이 무서운 말이나 행동을 하거나 협박함.
• **악귀**(惡 악할 악, 鬼 귀신 귀) 몹쓸 귀신.
• **시초**(始 처음 시, 初 처음 초) 맨 처음.
• **삽화** 책·신문·잡지 등에 그려 넣어 내용의 이해를 돕는 그림.

글의 구조 | 문단 내용 정리하기

1 이 글의 문단별 주요 내용을 정리한 것입니다. 빈칸에 적절한 말을 쓰시오.

- 가 인간다운 모습이 많은 (   )
- 나 도깨비와 관련된 옛날이야기들
- 다 (   )의 생김새로 잘못 알려진 도깨비
- 라 도깨비의 원래 모습과 (   )의 모습으로 도깨비가 그려지는 까닭
- 마 본래 (   )와 특성을 되찾아야 할 도깨비

글의 구조 TIP

이 글은 총 다섯 개의 문단으로 이루어져 있습니다. 가, 나문단에서는 도깨비의 인간적인 면을 소개했고, 다문단에서는 오니의 모습으로 왜곡된 도깨비를 설명하였습니다. 라문단에서는 왜 그렇게 되었는지 까닭을, 마문단에서는 이를 바로잡아야 함을 말하였습니다.

내용 이해 | 세부 정보 파악하기

2 이 글을 통해 알 수 있는 내용으로 적절하지 않은 것은 무엇입니까? (   )

① 도깨비는 착한 사람들에게 행운과 재물을 준다.
② 도깨비 이야기는 오늘날에도 새롭게 각색되고 있다.
③ 동화책에 오니의 생김새를 한 도깨비가 자주 나온다.
④ 도깨비는 마치 인간처럼 시기나 질투를 하기도 한다.
⑤ 뿔이 있고 없음으로 도깨비와 오니를 구분할 수 있다.

전개 방식 | 문단별 설명 방법 파악하기

3 가~마문단에 대한 설명으로 적절하지 않은 것은 무엇입니까? (   )

① 가: 도깨비의 성격과 특징을 나열해서 제시하고 있다.
② 나: 여러 이야기를 예로 들어 앞의 내용을 뒷받침하고 있다.
③ 다: 도깨비와 오니의 공통점을 자세하게 설명하고 있다.
④ 라: 도깨비의 본래 생김새를 **묘사**하고 있다.
⑤ 마: 전문가의 **견해**를 활용하여 **왜곡된** 시초를 밝히고 있다.

어휘

- **묘사** 그림이나 글에서, 어떤 일이나 마음의 상태 등을 그대로 그려냄.
- **견해** 어떤 사물이나 현상에 대한 의견이나 생각.
- **왜곡된** 사실과 틀리게 그릇 해석된.

수능형

4

적용하기 시각 자료에 적용하기

이 글을 참고할 때, 보기 의 ㈎와 ㈏에 대한 이해로 적절하지 않은 것은 무엇입니까? (　　　)

문제 풀이

보기

① ㈏는 ㈎와 달리 사람을 해치는 잔인한 성격이겠군.
② ㈎가 일제 강점기를 거치며 ㈏처럼 잘못 알려졌겠군.
③ ㈎는 ㈏와 달리 사람에게 장난치는 것을 좋아하겠군.
④ ㈏는 ㈎와 달리 대개 머리에 뾰족한 뿔이 달려 있겠군.
⑤ ㈎와 ㈏ 모두 사람에게 잘 속는 **어리숙한** 면이 있겠군.

어휘
- **어리숙한** 똑똑하지 못하고 좀 어리석은 것 같은.

5

어휘·어법 한자성어로 표현하기

㉠에 담긴 교훈을 드러내는 한자성어로 적절한 것은 무엇입니까? (　　　)

① 과대망상(誇大妄想)
② 권선징악(勸善懲惡)
③ 십시일반(十匙一飯)
④ 약육강식(弱肉強食)
⑤ 형설지공(螢雪之功)

어휘·어법 TIP
- **과대망상** 자기의 능력·위치 등을 지나치게 높게 평가하여 사실인 것처럼 믿는 일.
- **권선징악** 착한 일을 권하여 힘쓰게 하고, 나쁜 일을 뉘우치도록 주의를 주고 나무람.
- **십시일반** 여러 사람이 힘을 합하면 한 사람쯤을 돕기는 쉽다는 말.
- **약육강식** 약한 것이 강한 것에게 먹힘.
- **형설지공** 고생하면서도 꾸준히 공부하는 자세를 이르는 말.

어휘력 완성

정답 및 풀이 04쪽

낱말 이해 | 낱말 관계 | 낱말 적용 | 관용 표현

1 **다음 그림을 보고, ㉠과 ㉡에 들어갈 알맞은 낱말을 보기 에서 각각 찾아 쓰시오.**

보기

시초　　창업　　창작　　각색　　각본

최근에 '미○', '○과 함께', '○○ 포차' 등 웹툰으로 ㉠(　　　　) 된 작품을 ㉡(　　　　)하여 영화나 드라마로 만드는 경우가 많습니다.

낱말 이해 | 낱말 관계 | 낱말 적용 | 관용 표현

2 **다음 밑줄 친 부분과 같은 뜻의 한자어는 무엇입니까? (　　　　)**

도깨비에게 돈을 빌려주었는데, 그 도깨비가 갚은 것을 잊어먹고는 매일 돈을 갚아서 <u>벼락부자</u>가 되었다는 이야기가 있을 정도로 도깨비는 뭐든지 잘 까먹는 존재로 등장하기도 한다.

① 갑부(甲富)　② 거부(巨富)　③ 국부(國富)
④ 빈부(貧富)　⑤ 졸부(猝富)

어휘력 +

- **갑부** 첫째가는 큰 부자.
- **거부** 부자 가운데에서도 특히 큰 부자.
- **국부** 나라가 지닌 경제력.
- **빈부** 가난함과 부유함을 아울러 이르는 말.
- **졸부** 갑자기 된 부자.

낱말 이해 | 낱말 관계 | 낱말 적용 | 관용 표현

3 **㉠의 상황을 나타내기에 알맞은 속담은 무엇입니까? (　　　　)**

마음씨 착한 혹부리 영감이 어느 날 우연히 숲에서 도깨비들을 만나 노래를 불렀다. 노래에 홀린 도깨비들이 그 노래가 어디서 나오느냐고 묻자 혹에서 나온다고 하였다. 그러자 도깨비들은 혹을 떼어 가고 혹부리 영감에게 보물을 주었다. 이 소문을 들은 이웃의 욕심쟁이 혹부리 영감이 도깨비를 찾아가 노래를 하였다. ㉠<u>노래가 나오는 곳을 묻는 도깨비들에게 혹에서 나온다고 대답하자, 도깨비들이 거짓말쟁이라 하면서 착한 혹부리 영감에게서 떼어 낸 혹마저 붙여 주었다.</u>

① 밑져야 본전　② 빈 수레가 요란하다
③ 까마귀 고기를 먹었나　④ 제 꾀에 제가 넘어간다
⑤ 될성부른 나무는 떡잎부터 알아본다

인문 05 역사란 무엇인가

• 지문 해설

• 지문 난이도: 중

• 글자 수: 1179자

900 1300

실제로 일어난 사건, 즉 사실(事實)이 없다면 역사는 쓰일 수 없다. 그런데 인간이 살아온 현재까지 사건은 셀 수조차 없을 정도로 많이 일어났기 때문에 그것을 모두 기록하는 것은 불가능하다. 우리 집 고양이가 새끼를 여덟 마리나 낳았다고 해도 그것을 역사에 기록할 수는 없는 것이다. 결국 역사에 기록되는 것은 수많은 사건 중에서 매우 중요하다고 여겨져 선택된 것들이다.

그렇다면 누가 역사에 기록될 만한 사건을 선택하는 것일까? 바로 역사가가 한다. 역사가는 수없이 많은 사건 중에서 중요한 사건, 즉 역사적 사실을 선택하고 그것을 기록한다. 이때 그 사건에 대한 평가도 함께 이루어진다. 예를 들어 이순신 장군을 "삼도 수군통제사 이순신이 명량과 노량에서 왜적을 물리쳤다."라고만 기록하는 것이 아니라 "이순신은 죽음으로써 위기에 처한 나라를 구한 영웅이었다."와 같은 평가를 덧붙이는 것이다. 이처럼 역사적 사실을 평가하는 것을 역사적 해석이라고 한다. 따라서 역사는 '역사적 사실'과 '역사적 해석'이라는 두 요소로 이루어진다.

어떤 역사가가 기록하더라도 사건 자체는 객관적인 것이기에 동일하게 기록될 수밖에 없다. 그러나 역사적 해석은 역사가마다 다를 수 있다. 예를 들어 이순신 장군이 임진왜란 때 왜적을 물리친 것은 누구도 부인할 수 없는 사실이다. 그렇지만 그에 대한 평가는 '자신이 맡은 일을 충실하게 해낸 장군'이라고 할 수도 있고, '위대한 통솔력과 지략으로 우리 민족을 구한 영웅'이라고 할 수도 있다. 즉 역사가마다 다르게 평가할 수 있는 것이다.

그런데 역사가가 역사적 사실을 선택하고 그것에 대한 역사적 해석을 할 때의 평가 기준은 대개 자신이 살고 있는 현실 상황이다. 역사가도 현실을 살아가는 사람이기에 자신이 살고 있는 시대의 가치관이나 관심을 반영할 수밖에 없기 때문이다. 예를 들어 역사가가 전쟁으로 혼란스러운 시대에 살고 있다면 이순신 장군의 업적을 평화로운 때보다 더 중요하게 평가할 것이다. 그리고 시대가 달라지면 동일한 역사적 사실에 대한 평가도 달라질 수밖에 없다.

또한 역사적 해석에 따라 그동안 역사에 기록되지 않았던 사실이 새로 기록될 수도 있고, 과거에 중요하다고 여겨져 기록되었던 사실이 역사에서 빠질 수도 있다. 과거의 역사적 사실은 시대가 달라짐에 따라 그 의미가 다시 해석되기 때문이다. 이런 점 때문에 역사를 ㉠'과거와 현재의 끊임없는 대화'라고 한다.

• **삼도 수군통제사** 임진왜란 때, 충청도·전라도·경상도의 수군을 통솔하는 일을 맡아보던 벼슬.

• **객관적(客 손 객, 觀 볼 관, 的 과녁 적)인** 자기 느낌이나 생각에서 벗어나 대상을 있는 그대로 보는.

• **부인할** 그렇다고 인정하지 않음.

• **통솔력(統 거느릴 통, 率 거느릴 솔, 力 힘 력)** 무리를 거느려 다스리는 능력.

• **지략(智 슬기 지, 略 다스릴 략)** 슬기로운 계략. 슬기로운 꾀.

• **반영(反 돌이킬 반, 映 비칠 영)** 다른 것에 영향을 받아 어떤 현상이 나타남. 또는 어떤 현상을 나타냄.

• **업적** 사업·연구 등에서 이룩해 놓은 공적.

정답 및 풀이 05쪽

1

글의 구조 문단 내용 정리하기

이 글의 문단별 주요 내용을 정리한 것입니다. 빈칸에 적절한 말을 쓰시오.

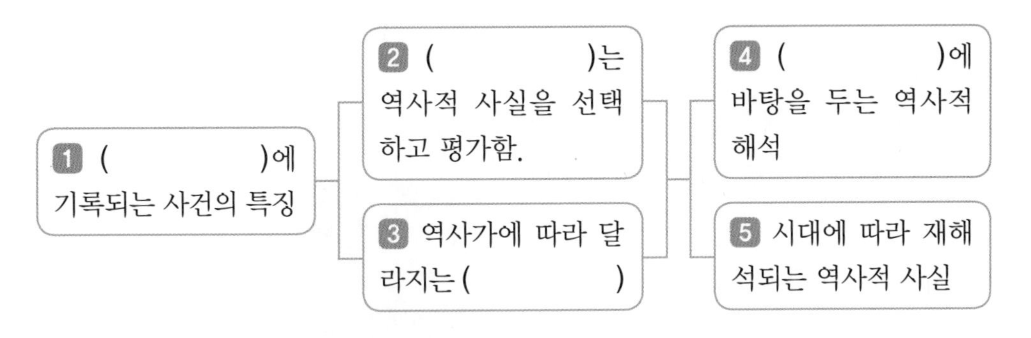

글의 구조 TIP

이 글은 총 다섯 개의 문단으로 이루어져 있습니다. 1문단에서는 역사에 기록되는 사건의 특징을, 2, 3문단에서는 역사적 사실을 선택하고 평가하는 역사가와 역사가에 따라 달라지는 역사적 해석에 대해 설명하였습니다. 4, 5문단에서는 시대를 반영하여 변화하는 역사에 대해 말하였습니다.

2

내용 이해 세부 정보 파악하기

이 글의 내용과 일치하지 않는 것은 무엇입니까? (　　　　)

① 동일한 역사적 사건이라도 역사가에 따라 다르게 평가될 수 있다.

② 역사가는 역사적 사실을 기록할 때 그것에 대한 평가를 덧붙인다.

③ 역사적 사실 자체는 실제로 일어난 일이므로 사실 그대로 기록된다.

④ 역사에 기록되는 사건은 역사가가 중요하다고 여겨 선택된 것들이다.

⑤ 역사에 기록된 사건은 역사가에 따라 평가는 달라지지만 역사에서 빠지지는 않는다.

3

내용 이해 세부 정보 파악하기

㉠의 의미로 가장 적절한 것은 무엇입니까? (　　　　)

① 현재 상황에 영향을 미치는 사건만 역사에 남겨 두어야 한다.

② 역사에 기록되는 사건은 현실의 역사가가 마음대로 꾸며낸 것이다.

③ 역사가는 과거의 사건을 평가하지 말고 있는 그대로 기록해야 한다.

④ 역사는 역사적 사실과 역사적 해석이라는 두 요소로 이루어져 있다.

⑤ 과거의 역사적 사건은 시대의 변화에 따라 그 평가가 달라질 수 있다.

수능형

4

문제 풀이

적용하기 구체적인 상황에 적용하기

이 글을 읽은 학생이 보기 에 대해 보인 반응으로 적절하지 않은 것은 무엇입니까?

(　　　)

보기

역사책인 『세종실록』에 따르면, 세종대왕은 1443년에 '훈민정음', 즉 지금의 한글을 창제하고, 약 3년간의 검토 과정을 거쳐 1446년에 공식적으로 **반포**하였다고 한다. 창제 당시에는 중국을 **숭상하며** 한자를 사용하던 **사대부**들의 반대가 매우 심하였다. 하지만 시간이 흐르면서 한글의 우수성이 점차 드러나고, 오늘날에는 전 세계에서 가장 과학적인 문자라는 평가를 받고 있다.

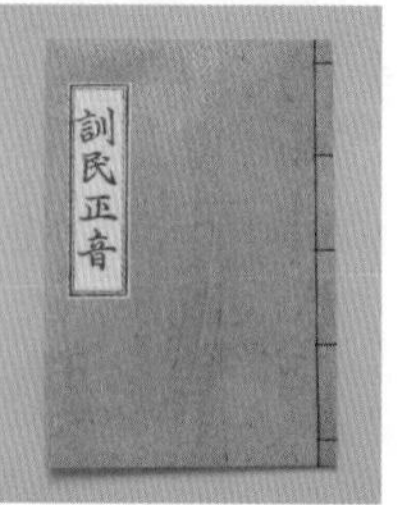

▲ 훈민정음 해례본

① 한글 창제는 과거에 일어난 수많은 사건 중의 하나라고 할 수 있겠군.
② 한글 창제는 역사가가 매우 중요하다고 판단하여 역사에 기록하였겠군.
③ 한글 창제는 객관적 사실이므로 당시 역사가들의 평가도 모두 같았겠군.
④ 한글 창제에 대한 평가는 시대가 바뀜에 따라 지금과 달라질 수도 있겠군.
⑤ 한글 창제에 대한 역사적 평가는 시간이 지나면서 점점 가치가 더해졌겠군.

어휘
- **반포** 세상에 널리 퍼뜨려 모두 알게 함.
- **숭상하며** 높여 소중히 여기며.
- **사대부** 벼슬이나 문벌이 높은 집안의 사람.

5

어휘·어법 속담으로 표현하기

이 글에서 역사가의 중요성을 나타내는 속담으로 가장 적절한 것은 무엇입니까?

(　　　)

① 꿩 대신 닭
② 티끌 모아 태산
③ 쥐구멍에도 볕 들 날 있다
④ 구슬이 서 말이라도 꿰어야 보배
⑤ 하룻강아지 범 무서운 줄 모른다

어휘·어법 TIP
- **꿩 대신 닭** 꼭 적당한 것이 없을 때 그와 비슷한 것으로 대신하는 경우.
- **티끌 모아 태산** 아무리 작은 것이라도 모이고 모이면 나중에 큰 덩어리가 됨.
- **쥐구멍에도 볕 들 날 있다** 몹시 고생을 하는 삶도 좋은 운수가 생길 날이 있다는 말.
- **구슬이 서 말이라도 꿰어야 보배** 아무리 훌륭하고 좋은 것이라도 다듬고 정리하여 쓸모 있게 만들어 놓아야 값어치가 있음.
- **하룻강아지 범 무서운 줄 모른다** 철없이 함부로 덤비는 경우를 나타내는 말.

어휘력 완성

정답 및 풀이 05쪽

1

낱말 이해 | 낱말 관계 | 낱말 적용 | 관용 표현

㉠과 ㉡에 들어갈 알맞은 낱말을 보기 에서 각각 찾아 쓰시오.

보기

기록　　부인　　반영　　사실　　중요

• 그 남자는 손을 내저으며 자신의 범죄 사실을 ㉠(　　　　)했다.
• 유행어는 당시의 사회상을 ㉡(　　　　)하는 거울 노릇을 한다.

어휘력+

• **기록** 사실을 뒤에 남기려고 적음. 또는 그런 글.
• **부인** 그렇다고 인정하지 않음.
• **반영** 다른 것에 영향을 받아 어떤 현상이 나타남.
• **사실** 실제로 있는 일이나 있었던 일.
• **중요** 소중하고 요긴함.

2

낱말 이해 | 낱말 관계 | 낱말 적용 | 관용 표현

㉠ '역사'와 뜻이 다르게 쓰인 것을 보기 에서 모두 골라 짝 지은 것은 무엇입니까?

(　　　　)

결국 ㉠역사에 기록되는 것은 수많은 사건 중에서 매우 중요하다고 여겨져 선택된 것들이다.

보기

㉮ 세종 대왕은 역사에 길이 남을 많은 업적을 이루었다.
㉯ 나는 열차 시각보다 빨리 도착하여 역사에서 기다렸다.
㉰ 우리나라 사람이 고추를 먹기 시작한 역사는 매우 짧다.
㉱ 무대에서는 체격이 건장한 역사가 힘자랑을 하고 있었다.

① ㉮, ㉯　　② ㉮, ㉰　　③ ㉯, ㉰
④ ㉯, ㉱　　⑤ ㉰, ㉱

3

낱말 이해 | 낱말 관계 | 낱말 적용 | 관용 표현

다음 밑줄 친 부분과 바꿔 쓸 수 있는 말은 무엇입니까? (　　　　)

이순신 장군을 "삼도 수군통제사 이순신이 명량과 노량에서 왜적을 물리쳤다."라고만 기록하는 것이 아니라 "이순신은 죽음으로써 위기에 처한 나라를 구한 영웅이었다."와 같은 평가를 덧붙이는 것이다.

① 부가하는　　② 부과하는　　③ 부담하는
④ 부착하는　　⑤ 부정하는

인문 06 존엄사 허용 문제

• 지문 해설

• 지문 난이도: 상

• 글자 수: 1046자

900 1300

인간은 누구나 태어났을 때부터 죽을 때까지 인간으로서 존엄성을 가진다. 또한 누구나 행복한 삶을 추구할 권리가 있다. 그렇다면 불의의 사고나 병으로 인해 회복될 가능성이 없는 환자라면 어떨까? 현대 의학 기술이 나날이 발전함에 따라 인간의 존엄성을 보장받지 못한 채 그저 생명만 무의미하게 이어 가는 환자들이 늘고 있다. 이에 존엄사를 보다 폭넓게 허용해야 한다는 주장 또한 증가하고 있다.

존엄사란 인간으로서 지녀야 할 최소한의 품위를 지키면서 죽을 수 있게 하는 행위를 말한다. 죽음을 앞둔 환자를 최선을 다해 치료하였음에도 불구하고 환자의 고통을 없애지 못하고 인간다운 삶이 불가능한 단계에 이르렀을 때, 연명 치료를 중단하는 것이다. 연명 치료는 병을 낫게 하려는 목적이 아니라 현 상태를 유지하면서 목숨만 겨우 이어가도록 하는 치료를 말한다. 이렇게 존엄사는 자연적인 죽음을 받아들이고 인간으로서 존엄을 유지하며 죽을 수 있도록 하는 것을 목적으로 한다.

존엄사는 인간이 다른 인간의 생명에 관여하는 일인 만큼 시행 조건이 매우 엄격하고 까다롭다. 의료 기관이 중단할 수 있는 연명 치료에는 심폐 소생술, 혈액 투석, 항암제 투여, 인공호흡기 치료 등이 있다. 이런 연명 치료를 중단하기 위해서는 환자의 치료 중단 의사나 무의미한 치료를 거부한다는 의사 표명이 사전에 있어야 하며, 가족 동의, 의사의 객관적인 판단 등이 추가로 필요하다.

우리나라는 법적으로 존엄사가 가능하지만 조건이 까다롭고 법의 해석이 다양하여 현실적으로 적용하기 어렵다. 또한 나라마다 존엄사에 대한 입장이 다르며 스위스, 네덜란드, 벨기에, 룩셈부르크 등 일부 국가에서만 적극적인 존엄사를 법적으로 허용하고 있다.

한편 이러한 존엄사 허용은 또 다른 문제를 낳는다. ㉠바로 현대 의학이 환자가 회복할 수 있는 가능성을 정확하게 판단할 수 없다는 점에서 딜레마가 발생하기 때문이다. 존엄사가 인간답게 죽을 권리를 보장해 주긴 하지만, 그 권리를 행사할 수 있는 상황인지 아닌지를 정확하게 판단하기 어려운 것이다. 따라서 존엄사의 허용 폭을 넓히는 일은 매우 신중할 수밖에 없다.

• **존엄성**(尊 높을 존, 嚴 엄할 엄, 性 성품 성) 높고 엄숙한 성질.

• **불의**(不 아니 불, 意 뜻 의)**의** 미처 생각하거나 예상하지 못한.

• **품위**(品 물건 품, 位 자리 위) 사람이 갖추어야 할 위엄이나 기품.

• **연명**(延 늘일 연, 命 목숨 명) 목숨을 겨우 이어 살아감.

• **시행**(施 베풀 시, 行 다닐 행) 실제로 행함.

• **의사**(意 뜻 의, 思 생각 사) 무엇을 하려고 하는 생각이나 마음.

• **표명**(表 겉 표, 明 밝을 명) 의견이나 태도를 드러내어 명백히 함.

• **사전**(事 일 사, 前 앞 전) 일을 시작하기 전.

• **딜레마** 선택해야 할 길은 두 가지 중 하나로 정해져 있는데, 그 어느 쪽을 선택해도 바람직하지 못한 결과가 나오게 되는 곤란한 상황.

정답 및 풀이 06쪽

글의 구조 문단 내용 정리하기

1 이 글의 문단별 주요 내용을 정리한 것입니다. 빈칸에 적절한 말을 쓰시오.

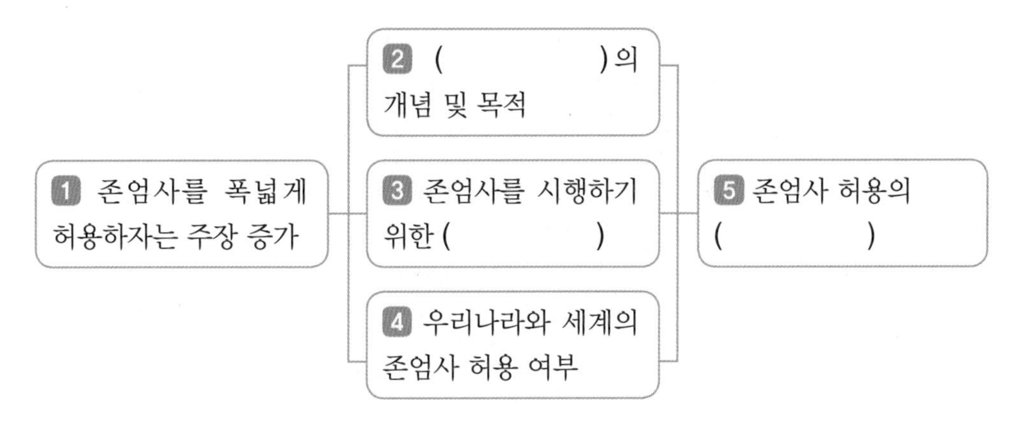

글의 구조 TIP

이 글은 총 다섯 개의 문단으로 이루어져 있습니다. 1문단에서는 존엄사를 폭넓게 허용하자는 주장이 증가하고 있음을 말하였고, 2~4문단에서 존엄사의 개념과 목적, 시행 조건, 시행 국가 등을 설명하였습니다. 5문단에서는 존엄사 허용 폭을 넓히는 일에 신중함이 필요하다고 하였습니다.

내용 이해 세부 정보 파악하기

2 이 글의 내용과 일치하지 않는 것은 무엇입니까? (   )

① 의료 기술이 발전하면서 무의미하게 생명만 이어 가는 환자들이 늘고 있다.
② 법적으로 환자 가족의 동의와 의사 판단만 있으면 연명 치료를 중단할 수 있다.
③ 연명 치료는 환자의 병을 낫게 하는 것이 아니라 현 상태를 유지하기 위한 치료이다.
④ 환자의 회복 가능성을 정확하게 판단할 수 없기에 존엄사를 함부로 허용하기 어렵다.
⑤ 존엄사란 인간으로서의 존엄을 유지하며 죽을 수 있도록 무의미한 연명 치료를 중단하는 것이다.

전개 방식 글쓰기 계획 파악하기

3 글쓴이가 이 글을 쓰기 위해 떠올린 생각으로 적절한 것은 무엇입니까? (   )

① 발생 순서에 따라 대상을 나누고 각각을 설명해야지.
② 대상에 대한 동양과 서양의 생각 차이를 조사해야지.
③ 문제 상황을 제시한 뒤 그것과 관련된 내용을 설명해야지.
④ 대상과 관련한 재미있는 속담이나 한자성어를 **인용**해야지.
⑤ 서로 반대되는 주장을 소개한 뒤 각 주장의 장단점을 비교해야지.

어휘

- **인용** 남의 말이나 글 가운데서 필요한 부분만을 끌어다 씀.

적용하기 구체적인 상황에 적용하기

이 글을 읽은 학생이 보기 를 읽고 보인 반응으로 적절하지 않은 것은 무엇입니까? (　　　)

보기

2008년 2월 김○○ 할머니는 서울 모 병원에서 폐암 조직 검사를 받던 중 과다 출혈 등으로 뇌손상을 입어 **식물인간**이 되었고 의사들은 인공호흡기를 제거하면 곧 사망할 것이라고 진단했다. 김○○ 할머니의 가족들은 할머니가 평소 무의미한 생명 **연장**을 거부하고 자연스런 사망을 원했음을 근거로 들며 연명 치료 중단을 요청했다. 하지만 병원 측은 치료를 포기할 수 없다며 거부했고, 결국 가족들은 할머니의 인공호흡기를 빼 달라는 **소송**을 제기하여 2009년 5월 21일 인공호흡기를 제거하라는 **판결**을 받았다. 이에 병원 측은 2009년 6월 23일 김○○ 할머니의 인공호흡기를 제거했으나 예상과 달리 할머니는 스스로 호흡을 하며 생존했고, 201일 만인 2010년 1월 10일에 죽었다.

① 김○○ 할머니가 평소에 연명 치료에 대한 거부 의사를 밝히지 않았다면 인공호흡기를 제거하는 것이 불가능했겠군.
② 김○○ 할머니의 가족들은 김○○ 할머니가 회복될 수 있다고 믿고 병원 측에 인공호흡기를 제거해 달라고 요구한 것이군.
③ 김○○ 할머니의 사례는 존엄사가 법적으로 가능하다고 하더라도 실제로 시행할 때는 신중해야 한다는 것을 보여 주는군.
④ 김○○ 할머니가 인공호흡기를 뗀 뒤에도 스스로 호흡을 했다는 것은 의사의 판단이 잘못될 수도 있음을 보여 주는 것이군.
⑤ 김○○ 할머니의 가족들은 김○○ 할머니가 인간으로서 최소한의 품위를 지킬 수 있도록 하기 위해 존엄사 허용을 요구한 것이겠군.

어휘·어법 한자성어로 표현하기

5 ㉠의 상황을 나타내는 한자성어로 가장 적절한 것은 무엇입니까? (　　　)

① 동문서답(東問西答)　② 일석이조(一石二鳥)
③ 전화위복(轉禍爲福)　④ 조삼모사(朝三暮四)
⑤ 진퇴양난(進退兩難)

어휘

- **식물인간** 살아서 숨은 쉬지만 뇌를 다쳐서 의식이 없고 움직이지 못하는 사람.
- **연장** 본래보다 길이 또는 시간을 늘림.
- **소송** 법원에 재판을 요구함.
- **판결** 법원이 어떤 소송 사건에 대하여 법에 따라 판단을 내림.

어휘·어법 TIP

- **동문서답** 물음과는 전혀 상관없는 엉뚱한 대답.
- **일석이조** 돌 한 개를 던져 새 두 마리를 잡는다는 뜻으로, 동시에 두 가지 이득을 봄을 이르는 말.
- **전화위복** 좋지 않은 일이 바뀌어 오히려 일이 잘됨.
- **조삼모사** 간사한 꾀로 남을 속임.
- **진퇴양난** 나아갈 수도 없고 물러설 수도 없다는 뜻으로 이러지도 저러지도 못하는 곤란한 처지.

어휘력 완성

정답 및 풀이 06쪽

낱말 이해 | 낱말 관계 | 낱말 적용 | 관용 표현

1 다음 빈칸에 들어갈 말로 알맞은 것은 무엇입니까? (　　　　)

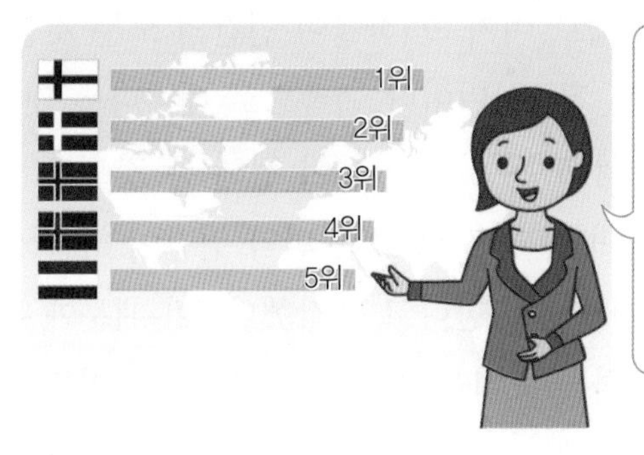

「2019년 세계 행복 보고서」에 따르면 우리나라의 행복지수는 156개국 중 54위로 나타났습니다. OECD 국가 중에서 하위권입니다. 이것은 '모든 국민은 인간으로서의 (　　　　)과 가치를 가지며, 행복을 추구할 권리를 가진다.'라는 헌법 제 10조를 떠올리게 합니다.

① 목적　② 생명　③ 이성
④ 존엄　⑤ 품질

낱말 이해 | 낱말 관계 | 낱말 적용 | 관용 표현

2 보기 속 두 낱말의 관계와 다르게 짝 지은 것은 무엇입니까? (　　　　)

보기

행복 – 불행

① 죽음 – 삶　② 신중 – 조심　③ 허용 – 금지
④ 가능 – 불가능　⑤ 자연적 – 인위적

낱말 이해 | 낱말 관계 | 낱말 적용 | 관용 표현

3 다음 밑줄 친 부분과 뜻이 통하는 속담은 무엇입니까? (　　　　)

존엄사가 인간답게 죽을 권리를 보장해 주긴 하지만, 그 권리를 행사할 수 있는 상황인지 아닌지를 정확하게 판단하기는 어렵다. 따라서 존엄사의 허용 폭을 넓히는 일은 매우 신중할 수밖에 없다.

① 똥 싸고 성낸다
② 금강산도 식후경
③ 닭 쫓던 개 지붕 쳐다보듯
④ 원숭이도 나무에서 떨어진다
⑤ 돌다리도 두들겨 보고 건너라

어휘력 +

- **똥 싸고 성낸다** 잘못을 저지른 쪽에서 오히려 남에게 성냄을 비꼬는 말.
- **금강산도 식후경** 아무리 재미있는 일이라도 배가 불러야 흥이 나지 배가 고파서는 아무 일도 할 수 없음.
- **닭 쫓던 개 지붕 쳐다보듯** 애써 하던 일이 실패로 돌아가 어찌할 도리가 없이 됨.
- **원숭이도 나무에서 떨어진다** 아무리 익숙하고 잘하는 사람이라도 간혹 실수할 때가 있음.
- **돌다리도 두들겨 보고 건너라** 잘 아는 일이라도 세심하게 주의를 하라는 말.

인문 07 인간에 관한 순자의 생각

• 지문 해설

• 지문 난이도: 상

• 글자 수: 1121자

900 1300

㉠ 옛날 사람들은 하늘을 절대적인 존재로 여기고, 하늘이 인간의 모든 것을 다스린다고 여겼다. 남자나 여자로 태어나는 것, 천민이나 귀족으로 태어나는 것, 가난하게 살거나 부자로 사는 것 등등 인간의 모든 것을 하늘이 정해 준 것으로 생각하였다. 인간의 삶 또한 하늘의 뜻에 따라야 한다고 보았다. 만약 인간이 하늘의 뜻을 어기면 하늘은 자연 현상을 통해 인간에게 경고한다고 생각했다. 이 때문에 홍수나 가뭄, 지진, 태풍 같은 천재지변이 발생하거나 하늘에서 큰 별똥별이 떨어지면 하늘이 노하였다고 여기며 두려워하였다.

그러나 기원전 300년경 중국에서 태어난 순자는 절대적인 지배자로서의 하늘을 인정하지 않았다. 하늘은 인간을 낳아 준 존재가 아니며, 인간의 행위와도 아무런 상관이 없다고 여긴 것이다. 또한 큰비가 내리거나 가뭄이 들거나 별똥별이 떨어지는 것 등은 모두 자연 현상에 불과하다고 보았다.

인간의 삶에서 하늘이라는 존재를 떼어 내면 삶의 모든 것을 운명으로 여겼던 소극적인 태도에서 벗어날 수 있다. 하지만 이전과 달리 인간 스스로 자신의 삶을 책임져야 한다. 그래서 순자는 인간에게 생기는 좋고 나쁜 일은 모두 자신의 노력에 달려 있다고 주장하였다. 한마디로 인간을 주체적인 존재로 본 것이다.

특히 순자의 눈에 비친 인간의 모습은 자신의 욕심을 채우기 위해 끊임없이 타인과 싸우는 이기적인 존재였다. 이는 순자가 활동하던 시대가 매우 혼란스러웠기 때문이다. 당시 중국은 수많은 나라로 나뉘어 전쟁이 끊이지 않았다. 그래서 많은 사람들이 살아남기 위하여 악한 행동을 거리낌없이 저질렀다. 이런 모습을 본 순자는 인간의 본성이 악하다고 판단하였다. 그리고 그런 악한 본성을 선하게 만들 길을 고민하였다.

(가) 순자는 배고프면 먹고 싶고, 추우면 따뜻하게 지내고 싶고, 피곤하면 쉬고 싶어 하는 인간의 본능적인 욕구에 주목하고, 이러한 욕구에서 비롯된 이기심은 누구에게나 있다고 보았다. 그러나 이런 본성을 그대로 두면 다툼과 혼란이 생길 수밖에 없으므로 이기적인 본성을 제어하여 바르게 할 방법이 필요하였다. 순자는 그 방법으로 예를 내세웠다. 사람들에게 예를 가르침으로써 악한 본성을 바르게 만들 수 있다고 ㉡ 보았다. 즉, 바르게 살기 위해서는 끊임없이 배워야 함을 강조하였다.

• **절대적인** 다른 것과 비교하거나 같은 것으로 다룰 수 없는.

• **천민**(賤 천할 천, 民 백성 민) 사회적인 신분이 낮고 천한 사람.

• **천재지변**(天 하늘 천, 災 재앙 재, 地 땅 지, 變 변할 변) 자연 현상으로 일어나는 재앙.

• **노**(怒 성낼 노)**하였다고** 화를 내었다고.

• **불과**(不 아닐 불, 過 지날 과) 그 정도에 지나지 못함.

• **주체적인** 어떤 일을 실현하는 데 자유롭고 자신의 일을 스스로 처리하는.

• **본성**(本 근본 본, 性 성품 성) 사람의 본디 타고난 성질.

• **주목**(注 물댈 주, 目 눈 목) 어떤 대상이나 일에 특별히 관심을 가지고 자세히 봄.

• **제어하여** 남을 억눌러 자기 뜻에 따르게 하여.

정답 및 풀이 07쪽

1 글의 구조 문단 내용 정리하기

이 글의 문단별 주요 내용을 정리한 것입니다. 빈칸에 적절한 말을 쓰시오.

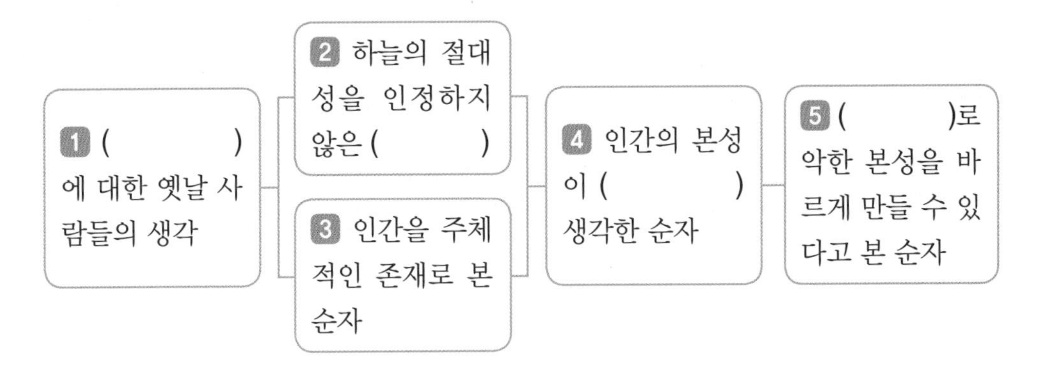

글의 구조 TIP

이 글은 총 다섯 개의 문단으로 이루어져 있습니다. 1문단에서 하늘은 옛날 사람들에게 절대적인 존재임을 말하였고, 2, 3문단에서는 그와 대조적인 순자의 생각을 말하였습니다. 4, 5문단에서 순자는 인간의 본성이 악하다고 판단하였고, 예로써 악한 본성을 바르게 만들 수 있다고 생각하였음을 설명하였습니다.

2 내용 이해 세부 정보 파악하기

이 글에 대한 이해로 적절하지 않은 것은 무엇입니까? (   )

① 순자는 모든 사람은 이기적인 본성을 지니고 있다고 판단하였다.
② 순자는 인간을 스스로 자신의 삶을 책임져야 하는 존재로 보았다.
③ 순자는 사람들이 편하고 풍족하게 먹고살 수 있는 방법을 고민하였다.
④ 옛날 사람들은 모든 것을 하늘의 뜻으로 여기고 하늘을 두려워하였다.
⑤ 순자가 살았던 시대에는 전쟁이 끊이지 않아 사람들이 살기 힘들었다.

3 내용 이해 원인과 결과 파악하기

㉠의 결과로 가장 적절한 것은 무엇입니까? (   )

① 하늘을 자연의 한 종류로만 여긴다.
② 내 삶의 주인은 나 자신이라고 생각한다.
③ 가뭄, 홍수 등을 자연 현상에 불과하다고 생각한다.
④ 열심히 노력하면 미래에는 나아질 수 있다고 믿는다.
⑤ 인간 스스로 자신의 삶을 개척하려는 의지가 없어진다.

수능형 4

비판하기 외부 자료를 바탕으로 비판하기

보기 속 '법가'의 입장에서 ㉮에 나타난 순자의 생각을 비판하는 내용으로 가장 적절한 것은 무엇입니까? (   )

문제 풀이

> 보기
>
> 순자가 활동했던 시대에는 많은 **사상가**들이 나타났다. 그 중에는 법가(法家)도 있었다. 법가는 예를 중시한 순자와 달리 형벌로써 사람들을 엄하게 다스려야 한다고 주장했다. 도덕이나 예는 억지로 시킬 수 없는 것이므로 강제력이 있는 법을 만들어 개인의 행위를 엄격하게 평가하고 그것에 맞는 상이나 벌을 내려야만 사람들의 이기적인 욕망을 **억제하고** 바로잡아 사회의 질서를 유지할 수 있다고 하였다.

① 인간의 이기적인 본성은 결코 바꿀 수 없으니 그냥 내버려 두어야 한다.
② 사람의 이기적인 본성은 타고나는 것이므로 노력하면 바로잡을 수 있다.
③ 모든 것은 하늘의 뜻이므로 이를 바꾸려는 것은 하늘의 뜻을 어기는 것이다.
④ 악한 사람에게는 하늘이 벌을 내릴 것이니 사람이 그것을 바로잡으려 할 필요가 없다.
⑤ 예는 강제력이 없어서 사람들이 따르지 않을 경우 이기적인 본성을 바로잡을 수 없다.

어휘

- **사상가**(思 생각 사, 想 생각 상, 家 집 가) 어떤 사상을 깊이 이해하고 이를 주장하는 사람.
- **억제하고** 감정, 욕구 등을 억눌러서 일어나지 못하게 하고.

5

어휘·어법 어휘의 문맥적 의미 파악하기

㉡'보았다'와 바꿔 쓸 수 있는 말은 무엇입니까? (   )

① 감상하였다
② 관찰하였다
③ 순응하였다
④ 구경하였다
⑤ 판단하였다

어휘 · 어법 TIP

- **감상하다** 주로 예술 작품을 이해하여 즐기고 평가하다.
- **관찰하다** 사물이나 현상을 주의하여 자세히 살펴보다.
- **순응하다** 환경이나 변화에 적응하여 익숙해지거나 체계, 명령 따위에 적응하여 따르다.
- **구경하다** 흥미나 관심을 가지고 보다.
- **판단하다** 앞뒤의 옳고 그름을 종합하여 어떤 일에 대한 자신의 생각을 마음속으로 정하다.

어휘력 완성

정답 및 풀이 07쪽

낱말 이해 | 낱말 관계 | 낱말 적용 | 관용 표현

1

다음 그림을 보고, ㉠과 ㉡에 들어갈 알맞은 낱말을 보기 에서 각각 찾아 쓰시오.

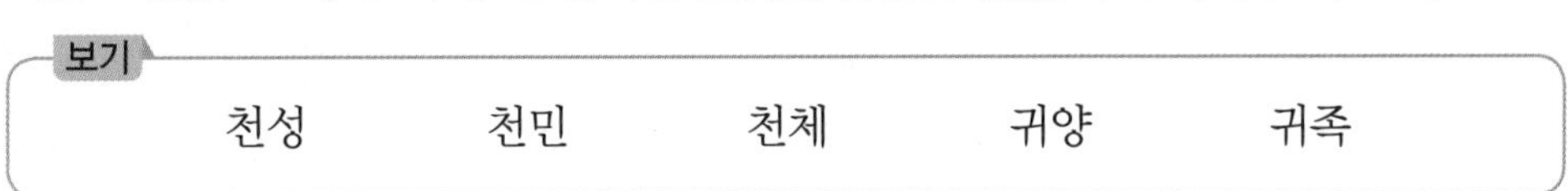

보기

천성 천민 천체 귀양 귀족

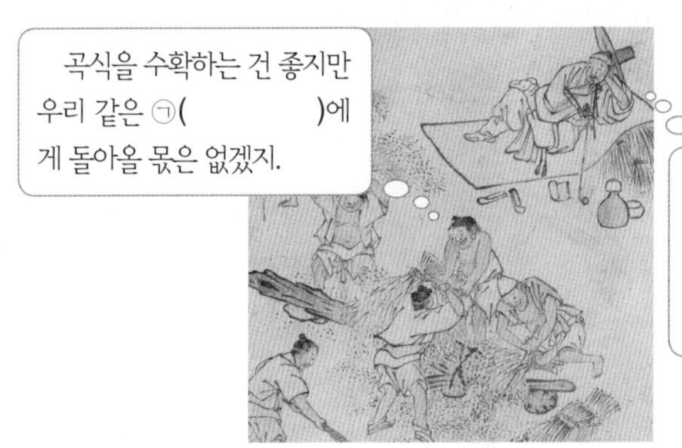

사람은 ㉡( )으로 태어나야 해. 일도 안 하고 놀고먹으니 얼마나 좋아.

낱말 이해 | 낱말 관계 | 낱말 적용 | 관용 표현

2

사전에서 찾은 '하늘'의 뜻이 다음과 같을 때, 밑줄 친 '하늘'의 뜻이 나머지 넷과 다른 것은 무엇입니까? ( )

하늘

「1」 땅과 바다 위로 끝없이 펼쳐져 있는 높고 너른 공간.

「2」 '하느님'을 달리 이르는 말.

① 하늘에는 별이 총총 빛나고 있다.
② 비행기가 하늘 높이 날아가고 있다.
③ 그들은 결과를 하늘에 맡기고 기다렸다.
④ 높고 맑은 하늘을 보니 기분이 좋아진다.
⑤ 새벽 하늘이 희미하게 밝아 오기 시작했다.

낱말 이해 | 낱말 관계 | 낱말 적용 | 관용 표현

3

다음 밑줄 친 부분과 뜻이 통하는 한자성어는 무엇입니까? ( )

순자는 사람들에게 예를 가르침으로써 악한 본성을 바르게 만들 수 있다고 보았다. 즉, 바르게 살기 위해서는 끊임없이 배워야 함을 강조하였다.

① 감언이설(甘言利說) ② 경거망동(輕擧妄動) ③ 자포자기(自暴自棄)
④ 절차탁마(切磋琢磨) ⑤ 청출어람(靑出於藍)

어휘력+

- **감언이설** 귀가 솔깃하도록 남의 비위를 맞추거나 이로운 조건을 내세워 꾀는 말.
- **경거망동** 경솔하여 생각 없이 망령되게 행동함.
- **자포자기** 절망에 빠져 자신을 스스로 포기하고 돌아보지 아니함.
- **절차탁마** 부지런히 학문과 덕행을 닦음.
- **청출어람** 제자나 후배가 스승이나 선배보다 나음.

인문 08 귀납법의 원리

• 지문 해설

• 지문 난이도: 상

• 글자 수: 1132자

900 1300

오랫동안 사람들은 매일 아침 태양이 뜨는 것을 경험해 왔다. 가끔 구름이 많아서 태양이 뜨는 모습을 눈으로 확인하지 못할 때도 있지만 한 번도 태양이 뜨지 않은 적은 없었다. 우리는 이러한 경험을 바탕으로 밤이 지나면 태양이 뜬다는 결론을 이끌어 낸다. 이렇듯 인간의 다양한 경험, 실험, 관찰 등을 근거로 일반적인 결론을 내리는 것을 '귀납 추리' 혹은 '귀납법'이라고 한다.

귀납법의 원리는 다음과 같다. '많은 수의 A가 관찰되었고, 관찰된 A가 모두 예외 없이 B라는 성질을 가지고 있다면, 모든 A는 B라는 성질을 가지고 있다.' 과학자는 이런 원리에 따라 많은 관찰을 통해 일정한 유형을 찾아내고, 그것을 바탕으로 가설을 세운 다음, 과학적 실험을 통해 그 가설이 맞는지 검증하여 일반적인 법칙을 세운다.

우리가 과학적 지식으로 알고 있는 법칙들은 대부분 귀납법을 활용한 것이다. 예를 들어 사람이나 개, 곤충, 식물같이 생명을 지닌 개체들을 오랫동안 관찰한 결과 모두 예외 없이 죽음을 맞이했음을 확인하고는 "모든 생물은 죽는다."라는 일반적인 법칙을 세운다. 그리고 이를 바탕으로 현재 살아 있는 어떤 생물도 언젠가는 죽을 것이라는 예측을 할 수 있다.

[㉠] 귀납법을 통해 세운 법칙은 논리적으로 완전한 진리로 보기 어렵다. 귀납법은 미래도 지금과 같을 것이라고 여기기 때문이다. 하지만 현재까지 관찰한 것에는 예외가 없었다 해도 앞으로 어떤 사례가 나타날지는 알 수 없다. 이 세상의 모든 사례를 조사할 수도 없으며, 설사 모두 조사하더라도 미래의 일은 조사할 수 없기 때문이다. 오늘까지는 예외 없이 태양이 떠올랐지만 내일은 떠오르지 않을 수도 있는 것이다. 실제로 많은 사례를 조사, 관찰하여 '백조는 모두 희다.'라는 법칙을 세웠는데, 나중에 검은 백조가 있음을 발견한 사례도 있다. [㉡] 귀납법을 이용하여 찾아낸 법칙은 100% 완전한 진실이 아니라 그럴 가능성이 매우 높은 지식으로 보아야 한다.

그러나 귀납법으로 얻은 지식이 100% 완전하지 않다고 해서 가치가 떨어지는 것은 아니다. 우리가 확실하다고 믿는 지식이 비록 논리적으로 문제가 있더라도, 앞으로의 일을 예측하는 데 매우 유용하기 때문이다. 적어도 우리는 내일도 태양이 뜰 가능성이 매우 높다고 말할 수 있다.

• **일반적인** 어떤 특정한 분야에만 한정되지 않고 전체에 두루 해당되는.

• **예외**(例 법식 예, 外 밖 외) 일반적인 규칙이나 보통 있는 일에서 벗어남.

• **유형**(類 무리 유, 型 거푸집 형) 비슷한 성질이나 특징이 있는 것끼리 묶은 갈래.

• **가설**(假 거짓 가, 說 말씀 설) 어떤 사실을 설명하기 위해 임시로 세운, 아직 증명되지 않은 이론.

• **검증**(檢 검사할 검, 證 증거 증)**하여** 검사하여 증명하여. 예 그 이론은 검증되지 않았으므로 믿을 수 없다.

• **진리**(眞 참 진, 理 다스릴 리) 참된 도리. 참된 이치.

• **설사** 가정하여 말해서. 예 설사 네가 잘못했더라도 용서하겠다.

• **유용**(有 있을 유, 用 쓸 용) 쓸모가 있음.

정답 및 풀이 08쪽

1

글의 구조 문단 내용 정리하기

이 글의 문단별 주요 내용을 정리한 것입니다. 빈칸에 적절한 말을 쓰시오.

글의 구조 TIP

이 글은 총 다섯 개의 문단으로 이루어져 있습니다. 1, 2문단에서는 귀납법의 뜻과 원리를, 3문단에서는 과학적 지식에 활용된 귀납법을 예로 들어 설명하였습니다. 4문단에서는 귀납법의 불완전함을, 5문단에서는 귀납법의 가치를 설명하였습니다.

2

내용 이해 세부 정보 파악하기

이 글의 내용과 일치하지 않는 것은 무엇입니까? (　　　　　)

① 오늘날의 과학적 법칙은 대부분 귀납법을 통해 이끌어 낸 것이다.
② 귀납법을 사용한 법칙은 '관찰–가설–실험–법칙'의 단계를 거친다.
③ 귀납법은 수많은 사실들의 공통점을 찾아 일반적인 법칙을 세운다.
④ 수많은 관찰을 거듭하면 귀납법으로 완전한 진리를 찾아낼 수 있다.
⑤ 귀납법을 통해 찾은 법칙을 바탕으로 관련된 현상을 예측할 수 있다.

3

적용하기 구체적인 상황에 적용하기

다음 중 귀납법을 사용하지 않은 것은 무엇입니까? (　　　　　)

① 모든 동물은 잠을 잔다. 사람은 동물이다. 그러므로 사람도 잠을 잔다.
② 세종 대왕은 죽었다. 이순신 장군도 죽었다. 이들은 모두 사람이다. 그러므로 모든 사람은 죽는다.
③ 비둘기는 깃털이 있다. 참새도 깃털이 있다. 닭도 깃털이 있다. 그런데 비둘기, 참새, 닭은 모두 새이다. 그러므로 새는 깃털이 있다.
④ 1학년 때 체육 선생님도 엄격했고, 2학년 때 체육 선생님도 엄격했다. 지금 체육 선생님도 엄격하다. 따라서 체육 선생님은 모두 엄격하다.
⑤ 우리 학교 농구 선수인 철수도 키가 크고, 옆 학교 농구 선수인 영희도 키가 크다. 텔레비전에 나오는 농구 선수들도 키가 크다. 따라서 농구 선수들은 모두 키가 크다.

수능형

4

문제 풀이

적용하기 구체적인 상황에 적용하기

이 글을 읽은 학생이 보기 에 대해 보인 반응으로 적절하지 않은 것은 무엇입니까? (　　　)

보기

어느 날 철수가 계란프라이를 하려고 계란을 깼더니 노른자가 하나 나왔다. 다음 날 또 계란프라이를 하려고 계란을 깼는데 노른자가 하나 나왔다. 그 다음 날도 그랬다. 그것을 본 철수는 계란에는 노른자가 한 개 들어 있다는 생각을 했다. 그리고 자신의 생각을 확인하기 위해 계란 10개를 깨 보았다. 모두 노른자는 한 개였다. 그것을 본 철수는 모든 계란에는 노른자가 하나씩 들어 있다는 결론을 내렸다.

① 철수는 관찰을 통해 떠올린 가설을 실험을 통해 검증하였군.
② 철수가 내린 최종 결론을 100% 완전한 진리로 볼 수는 없어.
③ 철수가 찾아낸 지식은 오류가 있으므로 아무런 가치가 없겠군.
④ 철수가 계란을 더 깨 보았을 때 노른자가 한 개가 아닐 수도 있어.
⑤ 철수는 앞으로도 계란에는 노른자가 한 개 있을 것이라고 생각하고 결론을 내렸겠네.

5

어휘·어법 이어 주는 말 파악하기

㉠과 ㉡에 들어갈 이어 주는 말을 바르게 짝 지은 것은 무엇입니까? (　　　)

	㉠	㉡
①	또는	그러므로
②	그리고	한편
③	그러나	그런데
④	따라서	예를 들어
⑤	하지만	따라서

어휘 · 어법 TIP

• **이어 주는 말** 두 문장을 자연스럽게 이어 줄 때 사용하는 말.

낱말 이해 | 낱말 관계 | 낱말 적용 | 관용 표현

1 다음 낱말의 뜻을 찾아 선으로 이으시오.

(1) 검증 • • ㉮ 검사하여 증명함.

(2) 가설 • • ㉯ 비슷한 성질이나 특징이 있는 것끼리 묶은 갈래.

(3) 유형 • • ㉰ 어떤 사실을 설명하기 위해 임시로 세운, 아직 증명되지 않은 이론.

낱말 이해 | 낱말 관계 | 낱말 적용 | 관용 표현

2 사전에서 찾은 '어렵다'의 뜻이 다음과 같을 때, 밑줄 친 낱말이 ㉠과 같은 뜻으로 쓰인 것은 무엇입니까? (   )

> 어렵다
> 「1」 하기가 까다로워 힘에 겹다.
> 「2」 말이나 글이 이해하기에 까다롭다.
> 「3」 가난하여 살아가기가 고생스럽다.
> 「4」 가능성이 거의 없다.
>
> 귀납법을 통해 세운 법칙은 논리적으로 완전한 진리로 보기 ㉠어렵다.

① 이 책은 초등학생이 읽기에 너무 어렵다.
② 시험을 못 봐서 합격하기는 어려울 것 같다.
③ 그들은 생활이 어려워서 시골로 이사를 갔다.
④ 어려운 낱말은 사전에서 뜻을 찾아보아야 한다.
⑤ 아버지는 어려운 공사를 맡게 되어 고생하셨다.

낱말 이해 | 낱말 관계 | 낱말 적용 | 관용 표현

3 다음 밑줄 친 부분과 바꿔 쓸 수 있는 말은 무엇입니까? (   )

> 이 세상의 모든 사례를 조사할 수도 없으며, 설사 모두 조사하더라도 미래의 일은 조사할 수 없기 때문이다.

① 혹시 ② 가끔 ③ 아직 ④ 아주 ⑤ 스스로

어휘력+
- **혹시** 그럴 리는 없지만 만일에.
- **가끔** 어쩌다가 한 번씩.
- **아직** 때가 되지 않았거나 미처 이르지 못한 상태임을 이르는 말.
- **아주** 보통 정도보다 훨씬 더.
- **스스로** 자신의 의지나 결심으로.

내용 이해

핵심 내용 파악하기

글의 핵심 내용은 곧 글쓴이가 궁극적으로 전달하려고 하는 주제를 말합니다. 이를 파악하는 방법은 먼저 글의 글감, 즉 중심 화제를 찾은 다음 그것에 대한 글쓴이의 관점이나 설명, 주장 등을 찾아야 합니다. 글의 화제는 대개 글의 제목이나 앞부분에서 찾을 수 있습니다.

중심 화제를 찾았으면 이제 그것에 대한 글쓴이의 생각을 찾아야 합니다. 이때는 각 문단의 중심 내용을 먼저 정리해야 합니다. 그런 뒤에 각 문단의 중심 내용을 비교하면서 나머지 중심 내용을 포괄할 수 있는 것을 찾으면 됩니다. 만약 없다면 만들어야 합니다. 글을 읽으면서 이렇게 질문해 보면 핵심 내용을 좀 더 쉽게 짐작할 수 있습니다.

"이 글은 무엇에 대한 내용인가? 그리고 글쓴이는 그것을 어떻게 생각하는가?"

세부 내용 이해하기

글에는 핵심 내용만 제시되는 것이 아니라 그것과 관련된 부수적인 내용이 함께 제시됩니다. 이는 글을 구성하는 문단에서도 마찬가지입니다. 하나의 문단은 하나의 중심 문장과 그것을 뒷받침하는 문장으로 이루어져 있습니다. 결국 한 편의 글이나 하나의 문단에서 대부분의 문장은 뒷받침 문장입니다. 이런 뒷받침 문장에 나타난 내용을 세부 내용이라고 합니다.

이런 세부 내용을 대충 읽고 지나가면 글의 주제를 제대로 파악하지 못할 뿐만 아니라 글의 내용 자체를 잘못 이해할 수 있습니다. 글의 세부 내용을 제대로 이해하기 위해서는 문장을 정확하게 읽어야 하는데, 이를 위해서는 문장의 주어와 서술어를 파악하며 읽는 연습이 필요합니다. 물론 무엇보다 중요한 것은 한 글자, 한 문장도 빠뜨리지 말고 꼼꼼하게 읽는 것입니다.

스몸비

스몸비(smombie)는 스마트폰(smart phone)과 좀비(zombie)를 합쳐서 만든 단어로, 스마트폰을 보느라 고개를 숙이고 걷는 사람을 넋이 없는 좀비에 빗대어서 표현한 말입니다. 스몸비와 같은 스마트폰 과의존 상태의 실태와 그로 인한 문제점, 예방 방안을 설명하는 글입니다.

착한 사마리아인 법을 반대한다

착한 사마리아인 법의 개념과 필요성을 설명한 뒤에 이 법의 제정을 반대하는 주장을 하는 글입니다.

일상에서의 물 절약 방법

우리나라가 물 스트레스 국가임을 제시하고, 일상에서 물을 절약할 수 방법을 구체적으로 설명하는 글입니다.

성(性) 고정 관념의 문제점

"남자가 울면 안 되지!"
"여자가 옷차림이 이게 뭐니?"
와 같이 일상생활에서 무분별하게 이루어지는 성별 구분이 아이들의 잠재력을 억제할 수 있다는 것을 설명하는 글입니다.

세금이 필요한 까닭

세금이 공공 서비스를 가능하게 하는 재원이라는 점과 세금을 부과하는 방법을 설명하는 글입니다. 경제적 능력에 비례하여 세금을 부과하는 누진세율 제도와 누구나 똑같이 내는 세금인 부가가치세에 대해 쉽게 알려 주고 있습니다.

사회

'사회' 영역의 글은 우리가 살아가는 사회에서 일어나는 다양한 사회 현상과 정치, 경제, 법과 환경 등을 다룹니다.

기본 소득 제도의 필요성과 문제점

기본 소득 제도란 국가에서 모든 국민에게 아무런 조건 없이 일정한 금액을 정기적으로 지급하는 복지 제도를 말합니다. 이러한 기본 소득 제도를 도입해야 할 필요성과 이 제도를 도입할 경우에 발생할 수 있는 문제점을 설명하는 글입니다.

채식주의자

채식주의자라고 해서 항상 채소만 먹는 것은 아닙니다. 채식주의자를 일정한 기준에 따라 구분하고, 차이점을 중심으로 각각을 설명하는 글입니다.

저작권을 지키자

저작권의 개념을 소개한 뒤, 이를 잘 알지 못하는 청소년들이 흔히 저지르는 저작권 위반 사례를 자세히 설명하는 글입니다.

사회 01 스몸비

• 지문 해설

• 지문 난이도: 중

• 글자 수: 1065자

900 1300

'스몸비(smombie)'라는 말이 있다. '스마트폰(smartphone)'과 '좀비(zombie)'를 합쳐서 만든 단어로, 스마트폰을 보느라 고개를 숙이고 걷는 사람을 넋이 없는 좀비에 빗대어서 표현한 말이다. 즉, 스마트폰 과의존 상태를 보이는 사람을 비꼬는 말이다. 이들은 우리와 멀리 있지 않다. 길거리에서 흔히 볼 수 있으며, 나 자신이나 내 친구가 '스몸비'일 수도 있다.

한국정보화진흥원의 조사에 따르면, 2011년에는 스마트폰 보유자의 8.4%가 스마트폰 과의존 위험군으로 나타났으나 2018년에는 그 비율이 19.1%로 증가했다. 그런데 10세~19세 청소년의 29.3%가 스마트폰 과의존 위험군으로 나타나 성인의 18.1%보다 높았다. 2020년 통계청이 발표한 자료에서도 청소년의 30.2%가 스마트폰 과의존 위험군으로 조사되었다. 사회적으로 스마트폰 과의존 상태가 늘고 있는데, 특히 청소년의 문제 상황이 심각한 것이다.

스마트폰 과의존 상태는 일상생활을 방해하며 신체 이상이 생기기도 한다. 스마트폰과 떨어지거나 사용하지 못하게 되면 불안감이나 우울증 같은 금단 현상이 나타나면서 일상적인 생활이 어려워지는 것이다. 그리고 만성 수면 부족으로 집중력이 떨어지고, 일자 목 증후군 같은 신체 이상이 생기기도 한다.

또한 보행 중 사고 위험을 높인다. 한국교통안전공단의 연구 보고서에 의하면, 보행 중에 스마트폰을 사용할 경우 교통사고 위험이 76%나 증가한다고 한다. '스몸비'는 보행 속도가 느리고, 자동차 경적 소리 같은 외부 자극에 대한 인지 능력이 떨어지기 때문이다. 그 결과 보행 중에 일어나는 위험을 피할 수 있는 시간을 충분히 확보하지 못해 사고를 당할 확률이 높아진다.

스마트폰은 우리의 삶을 편리하게 해 주지만 방심하면 우리를 위험에 빠뜨린다. 따라서 우리는 스마트폰 과의존 상태의 위험성을 인식하고 평소에 이를 예방하는 노력을 해야 한다. 예를 들어 집에서는 스마트폰을 자신이 있는 곳에서 멀리 두고, 자기 전에는 스마트폰을 사용하지 않는 습관을 들이며, 스마트폰을 대체할 다른 취미를 찾는 것이 좋다.

- **좀비(zombie)** 살아 있는 시체를 이르는 말.
- **과의존** 어떤 것에 매우 심하게 의지하여 있음.
- **보유자(保 지킬 보, 有 있을 유, 者 놈 자)** 어떤 기능·자격·기록 등을 가지고 있는 사람.
- **금단** 어떤 행위를 못하도록 금함.
- **만성(慢 게으를 만, 性 성품 성)** 병의 증세가 오래 끄는 성질.
- **일자 목** 목뼈가 정상적으로 굽지 않고 '一' 자로 펴진 목.
- **보행(步 걸을 보, 行 갈 행)** 걸어서 다님.
- **경적** 위험을 알리거나 경계를 위하여 울리는 소리.
- **방심(放 놓을 방, 心 마음 심)하면** 긴장하거나 조심하지 않고 마음을 놓아 버리면.
- **대체(代 대신할 대, 替 바꿀 체)할** 다른 것으로 바꿀.

정답 및 풀이 09쪽

글의 구조 문단 내용 정리하기

1 이 글의 문단별 주요 내용을 정리한 것입니다. 빈칸에 적절한 말을 쓰시오.

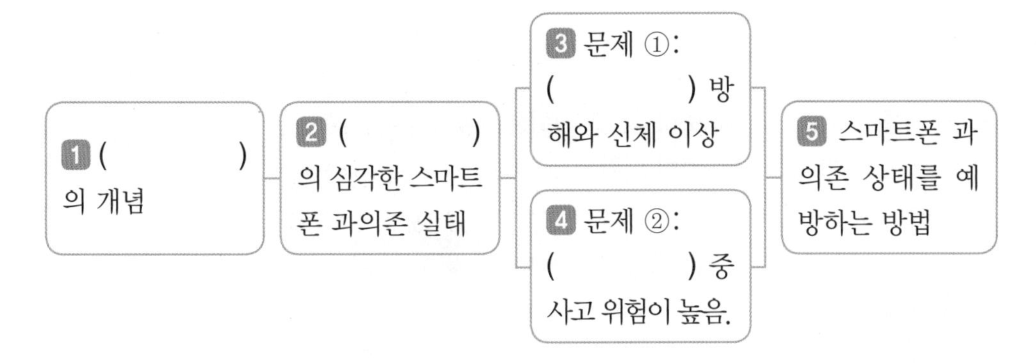

글의 구조 TIP

이 글은 총 다섯 개의 문단으로 이루어져 있습니다. 1문단에서는 스몸비의 뜻을 설명하고, 2문단에서는 스마트폰 과의존 상태의 실태를 수치를 인용해 제시하였습니다. 3, 4문단에서는 스마트폰 과의존 상태로 인한 문제들을 나열하였고, 5문단에서는 과의존 상태를 예방하는 방법을 소개하였습니다.

내용 이해 세부 정보 파악하기

2 이 글의 내용과 일치하지 않는 것은 무엇입니까? (   )

① 스마트폰 과의존 상태에 빠지면 만성 수면 부족으로 이어져 집중력이 떨어진다.
② 스마트폰을 보면서 길을 걸으면 주변 상황을 빨리 인지하지 못해 사고를 당할 위험이 높다.
③ 청소년의 스마트폰 과의존 정도가 성인의 스마트폰 과의존 정도보다 높은 것으로 조사되었다.
④ '스몸비'는 스마트폰 과의존 상태에 빠진 사람이 스마트폰을 보느라 좀비처럼 걷는 것을 비꼬는 말이다.
⑤ 스마트폰 과의존 상태를 예방하려면 생활이 조금 불편하더라도 스마트폰을 아예 사용하지 말아야 한다.

전개 방식 내용 전개 방식 파악하기

3 이 글의 글쓰기 방법으로 적절하지 않은 것은 무엇입니까? (   )

① **신조어**를 제시하여 독자의 흥미와 관심을 끌어내고 있다.
② **수치**를 활용하여 스마트폰 과의존 상태의 실태를 보여 주고 있다.
③ 스마트폰 과의존으로 인한 **부작용**을 여러 측면에서 제시하고 있다.
④ 인용한 정보의 출처를 밝혀 내용의 신뢰성과 객관성을 높이고 있다.
⑤ 청소년 면담 자료를 제시하여 스마트폰 과의존의 심각성을 강조하고 있다.

어휘

- **신조어** 최근에 새로 만들어져 사람들이 쓰는 말.
- **수치**(數 셀 수, 値 값 치) 계산하거나 재어서 얻은 수의 값.
- **부작용** 어떤 일에 곁들여 일어나는 바람직하지 못한 일.

수능형

문제 풀이

4 적용하기 구체적인 상황에 적용하기

다음 보기 의 자료를 활용해 이 글의 내용을 수정할 때 가장 적절한 방법은 무엇입니까? (　　　　)

보기

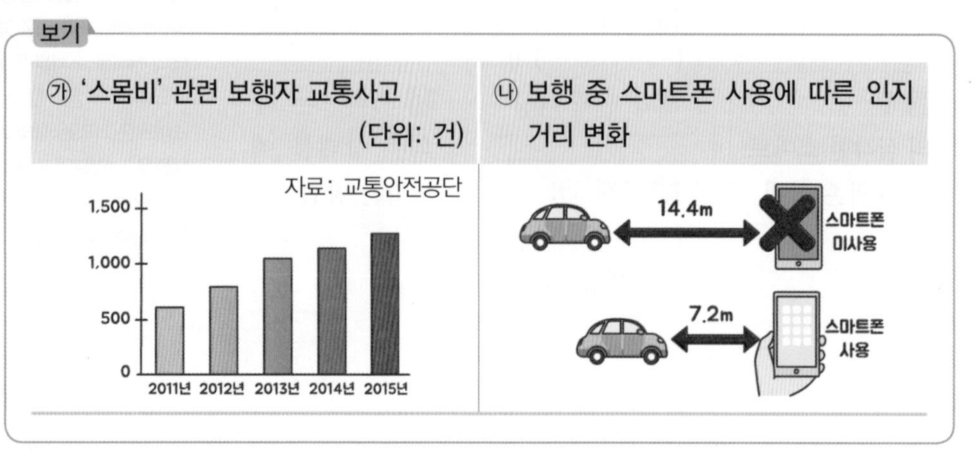

① ㉮를 활용하여 스마트폰 과의존 상태의 청소년들이 해마다 늘고 있다는 내용을 1문단에 추가한다.

② ㉮를 활용하여 실제로 보행 중 스마트폰 사용으로 인한 교통사고가 증가하고 있다는 내용을 4문단에 추가한다.

③ ㉯를 활용하여 사회적 차원에서 스마트폰 사용을 금지하는 방안을 마련해야 한다는 내용을 5문단에 추가한다.

④ ㉯를 활용하여 보행 중 스마트폰을 사용하면 외부 자극에 대한 인지 능력이 높아진다는 내용을 4문단에 추가한다.

⑤ ㉮와 ㉯를 모두 활용하여 스마트폰 과의존 상태인 '스몸비'가 지속적으로 증가하고 있다는 내용을 2문단에 추가한다.

5 어휘·어법 한자성어로 표현하기

스마트폰 과의존 상태의 청소년에게 한자성어를 사용하여 충고의 말을 할 때, 가장 적절한 것은 무엇입니까? (　　　　)

① 안하무인(眼下無人)

② 우유부단(優柔不斷)

③ 일석이조(一石二鳥)

④ 연목구어(緣木求魚)

⑤ 과유불급(過猶不及)

어휘·어법 TIP

- **안하무인** 자기가 가장 잘난 듯이 다른 사람을 업신여김.
- **우유부단** 얼른 결정하거나 행동하지 못하고 우물쭈물하는 데가 있음.
- **일석이조** 한 가지 일을 통해 동시에 두 가지 이득을 얻음.
- **연목구어** 도저히 불가능한 일을 굳이 하려 함.
- **과유불급** 어떤 것이든 너무 지나친 것은 좋지 않음.

어휘력 완성

정답 및 풀이 09쪽

낱말 이해 | 낱말 관계 | 낱말 적용 | 관용 표현

1 ㉠~㉢의 뜻으로 알맞은 것을 찾아 선으로 이으시오.

(1) 산불 ㉠예방 대책 •

(2) 도착 ㉡예정 시각 •

(3) 공사 ㉢예비 자금 •

• ㉮ 필요할 때 쓰기 위하여 미리 마련하거나 갖추어 놓음.

• ㉯ 질병이나 재해 따위가 일어나기 전에 미리 대처하여 막는 일.

• ㉰ 앞으로 일어날 일이나 해야 할 일을 미리 정하거나 생각함.

낱말 이해 | 낱말 관계 | 낱말 적용 | 관용 표현

2 다음 밑줄 친 낱말 중 ㉠과 같은 뜻으로 쓰인 것은 무엇입니까? (　　　　)

스마트폰 과의존 상태는 일상생활을 방해하며 신체 ㉠이상을 가져오기도 한다.

① 청소년들은 높은 이상을 품고 노력해야 한다.
② 필요 이상으로 친절을 베푸는 것은 좋지 않다.
③ 4월인데 눈이 내리는 이상 기후가 나타나고 있다.
④ 그 약은 하루에 두 알 이상 먹으면 몸에 좋지 않다.
⑤ 인류의 가장 큰 이상은 세계 평화를 이루는 것이다.

어휘력 +

- **이상**1(以 써 이, 上 윗 상) 차례·수량·정도 같은 것이 그것을 포함하여, 그것보다 많거나 위임을 나타냄.
- **이상**2(理 다스릴 이, 想 생각 상) 그렇게 되었으면 하고 마음에 그리며 추구한 높고 훌륭한 목표.
- **이상**3(異 다를 이, 常 항상 상) 정상적인 상태와 다름, 또는 그런 상태.

낱말 이해 | 낱말 관계 | 낱말 적용 | 관용 표현

3 다음 빈칸에 들어갈 말로 알맞은 것은 무엇입니까? (　　　　)

스마트폰은 우리의 삶을 편리하게 해 주지만 방심하면 우리를 위험에 빠뜨리게 하기도 하는 (　　　　)을 지니고 있다.

① 가능성
② 공공성
③ 보편성
④ 양면성
⑤ 주체성

사회 02 착한 사마리아인 법을 반대한다

• 지문 해설

• 지문 난이도: 하

• 글자 수: 1015자

900 1300

위험한 상황에 처해 있는 사람을 보고도 자신과 상관없는 일로 여기며 ㉠ 외면하는 사례가 종종 보도되고 있다. 그리고 이를 근거로 '착한 사마리아인 법'을 ㉡ 제정해야 한다는 목소리가 커지고 있다. '착한 사마리아인 법'은 자신에게 특별한 위험이 ㉢ 발생하지 않음에도 불구하고 위험에 처한 사람을 구하지 않으면 처벌하는 법으로, 도덕적으로 바르게 행동할 것을 법으로 ㉣ 강제하는 것이다.

'착한 사마리아인 법'이라는 이름은 『성경』에서 비롯되었다. 강도를 만나 상처를 입고 죽어 가는 사람이 있었다. 사람들에게 존경받고 지위가 높았던 제사장을 비롯하여 많은 사람들이 이를 보고도 그냥 지나쳐 갔지만, 당시 사회적으로 경멸의 대상이었던 사마리아 여인만이 걸음을 멈추고 돌봐 주었다는 이야기에서 나온 것이다.

사마리아 여인과 같은 행동은 칭송받아 마땅하다. 하지만 모든 사람들에게 이 여인과 같은 행동을 하도록 하는 것은 옳지 않다. 사마리아 여인의 보살핌이 가치 있는 이유는 그것이 어떠한 대가도 바라지 않는 착한 마음에서 ㉤ 자발적으로 한 것이기 때문이다. 그런 행동을 억지로 한다면 착한 행위로 볼 수 없으며, 개인의 자율성도 침해된다.

민주주의 사회에서 개인은 자신의 행동을 자유롭게 선택할 수 있어야 한다. ㉮ '법은 최소한의 도덕'이라는 말처럼 법에 의한 개인의 자율성 침해는 최소한이어야 한다. 단지 타인을 돕지 않았다는 이유로 처벌을 하는 것은 개인의 자유 의지를 무시하는 것이다.

개인주의가 심해지면서 타인의 고통이나 위험을 외면하는 경우가 늘고 있는 것은 사실이다. 그러나 그것은 사람들이 악해진 것이 아니라 사회가 타인에 대한 관심을 지닐 여유가 없을 정도로 경쟁만을 요구하고 있기 때문이다. 어릴 때부터 주변 사람들을 이겨야 하는 경쟁을 요구받아 온 사람들이 자발적인 도움의 손을 내밀기는 어렵다. 하지만 이런 상황에도 불구하고 고통받는 이웃을 외면하지 않는 사람들이 훨씬 더 많다. 따라서 법으로 강제하기보다는 공동체 생활에 대한 윤리 교육을 강화하는 것이 더 바람직하다.

- **외면**(外 밖 외, 面 낯 면) 마주 보지 않으려고 얼굴을 다른 쪽으로 돌림.
- **제정**(制 지을 제, 定 정할 정) 제도·규정 등을 만들어서 정함.
- **강제**(强 굳셀 강, 制 절제할 제) 강한 힘이나 권력으로 남을 억눌러 원하지 않는 일을 억지로 하게 함.
- **경멸** 남을 깔보고 업신여김.
- **칭송**(稱 일컬을 칭, 訟 송사할 송) 훌륭한 점이나 잘한 일을 칭찬하여 높이 우러름.
- **자발적**(自 스스로 자, 發 쏠 발, 的 과녁 적) 자기 스스로 나서서 하는 것.
- **자율성**(自 스스로 자, 律 법율, 性 성품 성) 자기의 뜻에 따라 자기 행동을 조절하는 성질이나 특성.
- **침해** 침범하여 해를 끼침.
- **타인**(他 다를 타, 人 사람 인) 다른 사람.
- **개인주의** 국가나 사회·단체보다 개인의 가치를 더 존중하는 주의.

글의 구조 문단 내용 정리하기

1

이 글의 문단별 주요 내용을 정리한 것입니다. 빈칸에 적절한 말을 쓰시오.

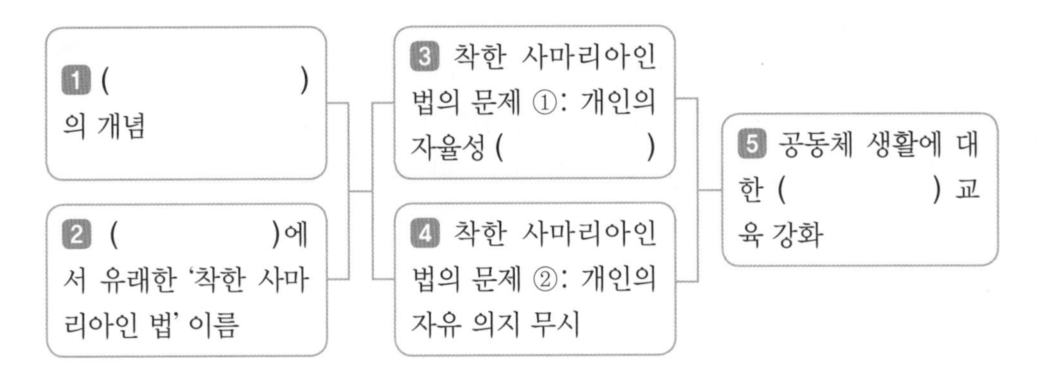

글의 구조 TIP

이 글은 총 다섯 개의 문단으로 이루어져 있습니다. 1~2문단은 서론으로 위험에 처한 사람을 보고도 외면하는 세태와 착한 사마리아인 법을 설명하였고, 3~4문단은 본론으로 착한 사마리아인 법을 반대하는 근거를 제시하였습니다. 5문단은 결론으로 법의 강제 대신 윤리 교육 강화라는 대안을 제시하였습니다.

내용 이해 세부 정보 파악하기

2

'착한 사마리아인 법'에 대한 이해로 적절하지 않은 것은 무엇입니까? (   )

① 위험에 처한 사람을 보면 어떠한 경우라도 그 사람을 구조해야 한다.
② 위험에 처한 타인을 도와주는 도덕적 행동을 법으로 강제하는 것이다.
③ 이름은 『성경』에 나오는 사마리아 여인에 관한 이야기에서 비롯되었다.
④ 도덕적 행동을 강제하는 것은 개인의 자유 의지를 침해하는 면이 있다.
⑤ 위험에 처한 타인을 보고 도울 수 있는 상황에서도 돕지 않으면 처벌받는다.

내용 이해 세부 정보 파악하기

3

㉮ '법은 최소한의 도덕'의 의미로 가장 적절한 것은 무엇입니까? (   )

① 법과 도덕은 서로 아무런 관련이 없다.
② 법과 도덕 모두 사람들이 반드시 지켜야 한다.
③ 법과 도덕은 사회의 질서를 유지하기 위해 필요하다.
④ 도덕 중에서 강제적으로 꼭 지켜야 할 일부가 법이다.
⑤ 공동체의 질서를 위해서는 개인의 자율성을 침해할 수 있다.

4

문제 풀이

비판하기 외부 자료를 바탕으로 비판하기

보기 의 관점에서 이 글을 비판하는 말로 가장 적절한 것은 무엇입니까? (　　　　)

보기

프랑스와 독일 등 유럽 14개국과 미국의 30여 개 주에서 착한 사마리아인 법을 실시하고 있다. 예를 들면, 프랑스에서는 자기가 위험하지 않은데도 불구하고 타인을 구조하지 않으면 5년 이하의 징역 혹은 7만 5000유로 이하의 벌금에 처하도록 하고 있다. 이들 나라에서 이런 **조항**을 둔 이유는 이기적이고 비인간적인 사람들이 늘면서 점점 더 **냉혹해지는** 세상을 법으로라도 바로잡고자 하려는 것이다.

① 손해를 보면서 착한 행동을 한 사람에게는 보상이 주어져야 한다.
② 윤리적 비난만으로는 사람들의 이기적인 행위를 바로잡을 수 없다.
③ 민주주의 사회에서 타인에게 피해를 입힌 사람은 책임을 져야 한다.
④ 자신의 마음에서 우러난 행위가 아니라면 착한 행위라고 할 수 없다.
⑤ 법으로 착한 행동을 하도록 강제하더라도 자율성을 침해하는 것은 아니다.

어휘

- **조항** 법률이나 규정 등의 낱낱의 항목.
- **냉혹해지는** 인정이 없고 몹시 모진.

5

어휘·어법 어휘의 문맥적 의미 파악하기

㉠~㉤을 바꾼 말로 적절하지 않은 것은 무엇입니까? (　　　　)

① ㉠ 외면하는 → 모른 체하는
② ㉡ 제정해야 → 바르게 잡아야
③ ㉢ 발생하지 → 생기지
④ ㉣ 강제하는 → 억지로 시키는
⑤ ㉤ 자발적으로 → 자기 스스로

정답 및 풀이 10쪽

1 낱말 이해 | 낱말 관계 | 낱말 적용 | 관용 표현

㉠과 ㉡의 뜻으로 알맞은 것을 찾아 선으로 이으시오.

(1) 고객 서비스 ㉠강화로 기업의 경쟁력을 높여야 한다. • • ㉮ 사물의 정도가 깊어지거나 심각해짐.

(2) 대기 오염의 ㉡심화로 인간의 생존이 위협을 받고 있다. • • ㉯ 부족한 점을 보충하여 이제까지보다 더 강하게 함.

2 낱말 이해 | 낱말 관계 | 낱말 적용 | 관용 표현

다음 밑줄 친 부분과 바꿔 쓸 수 있는 말은 무엇입니까? (　　　　)

> '착한 사마리아인 법'을 제정해야 한다는 목소리가 커지고 있다.

① 강조 ② 애원 ③ 주장
④ 탄식 ⑤ 함성

3 낱말 이해 | 낱말 관계 | 낱말 적용 | 관용 표현

다음 상황을 표현하기에 가장 적절한 속담은 무엇입니까? (　　　　)

> 누군가가 위험한 상황에 처해 있는 것을 보고도 자신과 상관없는 일로 여기며 외면하는 사례가 종종 보도되고 있다.

① 빈 수레가 요란하다
② 비 온 뒤에 땅이 굳어진다
③ 고양이한테 생선을 맡기다
④ 남의 염병이 내 고뿔만 못하다
⑤ 빈대 잡으려고 초가삼간 태운다

어휘력 +

- **빈 수레가 요란하다** 실속 없는 사람이 겉으로 더 떠들어 댐.
- **비 온 뒤에 땅이 굳어진다** 힘든 일을 겪은 뒤에 더 강해짐.
- **고양이한테 생선을 맡기다** 어떤 일이나 사물을 믿지 못할 사람에게 맡겨 놓고 마음이 놓이지 않아 걱정함.
- **남의 염병이 내 고뿔만 못하다** 남의 괴로움이 아무리 크다고 해도 자기의 작은 괴로움보다는 마음이 쓰이지 아니함.
- **빈대 잡으려고 초가삼간 태운다** 손해를 크게 볼 것은 생각하지 않고 당장 마음에 들지 않는 것을 없애려고 그저 덤비기만 하는 경우.

사회 03

일상에서의 물 절약 방법

• 지문 해설

• 지문 난이도: 하

• 글자 수: 1060자

900 1300

가 3월 22일은 '세계 물의 날'이다. 이날 유엔(UN)이 공개한 '세계 물 보고서'에 따르면 우리나라는 '물 스트레스 국가'로 분류되어 있다. 일반적으로 물 스트레스 지수가 40%가 넘을 경우 심각한 수준으로 보는데, 우리나라의 물 스트레스 지수는 57.6%이다. 그럼에도 우리가 평소에 물 부족을 느끼지 못하는 이유는 수자원을 최대한 사용하기 때문이다. 하지만 물 스트레스 지수는 앞으로 더 높아질 것으로 예상된다.

나 한국수자원공사에 따르면, 우리나라 사람 한 명이 하루에 평균적으로 소비하는 물의 양은 287리터이다. 자그마치 2리터짜리 페트병 143.5병이 매일 소비되는 셈이다. 이를 용도로 보면, 변기 물 내리는 데 25%, 음식을 만들고 설거지 등을 하는 데 21%, 세탁하는 데 20%, 목욕하는 데 16%, 손이나 얼굴을 씻는 데 11%, 식수 등 기타 용도에 7%가 사용된다. 이렇듯 우리는 물이 없으면 정상적인 생활을 하기 어렵다. 몇 년 전 우리나라에 심한 가뭄이 들었을 때 사람들이 가장 크게 고생했던 점도 식수의 부족이 아니라 빨래나 목욕, 화장실 사용 등을 제대로 못하는 것이었다.

다 일상에서 물을 절약하는 일은 어렵지 않다. 첫째, 일반 양변기를 사용한다면 수조에 물을 채운 페트병이나 벽돌을 한 장 넣어 두자. 그래도 사용하는 데에는 아무런 문제가 없으며, 매우 많은 물을 절약할 수 있다. 둘째, 머리를 감거나 비누칠을 할 때에는 물을 잠그자. 샤워 시간은 대개 15분 내외인데, 그동안 약 180리터 이상의 물을 사용한다. 따라서 샤워 습관만 바꿔도 많은 물을 절약할 수 있다. 셋째, 설거지를 할 때에는 물을 받아 놓고 쓸 수 있는 설거지통을 사용하자. 물을 받아 놓고 설거지를 하게 되면 그렇지 않을 때보다 60% 이상의 물을 절약할 수 있다. 넷째, 양치 컵을 사용하자. 수도꼭지 물을 틀어 놓고 양치를 하면 양치 컵을 사용할 때에 비해 약 1.5리터의 물이 낭비된다.

라 작은 물방울이 모여서 큰 강을 이루는 법이다. 물 절약도 마찬가지다. 우리의 작은 실천이 모여 우리나라 전체에서 큰 성과를 거둘 수 있다. 물의 소중함을 알고 일상에서 물을 절약하는 일을 당장 시작하자.

• **지수** 해마다 변화하는 사항을 알기 쉽도록 보이기 위해 어느 해의 수량을 기준으로 잡아 100으로 하고, 그것에 대한 다른 해의 수량을 비율로 나타낸 수치.

• **수자원**(水 물 수, 資 재물 자, 源 근원 원) 농업·공업·발전용 등의 자원이 되는 물.

• **용도**(用 쓸 용, 途 길 도) 쓰이는 길. 또는 쓰이는 곳.

• **식수**(食 먹을 식, 水 물 수) 먹을 용도의 물.

• **수조** 물을 담아 두는 큰 통.

• **성과**(成 이룰 성, 果 실과 과) 이루어 내거나 이루어진 결과.

글의 구조 문단 내용 정리하기

1 이 글의 문단별 주요 내용을 정리한 것입니다. 빈칸에 적절한 말을 쓰시오.

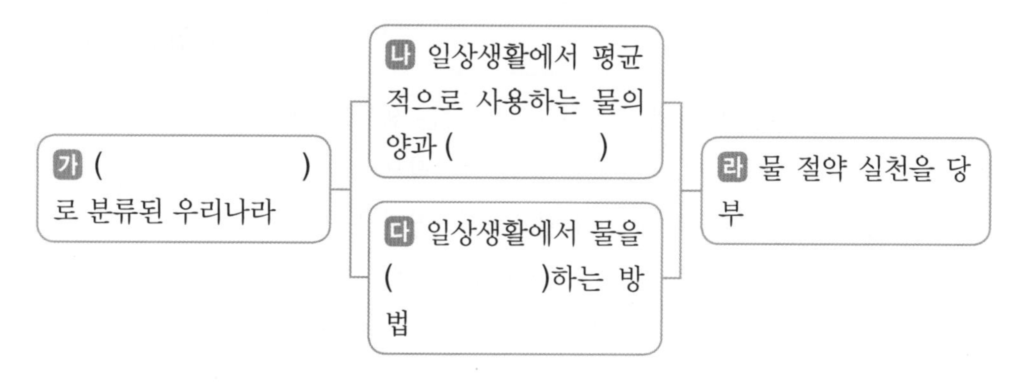

글의 구조 TIP

이 글은 총 네 개의 문단으로 이루어져 있습니다. 가문단에서는 우리나라가 유엔에서 지정한 물 스트레스 국가임을 말하였고, 나와 다문단에서는 우리가 평균적으로 소비하는 물의 양과 이를 절약하는 방법을 자세히 나타냈습니다. 라문단에서는 물 절약을 실천하자고 당부하였습니다.

내용 이해 세부 정보 파악하기

2 이 글의 내용과 일치하지 않는 것은 무엇입니까? (   )

① 우리나라의 물 스트레스 지수는 앞으로 더 높아질 것으로 예상된다.
② 일상생활에서는 변기 물을 내리는 용도로 가장 많은 물을 사용한다.
③ 우리나라는 수자원을 제대로 활용하지 못해 물 스트레스 지수가 높다.
④ 물을 받아서 설거지를 하면 그냥 할 때보다 60% 이상의 물을 절약한다.
⑤ 우리는 평균적으로 샤워를 하는 동안 약 180리터 이상의 물을 사용한다.

추론하기 세부 내용 추론하기

3 나문단을 읽고 생각할 수 있는 내용으로 가장 적절한 것은 무엇입니까? (   )

① 우리가 일상생활에서 마시는 물의 양이 매우 많다.
② 사람들은 물이 없어도 그다지 불편하게 생각하지 않는다.
③ 사회적 차원에서 물을 절약할 제도적 장치를 마련해야 한다.
④ 일상생활에서 조금만 노력하면 많은 양의 물을 절약할 수 있다.
⑤ 유엔이 우리나라를 물 스트레스 국가로 분류한 것은 잘못되었다.

적용하기 다른 상황에 적용하기

이 글을 읽은 학생이 보기 에 대해 보인 반응으로 가장 적절한 것은 무엇입니까? (　　　)

보기

우리나라는 부족한 물을 수입한다. 흔히 생수라고 부르는 먹는 샘물도 일부 수입하지만 대개의 물 수입은 **먹을거리**의 수입을 통해 **간접적으로** 이루어진다. 예를 들어 커피 한 잔에는 140리터의 물이 필요하다. 커피콩을 재배하고 수확해서 최종 소비될 때까지 들어가는 모든 물의 양이 포함되기 때문이다. 이처럼 먹을거리를 생산하고 **유통**하는 과정에서 많은 물이 필요한데, 이것을 직접 생산하지 않고 수입을 하면 그만큼의 물을 수입하는 효과가 생긴다. 우리는 이처럼 알게 모르게 매우 많은 양의 물을 수입하고 있는 셈이다.

① 머지않아 우리나라 사람들은 수입한 물을 마시며 지내겠군.
② 우리가 먹을거리를 절약해도 간접적인 물 수입 양은 줄지 않겠군.
③ 물을 잘 이용하면 우리나라도 커피를 비싼 값에 수출할 수 있겠군.
④ 물이 얼마나 다양한 곳에 쓰이는지 생각하며 절약하는 마음을 가져야겠군.
⑤ 먹을거리를 모두 우리나라에서 만들 수 있도록 많은 양의 물을 수입해야겠군.

어휘

- **먹을거리** 먹을 수 있거나 먹을 만한 음식 또는 식품.
- **간접적으로** 중간에 다른 것을 통해.
- **유통** 상품이 생산자·상인·소비자 사이에 거래되는 일.

어휘·어법 속담으로 표현하기

5 물 절약에 대한 글쓴이의 생각을 표현하기에 적절한 속담은 무엇입니까? (　　　)

① 빛 좋은 개살구
② 티끌 모아 태산
③ 목구멍이 포도청
④ 달걀로 바위 치기
⑤ 밑 빠진 독에 물 붓기

어휘·어법 TIP

- **빛 좋은 개살구** 겉만 그럴듯하고 실속이 없는 경우.
- **티끌 모아 태산** 아무리 작은 것이라도 모이고 모이면 나중에 큰 덩어리가 됨.
- **목구멍이 포도청** 먹고살기 위하여, 해서는 안 될 짓까지 하지 않을 수 없음.
- **달걀로 바위 치기** 대항해도 도저히 이길 수 없는 경우.
- **밑 빠진 독에 물 붓기** 아무리 애를 써도 보람이 없는 일.

어휘력 완성

정답 및 풀이 11쪽

낱말 이해 | 낱말 관계 | 낱말 적용 | 관용 표현

1 ㉠과 ㉡의 뜻으로 알맞은 것을 찾아 선으로 이으시오.

(1) 공간의 ㉠낭비가 없도록 책상을 다시 배치했다. •   • ㉮ 돈이나 물건·시간·노력 등을 써 없앰.

(2) 건강에 대한 관심이 높아지면서 채소 ㉡소비가 크게 늘었다. •   • ㉯ 돈·시간·물건 등을 헛되이 씀.

낱말 이해 | 낱말 관계 | 낱말 적용 | 관용 표현

2 다음 밑줄 친 낱말 중 ㉠과 같은 뜻으로 쓰인 것은 무엇입니까? (   )

일반적으로 물 스트레스 지수가 40%가 넘을 경우 심각한 수준으로 ㉠본다.

① 할머니는 텔레비전을 보다가 잠이 들었다.
② 항상 신호등을 잘 보고 도로를 건너야 한다.
③ 여가 시간에는 책을 보는 습관을 들이는 것이 좋다.
④ 우리 삼촌은 연극을 보는 재미로 극장에서 일하신다.
⑤ 날씨만 좋으면 밖에서 운동을 하는 것도 가능하리라고 본다.

어휘력 +

• **보다**
「1」 눈으로 대상의 존재나 형태적 특징을 알다.
「2」 눈으로 대상을 즐기거나 감상하다.
「3」 책이나 신문 따위를 읽다.
「4」 대상을 평가하다.

낱말 이해 | 낱말 관계 | 낱말 적용 | 관용 표현

3 다음 내용을 나타내기에 알맞은 한자성어는 무엇입니까? (   )

작은 물방울이 모여서 큰 강을 이루는 법이다. 물 절약도 마찬가지다. 우리의 작은 실천이 모여 우리나라 전체에서 큰 성과를 거둘 수 있다.

① 감탄고토(甘呑苦吐)
② 배은망덕(背恩忘德)
③ 적토성산(積土成山)
④ 침소봉대(針小棒大)
⑤ 표리부동(表裏不同)

어휘력 +

• **감탄고토** 자신의 비위에 따라서 사리의 옳고 그름을 판단함.
• **배은망덕** 남에게 입은 은혜를 저버리고 배신하는 태도가 있음.
• **적토성산** 작거나 적은 것도 쌓이면 크게 되거나 많아짐.
• **침소봉대** 작은 일을 크게 불리어 떠벌림.
• **표리부동** 안과 밖이 같지 않다는 뜻으로, 겉으로 드러나는 행동과 속마음이 다름.

사회 04 성(性) 고정 관념의 문제점

• 지문 해설

• 지문 난이도: 중

• 글자 수: 1179자

900 1300

우리는 일상에서 남성과 여성을 구분하는 경우가 많다. 남녀는 각기 어떤 특성을 지녀야 하고, 어떤 역할을 해야 한다는 생각부터 여성과 남성에 대한 기존 인식과 다른 행동을 하면 비난하는 일까지 그 경우가 다양하다. 예컨대 "남자가 울면 안 되지.", "여자가 옷차림이 그게 뭐냐?" 등등 어떤 행위에 대한 가치 판단을 주로 성별을 중심으로 하는 것이다.

남녀는 생물학적으로 다른 점이 있으므로 성별을 중심으로 판단해야 하는 경우도 있다. 하지만 일상에서 무분별하게 이루어지는 성별 구분은 아이의 잠재력을 죽이는 결과를 가져올 수 있다. 어린아이는 호기심을 바탕으로 다양한 행동을 해 보면서 지식을 배우고 자신이 잘할 수 있는 것을 탐색한다. 그런데 이 과정에서 성별을 기준으로 하는 칭찬이나 꾸중을 반복적으로 듣게 되면, 아이들은 무의식적으로 자신의 성별에 따른 행동의 한계를 정해 버린다. 아이들의 이런 인식은 어른들이 여자아이에게는 분홍색 옷을 입히고 공주 인형을 사 주고, 남자아이에게는 파란색 옷을 입히고 자동차 장난감을 사 주는 것처럼 성별에 따라 다르게 대우하는 행위를 통해서도 형성된다.

한편, 고정 관념에 사로잡힌 성 구분은 성 역할에 대한 그릇된 인식으로 이어질 수 있다. 아이들은 일상생활에서 자연스럽게 성 역할을 배운다. 성 역할은 개인이 속한 사회 집단이나 문화권에서 성별에 따라 요구하는 역할을 말한다. 아이가 성 역할을 익히는 과정에서 부모의 모습은 매우 중요하다. 아이들은 보통 부모의 모습을 보고 성 역할을 학습하기 때문이다. 여자아이는 주로 어머니를, 남자아이는 주로 아버지를 모델로 삼는다. 부모 외에도 친척이나 이웃, 선생님 등 주변 사람들도 모두 아이가 무의식적으로 성 역할을 배우는 모델이 된다. 최근에는 텔레비전 프로그램의 영향력이 매우 크다.

그런데 주변 어른들의 행동이나 텔레비전 프로그램에서 ㉠남자는 마땅히 이래야 하고 여자는 마땅히 저래야 한다는 고정 관념에 빠져 있는 모습을 쉽게 볼 수 있다. 식구들의 식사 준비를 대부분 여성이 맡고 있는 경우가 단적인 예이다. 그런 모습을 지속적으로 본 아이는 식사 준비는 당연히 여성이 해야 한다는 그릇된 고정 관념을 가지게 될 가능성이 높다. 그리고 무의식적으로 형성된 이런 성 역할에 따른 고정 관념은 아이들이 지닌 무한한 잠재력을 억제함으로써 개인과 사회 모두가 손해를 보는 결과를 가져온다.

• **구분**(區 구분할 구, 分 나눌 분) 일정한 기준에 따라 전체를 몇 개로 갈라 나눔.
• **인식**(認 알 인, 識 알 식) 사물을 분별하고 판단하여 앎.
• **행위**(行 다닐 행, 爲 할 위) 사람이 의지를 가지고 하는 짓
• **생물학적으로** 생물의 기능, 구조, 발달 등을 연구하는 학문에 근거하여.
• **무분별하게** 서로 다른 일이나 사물에 구별이 없게.
• **잠재력** 겉으로 드러나지 않고 속에 숨어 있는 힘.
• **대우하는** 어떤 사회적 관계나 태도로 대하는.
• **그릇된** 어떤 일이 이치에 맞지 않는.
• **단적인** 곧바르고 명백한.
• **지속적으로** 어떤 상태가 오래 계속되도록.
• **억제**(抑 누를 억, 制 절제할 제) 정도나 한도를 넘어서 나아가려는 것을 억눌러 그치게 함.

정답 및 풀이 12쪽

글의 구조 문단 내용 정리하기

1 이 글의 문단별 주요 내용을 정리한 것입니다. 빈칸에 적절한 말을 쓰시오.

1 일상에서 (　　　　) 을 중심으로 이루어지는 가치 판단	2 아이의 (　　　　) 을 죽이는 무분별한 성별 구분	3 주변의 어른을 모방하며 (　　　　)을 익히는 아이들
		4 성 역할에 따른 그릇된 (　　　　)의 문제점

글의 구조 TIP

이 글은 총 네 개의 문단으로 이루어져 있습니다. 1, 2 문단은 일상에서 성별 중심으로 가치 판단을 하는 예를 들며 무분별한 성별 구분의 문제점을 말하였고, 3 문단에서는 일상생활에서 자연스럽게 배우는 성 역할을, 4 문단에서는 그릇된 고정 관념이 끼치는 나쁜 점을 말하였습니다.

내용 이해 세부 정보 파악하기

2 이 글의 내용과 일치하는 것은 무엇입니까? (　　　　)

① 성 역할은 개인이 속한 사회 집단이나 문화권마다 다를 수 있다.
② 아이들의 생물학적 성 역할은 태어날 때 정해져서 바꿀 수 없다.
③ 성 역할에 대한 엄격한 구분은 아이의 잠재력 개발에 도움을 준다.
④ 아이들은 학교를 다니며 사회가 요구하는 성 역할을 처음으로 배운다.
⑤ 성별을 기준으로 하는 칭찬이 지속되면 아이는 자신감을 가지게 된다.

전개 방식 내용 전개 방식 파악하기

3 이 글의 전개 방식으로 적절한 것은 무엇입니까? (　　　　)

① **상반된** 두 주장을 바탕으로 새로운 주장을 이끌어 내고 있다.
② 문제가 되는 현상이 가져올 수 있는 부정적 결과를 설명하고 있다.
③ 예상되는 **반론**을 언급하고 사례를 활용하여 그것을 **반박**하고 있다.
④ 어떤 사회적 현상을 제시하고 그 원인을 과학적으로 분석하고 있다.
⑤ 비유적인 표현을 통해 궁극적으로 말하고자 하는 바를 강조하고 있다.

어휘

- **상반된** 서로 반대되거나 어긋나게 된.
- **반론** 남의 의견에 대하여 반대 의견을 말함.
- **반박** 어떤 의견, 주장 따위에 반대하여 말함.

수능형

4

추론하기 외부 자료를 바탕으로 추론하기

보기를 참고할 때, 이 글을 쓴 글쓴이가 말하고자 하는 것은 무엇이겠습니까? (　　　)

문제 풀이

보기

'양성성'은 여성성과 남성성을 모두 지닌 사람을 일컫는 용어이다. 과거에는 남성성과 여성성의 구분이 너무 엄격하여 남성의 **특질**을 보이는 여성이나 여성의 특질을 보이는 남성, 즉 양성성을 지닌 사람을 좋지 않게 보기도 하였다. 그러나 최근에는 양성성을 지닌 사람이 전형적인 남성성이나 여성성만을 지닌 사람보다 자신감이 있고, 업무 **성취** 능력이 있으며, 사회적으로 적응 능력이 높다고 본다. 즉 양성성은 성 역할에 대한 여성적 특성과 남성적 특성 중 바람직한 것들이 결합한 것으로, 성격과 행동이 독립적이면서도 부드러워 주변 사람들과 잘 지낼 수 있다. 남성성과 여성성은 한 개인의 내부에 **공존해** 있으므로 양성성은 특정 성 역할을 강요하지 않을 때 자연스럽게 나타나게 된다.

① 아이의 행위에 대한 가치 판단을 성별을 중심으로 해야 한다.
② 가정에서 어머니와 아버지가 성 역할을 바꾸어서 생활해야 한다.
③ 아이가 자연스럽게 양성성을 익힐 수 있는 환경을 만들어야 한다.
④ 텔레비전 프로그램에서 성 역할에 대한 고정 관념을 없애야 한다.
⑤ 아이가 양성성을 기르도록 가정과 학교에서 강제로 가르쳐야 한다.

어휘
- **특질** 특별한 기질이나 성질.
- **성취** 목적한 바를 이룸.
- **공존해** 두 가지 이상의 사물이나 현상이 함께 존재해.

5

어휘·어법 속담으로 표현하기

㉠과 관련된 속담으로 적절한 것은 무엇입니까? (　　　)

① 백지장도 맞들면 낫다
② 미운 아이 떡 하나 더 준다
③ 암탉이 울면 집안이 망한다
④ 가는 말이 고와야 오는 말이 곱다
⑤ 낮말은 새가 듣고 밤말은 쥐가 듣는다

어휘·어법 TIP
- **백지장도 맞들면 낫다** 쉬운 일이라도 서로 도와서 하면 훨씬 쉬움.
- **미운 아이 떡 하나 더 준다** 미운 사람일수록 잘해 주고 감정을 쌓지 않아야 함.
- **암탉이 울면 집안이 망한다** 가정에서 아내가 남편을 제쳐 놓고 떠들고 간섭하면 집안일이 잘 안됨.
- **가는 말이 고와야 오는 말이 곱다** 자기가 남에게 말이나 행동을 좋게 하여야 남도 자기에게 좋게 함.
- **낮말은 새가 듣고 밤말은 쥐가 듣는다** 아무도 안 듣는 데서라도 말조심해야 함.

정답 및 풀이 12쪽

낱말 이해 | 낱말 관계 | 낱말 적용 | 관용 표현

1 ㉠과 ㉡의 뜻으로 알맞은 것을 찾아 선으로 이으시오.

(1) 철수는 끓어오르는 분노를 ㉠억제하기 어려웠다. •

(2) 방송에서는 비속어 사용을 엄격하게 ㉡규제하고 있다. •

• ㉮ 어떤 규칙을 정하여 제한함. 또는 그 규칙.

• ㉯ 정도나 한도를 넘어서 나아가려는 것을 억눌러 그치게 함.

낱말 이해 | 낱말 관계 | 낱말 적용 | 관용 표현

2 다음 밑줄 친 부분과 바꿔 쓰기에 알맞지 않은 것은 무엇입니까? (　　　　)

아이가 성 역할을 익히는 과정에서 부모의 모습은 매우 중요하다.

① 몹시　② 무척　③ 아주
④ 그다지　⑤ 대단히

낱말 이해 | 낱말 관계 | 낱말 적용 | 관용 표현

3 ㉠의 상황을 나타내기에 알맞은 속담은 무엇입니까? (　　　　)

주변 어른들의 행동이나 텔레비전 프로그램에서 남자는 마땅히 이래야 하고 여자는 마땅히 저래야 한다는 고정 관념에 빠져 있는 모습을 쉽게 볼 수 있다. 식구들의 식사 준비를 대부분 여성이 맡고 있는 경우가 단적인 예이다. ㉠그런 모습을 지속적으로 본 아이는 식사 준비는 당연히 여성이 해야 한다는 그릇된 고정 관념을 가지게 될 가능성이 높다.

① 배보다 배꼽이 더 크다
② 아이 싸움이 어른 싸움 된다
③ 못된 송아지 엉덩이에 뿔 난다
④ 아이 보는 데는 찬물도 못 먹는다
⑤ 어른 말을 들으면 자다가도 떡이 생긴다

어휘력+

- **배보다 배꼽이 더 크다** 기본이 되는 것보다 덧붙이는 것이 더 많거나 큰 경우.
- **아이 싸움이 어른 싸움 된다** 대수롭지 않은 일이 점차 큰일로 번짐을 이르는 말.
- **못된 송아지 엉덩이에 뿔 난다** 되지못한 것이 엇나가는 짓만 함.
- **아이 보는 데는 찬물도 못 먹는다** 아이들이 볼 때는 함부로 행동하거나 말을 하여서는 안 됨.
- **어른 말을 들으면 자다가도 떡이 생긴다** 어른이 시키는 대로 하면 여러 가지로 이익이 됨.

사회 05 세금이 필요한 까닭

• 지문 해설

• 지문 난이도: 상

• 글자 수: 1204자

900 1300

국가가 국민의 삶을 더욱 편리하게 하기 위해 제공하는 서비스를 공공 서비스라고 부른다. 외국의 침략으로부터 나라를 지키는 일, 범죄나 자연재해 등으로부터 국민을 보호하는 일이 국가가 제공하는 가장 기본적인 공공 서비스이다. 그리고 도로나 철도, 공원, 도서관이나 학교 등을 만들기도 하고, 일자리를 창출하기도 한다. 또 빈부 격차가 심해지지 않도록 생활 형편이 어려운 사람들을 지원하기도 한다.

그런데 이런 공공 서비스를 제공하려면 많은 돈이 필요하다. 국가는 어떻게 이 돈을 마련하는 것일까? 바로 세금이다. 세금은 국가나 지방 자치 단체가 정부 또는 지방 정부를 운영하기 위해 국민으로부터 법에 따라 걷는 돈이다. 국가는 국민이 낸 세금으로 국가의 발전과 국민의 행복을 높인다. 이 때문에 세금을 내는 것은 국민의 의무 가운데 하나이다.

공공 서비스는 누구나 이용할 수 있다. 그렇다면 모든 사람이 같은 금액의 세금을 내야 하는 것일까? 그렇지는 않다. 모든 사람이 같은 금액의 세금을 내면 ㉠ 가난한 사람이 더 힘들어질 수 있다. 예를 들어 세금이 50만원이라고 가정할 때, 500만 원을 버는 사람은 소득의 10%를 세금으로 내고 450만 원을 쓸 수 있지만, 100만 원을 버는 사람은 소득의 50%를 세금으로 내고 50만 원만 쓸 수 있다. 국민의 안정된 생활을 돕기 위해 걷는 세금이 오히려 일부 국민을 힘들게 할 수도 있는 것이다.

이러한 문제를 극복하기 위해 대부분 국가는 경제적 능력에 비례하여 세금을 부과하는 누진세율 제도를 채택하고 있다. 이 제도는 소득이 많은 사람은 세금을 많이 부담하게 하고, 소득이 적은 사람은 생활에 부담이 없도록 세금을 적게 부담하도록 하는 것이다. 이렇게 하면 부유층은 억울한 면이 있지만, 빈부 격차를 줄이면서 사회 전체의 이익을 높일 수 있다. 이때 과세의 근거는 누구나 인정할 수 있을 만큼 분명하고 객관적이어야 한다. 그렇지 않으면 세금 납부를 거부하는 조세 저항이 일어날 수 있다.

하지만 소득의 많고 적음과 상관없이 누구나 똑같이 내는 세금도 있다. 부가가치세가 대표적이다. 부가가치세는 아이스크림, 빵, 햄버거, 공책 등의 물건 가격이나 영화·야구 경기 관람과 같은 서비스 가격에 포함되어 있으며, 구매 가격의 10%를 세금으로 낸다. 다만 쌀, 채소 등 일부 기초 생활필수품이나 도서, 박물관 입장 요금 등 국민 복지와 관련된 일부 품목 등에 대해서는 부가가치세를 부과하지 않는다.

• **자연재해**(自 스스로 자, 然 그럴 연, 災 재앙 재, 害 해칠 해) 홍수·가뭄과 같이 자연 현상에서 오는 재난으로 입는 손해.

• **창출**(創 비롯할 창, 出 날 출) 전에 없던 것을 처음으로 생각하여 지어내거나 만들어 냄.

• **지방 자치 단체** 주민의 의사를 바탕으로 지방 자치 행정을 하는 시·도·군·구 등의 단체.

• **지방 정부** '지방 자치 단체'를 중앙 정부에 상대하여 이르는 말.

• **비례**(比 견줄 비, 例 법식 례) 어떤 수나 양이 두 배, 세 배 등으로 변화함에 따라 다른 수나 양도 그렇게 되는 일.

• **부과** 세금이나 물릴 돈을 매겨서 부담하게 함.

• **누진세율** 세금을 매기는 대상의 수량이나 가격이 증가함에 따라 점차 증가하도록 정한 세율.

• **과세**(課 매길 과, 稅 구실 세) 세금을 매김. 또는 그 세금.

• **조세 저항** 세금 내는 것을 거부하려고 하는 경향.

정답 및 풀이 13쪽

글의 구조 문단 내용 정리하기

1 이 글의 문단별 주요 내용을 정리한 것입니다. 빈칸에 적절한 말을 쓰시오.

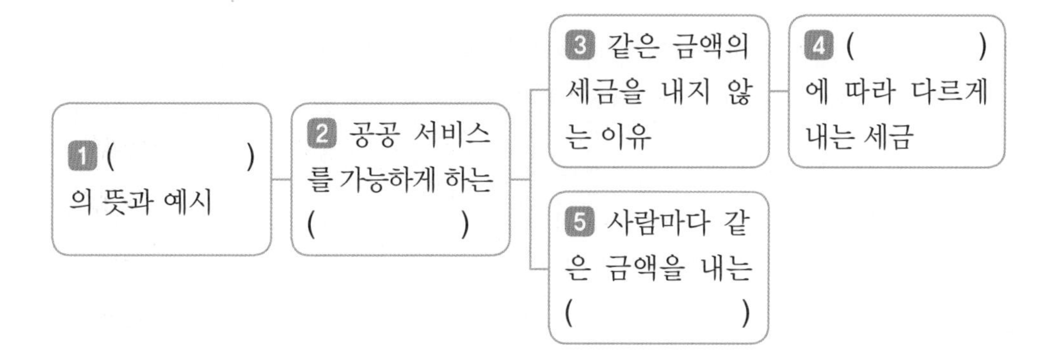

글의 구조 TIP

이 글은 총 다섯 개의 문단으로 이루어져 있습니다. 1문단에서는 공공 서비스가 무엇인지 예를 들어 설명하였고, 2문단에서는 세금이 국민의 의무임을 말했습니다. 3, 4문단에서는 소득에 따라 다르게 세금을 내는 것에 대해 설명하였고, 5문단에서는 부가가치세에 대하여 설명하였습니다.

내용 이해 세부 정보 파악하기

2 이 글의 내용과 일치하지 않는 것은 무엇입니까? (   )

① 국가에서는 개인이 버는 소득에 비례하여 세금을 부과하고 있다.
② 국가는 세금을 걷어 국민들의 행복과 국가의 발전을 위해 사용한다.
③ 일상에서 거래되는 모든 물건이나 서비스 가격에는 부가가치세가 포함된다.
④ 과세 근거가 불분명하거나 객관적이지 않으면 국민들이 세금을 거부할 수 있다.
⑤ 누구나 같은 금액으로 내는 세금도 있고 사람마다 다른 금액으로 내는 세금도 있다.

내용 이해 세부 정보 파악하기

3 부가가치세에 대한 설명으로 적절한 것을 모두 골라 짝 지은 것은 무엇입니까?

(   )

보기

ㄱ. 소득이 많을수록 세금을 더 많이 낸다.
ㄴ. 소득이 전혀 없는 사람도 세금을 낸다.
ㄷ. 국가가 모든 사람의 소득을 조사해야 한다.
ㄹ. 국가가 세금을 걷는 일이 상대적으로 쉽다.

① ㄱ, ㄴ ② ㄱ, ㄷ ③ ㄴ, ㄷ
④ ㄴ, ㄹ ⑤ ㄷ, ㄹ

수능형

4

문제 풀이

적용하기 구체적인 상황에 적용하기

이 글을 참고할 때, 보기 에 대한 이해로 적절하지 않은 것은 무엇입니까? (　　　　　)

보기

1696년 영국 국왕은 국가의 **재정**을 **확충**하기 위해 창문세를 새로 만들었다. 이는 부유한 사람은 큰 집에 살 것이고, 큰 집은 상대적으로 창문이 더 많을 것이라는 점에서 시작되었다. 실제로도 당시에는 창문이 사치품의 일종이었기 때문에 부자일수록 많은 창문이 있는 집에서 살고 있었다. 이 법을 시행함에 따라 거의 모든 국민이 창문세를 내야 했고, 창문의 숫자가 많을수록 세금이 늘어났다. 하지만 예상치 못한 문제가 나타났다. 시행한 지 얼마 지나지 않아 영국 내 건물에서 창문이 절반 이상 사라져 버린 것이다. 많은 국민들이 창문세를 피하기 위해 창문을 막아 버려서 집 안이 어두컴컴해졌고 바람도 통하지 않게 되었다. 그 결과 **일조량**이 부족해지고 세균이 확산되면서 삶의 질과 건강이 이전보다 나빠졌다.

① 국가의 세금 정책이 많은 국민의 삶을 힘들게 만들었다.
② 창문세는 국민들의 경제력에 비례하여 세금을 매긴 것이다.
③ 국민들이 창문을 막은 것은 조세 저항의 일종으로 볼 수 있다.
④ 가난한 사람은 창문세를 내지 않아 빈부 격차가 줄었을 것이다.
⑤ 창문이 많은 집에서 살던 사람은 억울함을 느낄 수 있을 것이다.

어휘
- **재정** 국가 또는 지방 공공 단체가 일을 하는 데 필요한 재산을 마련하거나 사용하는 모든 일.
- **확충** 넓혀서 충실하게 함.
- **일조량** 어떤 물체의 표면이나 땅 위에 햇볕이 비치는 양.

5

어휘·어법 한자성어로 표현하기

㉠의 상황을 표현하기에 적절한 한자성어는 무엇입니까? (　　　　　)

① 고진감래(苦盡甘來)
② 금상첨화(錦上添花)
③ 설상가상(雪上加霜)
④ 일석이조(一石二鳥)
⑤ 죽마고우(竹馬故友)

어휘 · 어법 TIP
- **고진감래** 고생 끝에 즐거움이 옴.
- **금상첨화** 좋은 일 위에 또 좋은 일이 더하여짐.
- **설상가상** 난처한 일이나 불행한 일이 잇따라 일어남.
- **일석이조** 동시에 두 가지 이득을 봄.
- **죽마고우** 어릴 때부터 같이 놀며 자란 벗.

어휘력 완성

정답 및 풀이 13쪽

1

낱말 이해 | 낱말 관계 | 낱말 적용 | 관용 표현

㉠과 ㉡의 뜻으로 알맞은 것을 찾아 선으로 이으시오.

(1) 요즘 청소년들은 공부로 인한 ㉠부담을 많이 느끼고 있다. •

(2) 정부는 고가품에 대한 특별 소비세 ㉡부과를 검토하고 있다. •

• ㉮ 어떤 일이나 의무·책임 등을 떠맡음.

• ㉯ 세금이나 물릴 돈을 매겨서 부담하게 함.

2

낱말 이해 | 낱말 관계 | 낱말 적용 | 관용 표현

보기 속 낱말 관계와 다르게 짝 지은 것은 무엇입니까? (　　　　)

보기

국가 – 나라

① 가격 – 값　② 도서 – 책　③ 도로 – 길
④ 가난 – 빈곤　⑤ 학교 – 미술관

3

낱말 이해 | 낱말 관계 | 낱말 적용 | 관용 표현

다음 밑줄 친 낱말 중 ㉠과 같은 뜻으로 쓰인 것은 무엇입니까? (　　　　)

세금은 국가나 지방 자치 단체가 정부 또는 지방 정부를 운영하기 위해 국민으로부터 법에 따라 ㉠걷는 돈이다.

① 갑자기 비가 내려 널어두었던 빨래를 걷었다.
② 영희는 청소를 하기 전에 소매를 걷어 올렸다.
③ 아기가 아장아장 걷는 모습은 귀엽기 그지없다.
④ 먹구름이 점차 걷고 맑은 하늘이 보이기 시작했다.
⑤ 반장이 학생들에게 불우 이웃 돕기 성금을 걷었다.

어휘력 +

• 걷다
「1」 발을 번갈아 떼면서 나아가다.
「2」 감아서 올리다.
「3」 늘여 있는 것을 말아 올리거나 치우다.
「4」 물건·돈 등을 받아들이다.
「5」 구름·안개 등이 흩어져서 없어지다.

사회 06 채식주의자

• 지문 해설

• 지문 난이도: 중

• 글자 수: 1237자

900 1300

누구나 한 번쯤은 밥 먹을 때 "건강을 위해서는 채소를 골고루 먹어야 해!"라는 말을 들어 보았을 것이다. 하지만 채소보다는 소고기나 돼지고기, 닭고기 같은 육류에 더 ㉠손길이 갔던 경험이 있지 않은가? 그런데 채소를 주 영양 공급원으로 선택해서 살아가는 사람들도 있다. 바로 채식주의자다. 흔히 베지테리언(vegetarian)이라고 불리는 채식주의자들은 동물의 권리 존중, 생명 보호, 종교, 개인적 경험, 건강 등등 다양한 이유로 육식을 거부한다. 우리나라의 채식주의자는 약 100만~150만 명 정도이며, 그 수가 지속적으로 증가하고 있다. 세계적으로 채식주의 식당을 어렵지 않게 찾을 수 있고, 일반 식당도 대부분 채식주의자들을 위한 메뉴를 제공할 정도로 보편화되어 있다.

그렇다면 채식주의자들은 무조건 채소나 과일만 먹을까? 그렇지는 않다. 물고기 같은 어류와 닭이나 오리 같은 조류까지 먹는 채식주의자도 있다. 채식주의자들은 크게 베지테리언과 세미 베지테리언으로 구분된다.

베지테리언은 채식을 기본으로 하되 우유와 유제품, 달걀까지 먹는다. 먹는 음식 단계에 따라 비건(vegan), 락토(lacto) 베지테리언, 오보(ovo) 베지테리언, 락토-오보 베지테리언 등으로 다시 나눌 수 있다. '비건'은 우리가 보통 '채식주의자'라고 했을 때 떠오르는 모습으로, 육류를 포함해 계란, 유제품, 어류와 조류 등 동물성 식품을 거부하고 오로지 식물성 음식만 먹는다. 그리고 '락토 베지테리언'은 우유와 유제품으로 부족한 영양 성분을 섭취하며, 육류, 조류, 어류, 알 등은 먹지 않는다. 이와 달리 '오보 베지테리언'은 우유나 유제품 대신 달걀이나 메추리알 등을 먹어 동물성 단백질을 얻는다. 그리고 '락토-오보 베지테리언'은 우유 및 유제품과 알까지는 먹는다. '락토'는 우유 혹은 젖을, '오보'는 알을 뜻하는 말이다.

세미 베지테리언은 우유와 유제품, 알을 포함하여 어류와 조류까지 먹는다. 이들은 다시 어류까지는 먹지만 조류와 육류는 먹지 않는 '페스코(pesco) 베지테리언'과, 육류만 먹지 않는 '폴로(pollo) 베지테리언'으로 나뉜다. '페스코'는 어류를, '폴로'는 닭고기를 뜻하는 말이다.

이외에 식물의 뿌리와 잎은 먹지 않고 과일과 곡물만 먹는 '프루테리언', 평소에는 비건이지만 상황에 따라 육식도 하는 '플렉시테리언'도 있다. 프루테리언은 동물뿐 아니라 식물의 생명도 해치지 않기 위해 땅에 떨어진 열매만 먹으며, 부족한 영양소는 견과류나 씨앗을 먹는 것으로 대체한다. 프루테리언은 극단적인 채식주의자로, 플렉시테리언은 간헐적인 채식주의자로 볼 수 있다.

- **공급원** 공급이 이루어지는 본바탕.
- **채식주의자** 고기류를 피하고 주로 채소, 과일, 해초 따위의 식물성 음식 위주로 식생활을 하는 사람.
- **보편화**(普 넓을 보, 遍 두루 편, 化 될 화) 널리 일반인에게 퍼짐. 또는 그렇게 되게 함.
- **유제품**(乳 젖 유, 製 지을 제, 品 물건 품) 우유를 가공하여 만든 식품을 통틀어 이르는 말. 버터, 치즈, 분유, 연유 따위가 있음.
- **견과류** 단단한 껍데기 안에 보통 한 개의 씨가 들어 있는 나무 열매의 종류를 통틀어 이르는 말. 도토리, 은행, 밤, 호두 따위가 있음.
- **극단적**(極 다할 극, 端 바를 단, 的 과녁 적)**인** 어느 한쪽으로 치우친.
- **간헐적인** 얼마 동안의 시간 간격을 두고 되풀이하여 일어나는.

글의 구조 문단 내용 정리하기

1 이 글의 문단별 주요 내용을 정리한 것입니다. 빈칸에 적절한 말을 쓰시오.

- 1 (　　　　　　)의 뜻과 현재 상황
- 2 먹는 음식에 따른 채식주의자의 구분
  - 3 (　　　　　　)의 종류별 개념
  - 4 (　　　　　　) 베지테리언의 종류별 개념
  - 5 (　　　　　　) 채식주의자와 간헐적 채식주의자

글의 구조 TIP

이 글은 총 다섯 개의 문단으로 이루어져 있습니다. 1문단에서는 채식주의자의 뜻과 증가 현황을 이야기하였고, 2문단에서는 먹는 음식에 따라 크게 두 종류로 채식주의자를 구분하였습니다. 3~5문단에서는 베지테리언과 세미 베지테리언, 극단적·간헐적 채식주의자에 대해 설명하였습니다.

내용 이해 세부 정보 파악하기

2 이 글의 내용과 일치하지 않는 것은 무엇입니까? (　　　　)

① 일반적으로 생각하는 채식주의자는 '비건'으로 볼 수 있다.
② 전 세계적으로 채식주의자를 위한 식당을 쉽게 찾을 수 있다.
③ 다양한 이유로 채식주의자가 되는 사람들이 증가하는 추세이다.
④ 채식주의자들은 동물성 식품을 거부한 채 채소나 과일만 먹는다.
⑤ 잎이나 뿌리는 먹지 않고 과일과 곡물만 먹는 채식주의자도 있다.

전개 방식 내용 전개 방식 파악하기

3 이 글의 내용 전개 방식으로 가장 적절한 것은 무엇입니까? (　　　　)

① 전문가의 의견을 인용하여 글쓴이의 생각을 뒷받침하고 있다.
② 중심 화제에 관한 상식과 그것이 지닌 문제점을 설명하고 있다.
③ 중심 화제를 일정한 기준에 따라 분류하여 각각 설명하고 있다.
④ 중심 화제에 대한 다양한 이론을 소개하고 각각을 비교하고 있다.
⑤ 중심 화제가 나타나게 된 사회적 배경을 분석하여 제시하고 있다.

적용하기 시각 자료에 적용하기

보기 는 채식주의자의 유형과 섭취 음식을 정리한 것입니다. 보기 에 대한 반응으로 적절하지 않은 것은 무엇입니까? (   )

보기

유형	섭취 음식
㉠	
비건	
㉡	
㉢	
락토-오보	
㉣	
㉤	
플렉시테리언	

① ㉠은 극단적인 채식주의자로 볼 수 있군.
② ㉡은 락토 베지테리언에 해당하는군.
③ ㉢은 알을 통해 동물성 단백질을 얻는군.
④ ㉣과 ㉤은 세미 베지테리언에 속하는군.
⑤ ㉤은 페스코 베지테리언에 해당하는군.

5

어휘·어법 어휘의 사전적 의미 파악하기

다음은 '손길'의 뜻을 사전에서 찾은 것입니다. 밑줄 친 낱말 중 이 글의 ㉠과 같은 뜻으로 쓰인 것은 무엇입니까? (   )

「1」 내밀거나 잡거나 닿거나 만지거나 할 때의 손.
「2」 도와주거나 해치는 일을 비유적으로 이르는 말.
「3」 가꾸고 다듬는 솜씨.

① 정말 어려울 때 **구원**의 손길이 다가왔다.
② 그녀는 조심스러운 손길로 상자를 열었다.
③ 지진 피해가 심한 지역에 **원조**의 손길을 베풀었다.
④ 이른 아침부터 농민들의 손길이 하루 종일 **분주하다**.
⑤ 어린아이에게는 어머니의 손길이 절대적으로 필요하다.

어휘 · 어법 TIP

- **구원** 위험하거나 어려운 일을 당한 사람을 구해줌.
- **원조** 도와줌.
- **분주하다** 몹시 바쁘다.

어휘력 완성

정답 및 풀이 14쪽

낱말 이해 | 낱말 관계 | 낱말 적용 | 관용 표현

1 다음 낱말의 뜻을 찾아 선으로 이으시오.

(1) 극단적 • • ㉮ 어떤 상태가 오래 계속되는 것.

(2) 간헐적 • • ㉯ 어느 한쪽으로 크게 치우치는 것.

(3) 지속적 • • ㉰ 얼마 동안의 시간 간격을 두고 되풀이하여 일어나는 것.

낱말 이해 | 낱말 관계 | 낱말 적용 | 관용 표현

2 다음 중 보기 에서 설명한 유의 관계가 아닌 것은 무엇입니까? (   )

보기

말소리는 다르지만 의미가 서로 비슷한 낱말들을 유의어라고 하고, 이런 낱말 간의 관계를 유의 관계라고 한다.

① 달걀 – 계란　② 서점 – 책방　③ 채소 – 야채
④ 물고기 – 생선　⑤ 소고기 – 육류

낱말 이해 | 낱말 관계 | 낱말 적용 | 관용 표현

3 다음 빈칸에 들어갈 관용어로 알맞은 것은 무엇입니까? (   )

건강을 위해서는 채소를 골고루 먹어야 하는데 규진이는 (   ) 자기가 좋아하는 고기나 계란, 햄 같은 것만 먹어서 걱정이야.

① 간이 부어서　② 입이 닳아서
③ 입이 짧아서　④ 입에 거미줄을 쳐서
⑤ 허파에 바람이 들어서

어휘력 +

- **간이 붓다** 지나치게 대담해짐.
- **입이 닳다** 다른 사람이나 물건에 대하여 거듭해서 말함.
- **입이 짧다** 음식을 심하게 가리거나 적게 먹음.
- **입에 거미줄 치다** 가난하여 먹지 못하고 오랫동안 굶음.
- **허파에 바람 들다** 실없이 행동하거나 지나치게 웃어 댐.

사회 07 기본 소득 제도의 필요성과 문제점

• 지문 해설

• 지문 난이도: 상

• 글자 수: 1198자

900 1300

전 세계적으로 유행하는 코로나 19 때문에 경제 활동이 위축되면서 우리나라에서도 기본 소득 제도를 ㉠도입해야 한다는 목소리가 점점 커지고 있다. 기본 소득 제도는 국가에서 모든 국민에게 아무런 조건 없이 일정한 금액을 정기적으로 지급하는 복지 제도이다. 이런 제도의 도입 필요성이 제기되는 이유는 우리 사회가 ㉮고용 없는 성장 시대에 접어들었기 때문이다. 기본 소득 제도는 일자리가 없는 사람들에게 최저 생계를 보장해 경제를 유지하고, 사회를 안정시키는 수단이 될 수 있다.

실제로 인공 지능과 사물 인터넷, 산업용 로봇 등 첨단 기술이 발전하면서 기존의 일자리들이 순식간에 사라지고 있다. 그러나 기업이 성장하는 만큼 새로운 일자리가 늘어나지도 않는다. 이런 상황에 적절하게 대응하지 못하면 경제가 흔들릴 수 있다. 소득이 아예 없거나 너무 부족해 빈곤에 시달리는 사람들이 많아질수록 사회 전체의 구매력이 ㉡감소할 수밖에 없고, 이는 결국 불황으로 이어지기 때문이다. 하지만 국민들에게 일정한 소득을 보장하면 이런 문제를 어느 정도 해결할 수 있다. 이런 점 때문에 프랑스와 네덜란드, 캐나다 등 일부 국가에서는 기본 소득 제도를 도입하기 위한 준비를 하고 있으며, 세계 여러 나라에서 이와 관련된 연구와 실험을 진행하고 있다.

하지만 기본 소득 제도를 안정적으로 시행하기 위해서는 몇 가지 예상되는 문제를 해결해야 한다. 무엇보다 최저 생계를 보장할 금액을 지속적으로 ㉢제공할 수 있는 재원을 마련해야 한다. 그런데 우리나라는 아랍 국가들처럼 유전 같은 지하자원도 없고 유럽 같은 관광 자원도 부족하기에 오로지 세금으로 재원을 ㉣충당해야 한다. 결국 세금을 지금보다 훨씬 많이 거둘 수밖에 없다. 이는 더 많은 세금을 ㉤부담해야 하는 부유층의 반발을 초래할 것이다. 따라서 사회적 합의를 통해 이들을 설득해야 하는데, 이는 매우 어려운 일이다.

또한 일을 하고 있는 사람들의 근로 의욕을 떨어뜨리는 문제점도 극복해야 한다. 사람들은 자신이 일을 해서 더 많은 돈을 벌 수 있을 때 더 열심히 일하기 마련이다. 그런데 기본 소득을 보장하면 굳이 일을 하지 않아도 최소 생계가 보장되고, 일을 많이 하여 많은 소득을 올린 사람은 일을 하지 않는 사람들을 위해 많은 세금을 내야 한다. 따라서 이는 국민들의 근로 의욕 저하로 이어질 가능성이 매우 크다. 근로 의욕 저하는 개인만이 아니라 기업에서도 나타나 우리나라의 경제 성장을 어렵게 만들 수 있다.

• **위축** 어떤 힘에 눌려 기를 펴지 못함.

• **도입**(導 인도할 도, 入 들 입) 기술, 방법, 물자 따위를 끌어들임.

• **제기되는** 의견이나 문제가 내어놓아지는.

• **고용**(雇 품팔 고, 用 쓸 용) 돈을 주고 사람을 부림.

• **생계**(生 날 생, 計 셀 계) 먹고살 방법이나 형편.

• **사물 인터넷** 사물에 센서와 프로세서를 장착하여 정보를 수집하고 제어·관리할 수 있도록 인터넷으로 연결되어 있는 시스템.

• **불황**(不 아닐 불, 況 하물며 황) 물건의 거래가 활발하지 않고, 생산 활동에 활기가 없는 상태.

• **시행** 실지로 행함.

• **재원**(財 재물 재, 源 근원 원) 돈이나 값나가는 물건 등이 나올 본바탕.

• **충당** 모자라는 것을 채워 메움.

• **반발** 어떤 상태나 행동 따위에 대하여 거스르고 반항함.

• **저하**(低 낮을 저, 下 아래 하) 정도, 수준, 능률 따위가 떨어져 낮아짐.

1 글의 구조 문단 내용 정리하기

이 글의 문단별 주요 내용을 정리한 것입니다. 빈칸에 적절한 말을 쓰시오.

1 (　　　　　　)의 개념 및 효과 — 2 기본 소득 제도 도입의 필요성 — 3 예상되는 문제 ①: (　　　　　　) 마련의 어려움 / 4 예상되는 문제 ②: (　　　　　　) 저하에 대한 우려

글의 구조 TIP

이 글은 총 네 개의 문단으로 이루어져 있습니다. 1문단에서는 기본 소득 제도의 뜻과 효과를 설명하였고, 2문단에서는 기본 소득 제도 도입의 필요성을 말하였습니다. 3, 4문단에서는 기본 소득 제도를 시행하기 위해 해결해야 할 문제점을 나열하였습니다.

2 내용 이해 세부 정보 파악하기

이 글을 통해 알 수 있는 내용으로 적절하지 않은 것은 무엇입니까? (　　　　　)

① 기본 소득 제도는 국민들의 근로 의욕을 떨어뜨릴 가능성이 높다.
② 선진국을 중심으로 해서 많은 나라가 기본 소득 제도를 도입하였다.
③ 기본 소득 제도는 고소득층과 저소득층 간의 갈등을 일으킬 수 있다.
④ 고용 없는 성장이 이루어지면서 기본 소득 제도의 필요성이 커지고 있다.
⑤ 기본 소득 제도는 국민들의 최저 생계를 보장하려는 목적을 지니고 있다.

3 내용 이해 원인과 결과 파악하기

이 글을 참고할 때, ㉮로 인한 결과로 가장 적절한 것은 무엇입니까? (　　　　　)

① 국민들의 구매력이 감소해 국가 전체의 경제가 흔들릴 수 있다.
② 국가가 지하자원이나 관광 자원을 개발하여 성장을 이끌게 된다.
③ 기업이 새로운 투자를 하지 않아 경제 활동이 이전보다 위축된다.
④ 사람들이 이전보다 더 적게 일하면서 더 많은 소득을 얻을 수 있다.
⑤ 재원을 안정적으로 마련할 수 있어 기본 소득을 보장하지 않아도 된다.

수능형

4

적용하기 구체적인 상황에 적용하기

보기 를 참고하여 기본 소득 제도 를 바르게 이해한 것은 무엇입니까? (   )

보기

복지 제도는 국민들이 최소한의 인간다운 생활을 할 수 있도록 최소 생계를 국가가 보장하는 제도로, **선별적** 복지와 **보편적** 복지로 나눌 수 있다. 선별적 복지는 재산과 소득을 조사해 가난한 사람들에게만 복지 서비스를 제공하는 것이고, 보편적 복지는 모든 국민에게 복지 서비스를 제공하는 것이다. 이러한 복지 제도는 실업으로 인한 위험 부담을 줄여 경제 불황을 예방할 수 있다.

① 경제 불황을 예방하는 점에서 선별적 복지에 해당하는군.
② 모든 국민을 대상으로 하는 점에서 보편적 복지에 해당하는군.
③ 국민의 최소 생계를 보장하는 점에서 보편적 복지에 해당하는군.
④ 국가가 제공하는 복지 서비스라는 점에서 선별적 복지에 해당하는군.
⑤ 국민들에게 **차등적인** 금액을 주는 점에서 선별적 복지에 해당하는군.

어휘
- **선별적** 가려서 따로 나누는.
- **보편적** 모든 것에 두루 미치거나 통하는.
- **차등적인** 고르거나 가지런하지 않고 차별이 있는.

5

어휘·어법 어휘의 문맥적 의미 파악하기

㉠~㉤과 바꿔 쓰기에 적절하지 않은 것은 무엇입니까? (   )

① ㉠ 도입해야: 들여야
② ㉡ 감소할: 줄어들
③ ㉢ 제공할: 내놓을
④ ㉣ 충당해야: 채워야
⑤ ㉤ 부담해야: 누려야

어휘력 완성

낱말 이해 | 낱말 관계 | 낱말 적용 | 관용 표현

1 ㉠~㉢의 뜻으로 알맞은 것을 찾아 선으로 이으시오.

(1) 시험 방법을 바꾸자는 주장이 ㉠제기되었다. •　　• ㉮ 의견이나 문제를 내어 놓음.

(2) 갑작스러운 기온 ㉡저하로 농작물 피해가 심하다. •　　• ㉯ 돈이나 값나가는 물건 등이 나올 본바탕.

(3) 세금은 국가 재정의 바탕이 되는 ㉢재원이다. •　　• ㉰ 정도, 수준, 능률 따위가 떨어져 낮아짐.

낱말 이해 | 낱말 관계 | 낱말 적용 | 관용 표현

2 다음 밑줄 친 부분과 뜻이 반대되는 낱말은 무엇입니까? (　　　　)

> 선생님: 국가가 국민의 기본 소득을 보장하려는 이유는 간단합니다. 빈곤에 시달리는 사람들이 많아지면 사회 전체의 구매력이 감소하여 나라 전체의 경기 불황으로 이어지기 때문입니다. 기본 소득 제도는 이런 악순환을 막을 수 있습니다.

① 반발　② 방황　③ 퇴보　④ 침체　⑤ 호황

어휘력+
- **반발** 어떤 상태나 행동 따위에 대하여 거스르고 반항함.
- **방황** 분명한 방향이나 목표를 정하지 못하고 갈팡질팡함.
- **퇴보** 정도나 수준이 이제까지의 상태보다 뒤떨어지거나 못하게 됨.
- **침체** 어떤 현상이나 사물이 발전하지 못하고 그 자리에 머무름.
- **호황** 경제 활동이 활발하게 잘 이루어지는 상태.

낱말 이해 | 낱말 관계 | 낱말 적용 | 관용 표현

3 다음 상황을 한자성어로 나타내려고 합니다. 빈칸에 알맞은 말을 써넣어 한자성어를 완성하시오.

> 기본 소득을 보장하면 굳이 일을 하지 않아도 최소 생계가 보장되고, 일을 많이 하여 많은 소득을 올린 사람은 일을 하지 않는 사람들을 위해 많은 세금을 내야 한다. 따라서 이는 국민들의 근로 의욕 저하로 이어질 가능성이 매우 크다. 근로 의욕 저하는 개인만이 아니라 기업에서도 나타나 우리나라의 경제 성장을 어렵게 만들 수 있다.

→ 소 [　] 대 [　]

어휘력+
- **소탐대실** 작은 것을 탐하다가 큰 것을 잃음.

사회 08 저작권을 지키자

• 지문 해설

• 지문 난이도: 중

• 글자 수: 1232자

900 1300

저작권은 창작자가 자신의 창작물에 대해 갖는 권리를 말한다. 이때 창작물은 독자적인 생각이나 감정을 표현한 결과물이며, 저작권은 저작자의 창작과 동시에 발생하고 어떤 등록도 필요하지 않다. 예를 들어 초등학생이 쓴 그림일기도 저작권을 지니는 창작물이다. 우리나라는 이런 창작물을 다른 사람이 이용할 때는 저작권자의 허락을 받도록 법으로 규정하고 있다.

하지만 저작권법을 위반하는 행위는 일상에서 어렵지 않게 찾을 수 있다. 저작권자의 허락을 받지 않고 인터넷 게시판에 영화 포스터나 영화의 한 장면을 올리는 행위, 인터넷 상에 떠도는 출처 불명의 글이나 그림, 사진, 영상 등을 개인 SNS에 올리는 행위 등은 모두 저작권법을 위반한 행위이다. 만약 저작권자가 고발하면 법적인 처벌을 받게 된다. 그런데 이런 내용을 제대로 알지 못하는 청소년들이 자신도 모르게 저작권을 침해하여 처벌을 받는 사례가 늘고 있다.

많은 청소년들이 불법 다운로드 사이트에서 현금으로 구입한 포인트로 음원이나 영상, 컴퓨터 프로그램 등을 다운로드한 것을 정상적인 거래라고 ㉠생각한다. 적은 금액이지만 자신이 돈을 지불했기 때문이다. 하지만 ㉮이렇게 다운로드 받는 것도 저작권을 위반한 것이다. 이는 온라인으로 물건을 구매하면서 배송료만 내고 물건값은 내지 않은 것과 같기 때문이다. 이 경우 음원이나 영상을 다운로드하기만 했을 때에는 실질적인 처벌을 받지 않지만 업로드를 했을 때에는 법적인 처벌을 받을 수 있다. 무료 공유 프로그램을 이용하여 저작권이 있는 파일을 다운로드 받는 것도 문제가 된다. 다운로드를 하는 동시에 그 파일을 타인에게 배포하는 행위가 이루어지기 때문이다.

또한 출처만 정확하게 밝히면 저작권자의 허락 없이 사용해도 된다고 생각하는 청소년도 많다. 하지만 이런 경우도 저작권을 위반한 것이므로 조심해야 한다. 예를 들어 자신이 좋아하는 웹툰의 한 장면을 출처를 밝히면서 개인 SNS의 프로필 사진으로 쓰더라도, 저작권자의 허락을 받지 않았으면 저작권법에 걸린다. 다른 사람이 블로그에 올린 내용이나 사진 등이 마음에 들어서 자신의 블로그에 복사해서 올리는 것도 저작권을 침해한 것이다.

한편, 저작권이 제한되는 경우도 있다. 예를 들어 학교 숙제를 하기 위해 개인이나 소수의 인원이 저작권자의 허락 없이 책을 복사하거나 영상을 돌려보더라도 저작권 위반으로 처벌하지 않는다. 다만 이런 경우에도 복사한 책이나 영상을 다수가 접근할 수 있는 SNS나 유튜브 등에 올려서는 안 된다.

• **창작자** 새로운 것이나 예술 작품 따위를 독창적으로 만든 사람.

• **독자적(獨 홀로 독, 自 스스로 자, 的 과녁 적)인** 남에게 기대지 아니하고 혼자서 하는.

• **위반하는** 법률, 명령, 약속 따위를 지키지 않고 어기는.

• **불명(不 아닐 불, 明 밝을 명)** 분명하지 아니함.

• **고발(告 알릴 고, 發 쏠 발)하면** 피해자가 아닌 사람이, 남이 죄를 지은 사실을 알려 처벌을 요구하면.

• **침해(侵 침노할 침, 害 해칠 해)** 침범하여 해를 끼침.

• **음원** 디지털 신호를 통해 재생되는 소리.

• **배포하는** 신문이나 책, 인쇄물 등을 널리 나누어 주는.

• **제한(制 절제할 제, 限 한계 한)되는** 일정한 한도를 정하거나 그 한도를 넘지 못하게 막는.

• **다수(多 많을 다, 數 셀 수)** 수가 많음.

정답 및 풀이 16쪽

글의 구조 문단 내용 정리하기

1

이 글의 문단별 주요 내용을 정리한 것입니다. 빈칸에 적절한 말을 쓰시오.

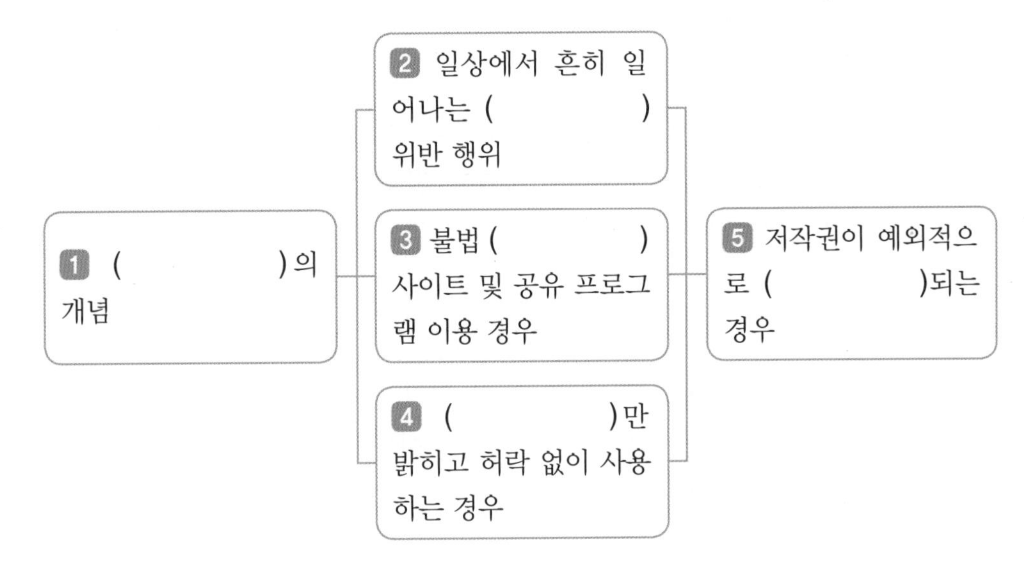

글의 구조 TIP

이 글은 총 다섯 개의 문단으로 이루어져 있습니다. 1문단에서는 저작권의 개념을 이야기하였고, 2~4문단에서는 청소년들이 자신도 모르게 저작권을 침해하는 경우를 소개하였습니다. 5문단에서는 저작권이 예외적으로 제한되는 경우를 설명하였습니다.

내용 이해 세부 정보 파악하기

2

이 글의 내용과 일치하는 것은 무엇입니까? (　　　　)

① 동물이 그린 독자적인 그림도 저작권법의 보호 대상이다.
② 무료 공유 프로그램을 이용하는 것은 저작권 침해가 아니다.
③ 다섯 살짜리 아이가 쓴 동시도 저작권을 지니는 창작물이다.
④ 저작권은 창작자가 창작물을 특허 기관에 등록해야 발생한다.
⑤ 출처를 밝히면 저작권자의 허락을 받지 않아도 사용할 수 있다.

내용 이해 원인과 결과 파악하기

3

㉮의 이유로 가장 적절한 것은 무엇입니까? (　　　　)

① 저작물의 출처를 정확하게 밝히지 않았기 때문에
② 음원이나 영상 등은 인터넷에서 사고팔 수 없기 때문에
③ 저작물의 가치에 비해 너무 적은 이용료를 지불했기 때문에
④ 저작물을 이용하는 대가를 저작자에게 지불하지 않았기 때문에
⑤ 다운로드를 하는 동시에 타인에게 배포하는 상황이 되었기 때문에

수능형

4

추론하기 세부 내용 추론하기

이 글과 관련하여 보기 를 읽고 주장할 수 있는 내용으로 가장 적절한 것은 무엇입니까? (   )

보기

음원이나 영화 등을 개인 블로그나 SNS에 올려 저작권 침해로 **소송**을 당하는 청소년이 늘고 있다. 청소년의 경우 1회에 한해서 처벌을 **면제**해 주고 있지만 저작권을 침해한 건수가 많을 경우에는 벌금이나 **합의금**을 내기도 한다. 저작권법 위반으로 고소를 당한 청소년들을 대상으로 조사를 해 보았더니, 62명의 학생들 중에서 5명만이 자신의 행위가 불법인 줄 알고 있었다고 대답했다. 그리고 실질적으로 도움이 되는 저작권 교육을 받아 본 적이 있는 학생도 10명에 불과했다. "다른 사람들이 다 하니까 불법이 아닌 줄 알았어요."라고 대답한 학생들이 대부분이었다.

① 경제적 이익을 꾀하지 않은 경우에는 저작권을 제한해야 한다.
② **과도한** 합의금을 요구하는 소송업자들을 법적으로 막아야 한다.
③ 청소년은 저작권을 침해하더라도 법적으로 처벌하지 말아야 한다.
④ 학교나 시민 단체에서 청소년에 대한 저작권 교육을 강화해야 한다.
⑤ 저작물의 이용 요금을 누구나 이용할 수 있을 정도로 낮추어야 한다.

어휘

- **소송** 법원에 재판을 요구함. 또는 그 절차.
- **면제** 책임이나 의무를 지우지 않음.
- **합의금** 합의를 하기 위하여 주는 돈.
- **과도한** 정도에 지나친.

5

어휘·어법 어휘의 문맥적 의미 파악하기

㉠ '생각한다'와 바꿔 쓸 수 있는 말은 무엇입니까? (   )

① 각오한다
② 구상한다
③ 기억한다
④ 다짐한다
⑤ 착각한다

어휘 · 어법 TIP

- **각오하다** 앞으로 해야 할 일이나 겪을 일에 대한 마음의 준비를 하다.
- **구상하다** 앞으로 이루려는 일에 대하여 그 일의 내용이나 규모, 실현 방법 따위를 어떻게 정할 것인지 이리저리 생각하다.
- **기억하다** 지난 일을 잊지 않거나 도로 생각해 내다.
- **다짐하다** 이미 한 일이나 앞으로 할 일에 틀림이 없음을 단단히 강조하거나 확인하다.
- **착각하다** 어떤 사물이나 사실을 실제와 다르게 깨닫거나 생각하다.

어휘력 완성

정답 및 풀이 16쪽

1 낱말 이해 | 낱말 관계 | 낱말 적용 | 관용 표현

다음 문장을 참고하여 ㉠~㉢의 뜻으로 알맞은 것을 찾아 선으로 이으시오.

> 정당하게 구매한 음악 파일이라도 경제적 ㉠ 영리를 목적으로 이를 마음대로 ㉡ 배포하면 저작권자의 권리를 ㉢ 침해한 것이 된다.

(1) 영리 •　　　• ㉮ 침범하여 해를 끼침.

(2) 배포 •　　　• ㉯ 돈을 벌어 이익을 얻으려고 활동하는 일.

(3) 침해 •　　　• ㉰ 신문이나 책, 인쇄물 등을 널리 나누어 줌.

2 낱말 이해 | 낱말 관계 | 낱말 적용 | 관용 표현

다음 중 ㉠과 바꿔 쓸 수 있는 말은 무엇입니까? (　　　　)

> 출처만 정확하게 밝히면 저작권자의 허락 없이 사용해도 된다고 생각하는 청소년도 많다. 하지만 이런 경우도 저작권을 위반한 것이므로 ㉠ 조심해야 한다.

① 경고해야　② 방어해야　③ 유의해야
④ 조언해야　⑤ 지향해야

어휘력+
- **경고하다** 조심하거나 삼가도록 미리 주의를 주다.
- **방어하다** 적이 쳐들어오는 것을 막다.
- **유의하다** 마음에 두어 조심하거나 관심을 가지다.
- **조언하다** 말로 거들거나 깨우쳐 주어서 돕다.
- **지향하다** 일정한 목표를 정하여 나아가다.

3 낱말 이해 | 낱말 관계 | 낱말 적용 | 관용 표현

다음 밑줄 친 부분과 뜻이 통하는 한자성어는 무엇입니까? (　　　　)

> 저작권을 제대로 알지 못하는 청소년들이 자신도 모르게 저작권을 침해하여 처벌을 받는 사례가 늘고 있다.

① 명약관화(明若觀火)　② 반신반의(半信半疑)
③ 부지불식(不知不識)　④ 식자우환(識字憂患)
⑤ 유언비어(流言蜚語)

어휘력+
- **명약관화** 불을 보듯 분명하고 뻔함.
- **반신반의** 얼마쯤 믿으면서도 한편으로는 의심함.
- **부지불식** 생각하지도 못하고 알지도 못함.
- **식자우환** 학식이 있는 것이 오히려 근심을 사게 됨.
- **유언비어** 아무 근거 없이 널리 퍼진 소문.

전개 방법

설명 방법 파악하기

글쓴이는 글을 쓸 때 내용을 쉽고 정확하게 표현하기 위해 다양한 설명 방법을 사용합니다. 이를 서술 방법이나 내용 전개 방법이라고도 합니다. 설명 방법에는 정의, 예시, 비교, 대조, 분류, 분석, 인과, 과정 등이 있습니다.

'정의'는 어떤 말이나 사물의 뜻을 밝혀 풀이하는 방법이고, '예시'는 내용과 관련된 구체적인 예를 보여 주는 방법입니다. 그리고 '비교'는 둘 이상의 대상을 견주어 공통점을 드러내는 방법이고, '대조'는 둘 이상의 대상을 견주어 차이점을 드러내는 방법입니다. '분류'는 대상을 같은 종류끼리 묶어서 설명하는 방법이고, '분석'은 대상을 그 구성 요소나 부분으로 쪼개어 설명하는 방법입니다. 마지막으로 '인과'는 어떤 대상을 원인과 결과 중심으로 설명하는 방법이고, '과정'은 일이 되어가는 순서에 따라 설명하는 방법입니다.

논증 방법 파악하기

논증은 주로 설득하는 글에서 내용의 옳고 그름을 타당한 근거를 들어 밝히는 과정입니다. 추론이 대표적인 방법인데, 귀납법과 연역법이 있습니다.

귀납법은 구체적인 사실을 근거로 삼아 일반적인 원리를 이끌어 내는 방법입니다. 예를 들어 '참새는 깃털이 있다. 비둘기도 깃털이 있다. 닭도 깃털이 있다. 참새와 비둘기와 닭은 모두 새이다. 따라서 새는 깃털이 있다.'는 식으로 결론을 이끌어 냅니다.

연역법은 이미 알고 있는 일반적인 원리를 근거로 삼아 구체적인 사실을 이끌어 내는 방법입니다. 예를 들어 '동물은 언젠가는 죽는다. 거북이는 동물이다. 그러므로 거북이는 언젠가는 죽을 것이다.'는 식으로 결론을 이끌어 냅니다. 주장하는 글을 읽을 때는 주장과 근거, 혹은 전제와 결론을 찾은 뒤 그 관계의 타당성을 따져야 합니다.

황사와 미세 먼지

황사와 미세 먼지의 공통점과 차이점, 건강에 미치는 영향 등을 구체적인 수치를 활용하여 설명한 뒤 대처 방법을 알려 주는 글입니다.

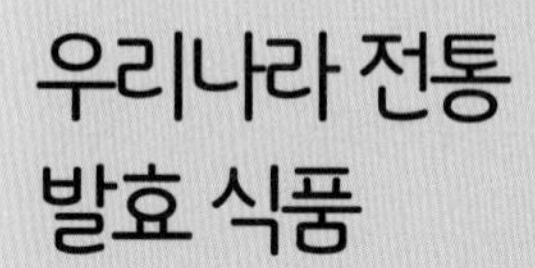

외래 동식물에 주의를 기울이자

다른 나라에서 들여온 동물이나 식물을 외래 동식물이라고 합니다. 황소개구리와 가시박의 예를 들어 외래 동식물이 생태계를 파괴하면서 인간에게도 피해를 준다는 점을 제시하고, 주의를 기울여야 한다고 주장하는 글입니다.

우리나라 전통 발효 식품

김치, 된장, 고추장, 젓갈 등 우리나라는 옛날부터 발효 식품이 발달하였습니다. 발효 식품이 지닌 우수성과 과학성을 다양한 예시를 통해 설명하는 글입니다.

과학

'과학' 영역의 글은 지구 과학, 화학, 생명 과학 등을 바탕으로 과학 이론과 원리, 과학적 현상의 특징 등을 알려 줍니다.

방사선이 위험한 이유

후쿠시마 원자력 발전소 사고를 이야기하며 우리 몸이 다량의 방사선에 노출될 경우 신체 이상이나 후대에 나쁜 영향을 미치게 된다는 점을 과학적으로 설명하는 글입니다.

세균과 바이러스는 어떻게 다를까?

우리는 세균과 바이러스를 종종 헷갈려 합니다. 세균과 바이러스는 조직 구조와 증식 방법, 크기 등에서 차이점이 있지만, 둘 다 인간에게 질병을 일으킨다는 점 등을 자세히 설명하는 글입니다.

얼마나 뚱뚱해야 비만일까

비만 정도를 측정하는 방법인 체지방률과 체질량 지수에 대해 알려 주는 글입니다. 각 방법의 장점과 한계를 알아보고, 비만만큼 위험한 저체중에 대해 설명합니다.

과학 01 황사와 미세 먼지

• 지문 해설

• 지문 난이도: 하

• 글자 수: 1028자

900 1300

봄이면 어김없이 황사가 찾아와 우리를 괴롭힌다. 황사가 있는 날에는 봄의 싱그러움을 전혀 느낄 수 없을 정도이다. 게다가 최근에는 미세 먼지마저 발생하여 우리를 더 힘들게 하고 있다. 그런데 황사와 미세 먼지는 어떻게 다를까?

황사와 미세 먼지는 발생 원인과 주성분이 다르다. 황사는 중국 북부나 몽골의 사막 지대에 있는 흙먼지가 바람을 타고 우리나라로 날아드는 자연 현상이다. 이와 달리 미세 먼지는 대개 자동차나 공장, 발전소, 가정집 등에서 사용하는 석탄·석유 등의 화석 연료의 연소 과정에서 발생하는 대기 오염 물질이다. 황사는 대부분 중국과 몽골에서 발생하지만 미세 먼지의 절반 이상은 국내에서 발생한다. 그리고 황사는 주로 봄에 발생하는데 비해 미세 먼지는 계절과 무관하게 발생한다.

황사와 미세 먼지의 공통점은 무엇일까? 바로 입자 크기이다. 공기 중에 떠다니는 먼지 중에서 지름 10마이크로미터 이하인 것을 미세 먼지라 하고, 그 중에서 2.5마이크로미터 이하인 것을 초미세 먼지라고 한다. 보통 황사의 입자 크기는 다양하지만, 우리나라까지 날아오는 황사의 입자는 대개 1~10마이크로미터이므로, 크기로 따졌을 때 황사가 곧 미세 먼지인 셈이다. 성인 머리카락의 굵기가 평균적으로 70마이크로미터이므로 가장 큰 미세 먼지라도 머리카락 굵기의 7분의 1에 불과하다.

이렇게 작은 미세 먼지가 몸속으로 들어오면 호흡기 건강에 좋지 않다. 특히 초미세 먼지는 코나 입에서 걸러지지 않고 폐까지 바로 침투한다. 여러 연구 결과에 의하면, 미세 먼지 농도가 나쁨 수준일 때 1시간 동안 마시는 미세 먼지의 양은 84분 동안 간접흡연을 통해 마시는 담배 연기의 양과 유사하다고 한다. 이 때문에 미세 먼지로 인한 조기 사망자가 연간 1만 7000명이나 된다는 통계 자료도 있다.

그렇다면 어떻게 대처해야 할까? 여러 가지 수칙이 있지만 가장 좋은 방법은 미세 먼지가 심할 때에는 미세 먼지가 들어오지 않도록 집의 문을 닫고 외출을 하지 않는 것이다. 어쩔 수 없이 외출을 해야 할 때는 반드시 KF80이나 KF94 등이 적혀 있는 전용 마스크를 ㉠써야 한다. 그리고 외출 후에는 몸을 깨끗이 씻어야 한다.

• **주성분**(主 주인 주, 成 이룰 성, 分 나눌 분) 어떤 물질을 이루고 있는 성분 가운데서 가장 주되는 것.

• **화석 연료** 동식물의 뼈가 땅속에 파묻혀 만들어진 것으로, 연료로 사용할 수 있는 물질. 석유·석탄·천연가스 등

• **연소** 물체가 빛과 열을 내면서 탐. 또는 그런 현상.

• **무관(無 없을 무, 關 빗장 관)하게** 관계가 없게.

• **입자**(粒 알 입, 子 아들 자) 물질을 이루는 아주 작은 알갱이.

• **마이크로미터** 100만분의 1미터를 나타내는 길이의 단위. 즉 0.001밀리미터.

• **호흡기** 생물의 호흡 작용을 하는 기관.

• **침투한다** 세균·병균 등이 몸속에 들어온다.

• **조기**(早 새벽 조, 期 기약할 기) 이른 시기.

• **수칙** 행동이나 절차에 관하여 지켜야 할 사항을 정한 규칙.

1

글의 구조 문단 내용 정리하기

이 글의 문단별 주요 내용을 정리한 것입니다. 빈칸에 적절한 말을 쓰시오.

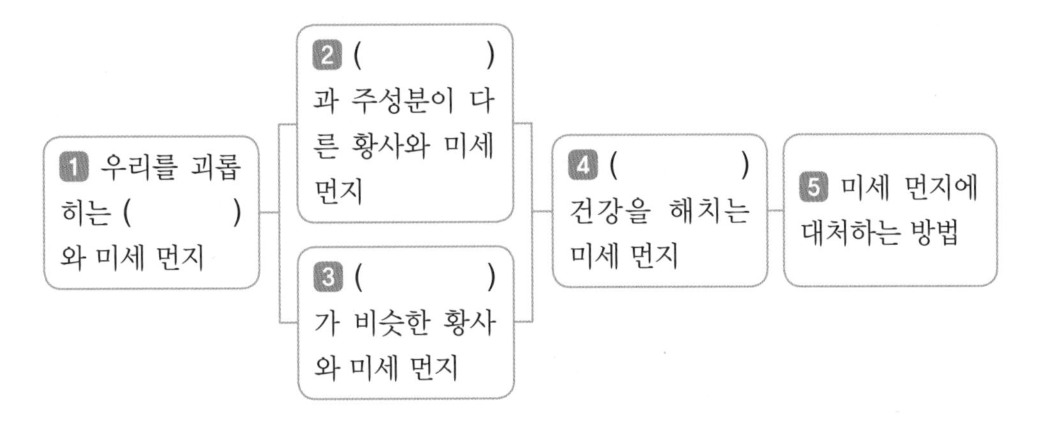

글의 구조 TIP

이 글은 총 다섯 개의 문단으로 이루어져 있습니다. 1문단에서는 우리를 괴롭히는 황사와 미세 먼지를 말하고, 2, 3문단에서 차이점과 공통점을 설명하였습니다. 4문단에서는 미세 먼지가 건강에 미치는 영향을, 5문단에서는 미세 먼지에 대처하는 방법을 소개하고 있습니다.

2

내용 이해 세부 정보 파악하기

이 글의 내용과 일치하지 않는 것은 무엇입니까? (　　　　)

① 황사와 달리 미세 먼지는 계절과 무관하다.
② 미세 먼지는 화석 연료를 태우는 과정에서 발생한다.
③ 초미세 먼지는 코나 입에서 걸러지지 않을 정도로 작다.
④ 황사와 미세 먼지는 대부분 중국에서 우리나라로 넘어온다.
⑤ 입자 크기로 볼 때 우리나라까지 날아오는 황사와 미세 먼지는 차이가 없다.

3

전개 방식 내용 전개 방식 파악하기

글쓴이가 이 글을 쓰기 전에 떠올린 생각 중, 이 글에 반영되지 않은 것은 무엇입니까? (　　　　)

① 의문문을 활용하여 이어질 내용을 넌지시 알려야겠어.
② 두 대상을 비교해서 공통점과 차이점을 정리해야겠어.
③ 전문가의 의견을 제시하여 내용의 신뢰성을 높여야겠어.
④ 설명 대상을 익숙한 대상과 비교하여 이해를 도와야겠어.
⑤ 구체적인 수치를 통해 문제 상황의 심각성을 강조해야겠어.

수능형

4

문제 풀이

추론하기 세부 내용 추론하기

이 글을 읽은 학생이 보기에 대해 보일 반응으로 적절하지 않은 것은 무엇입니까? (　　　)

보기

미세 먼지가 심한 날에는 대개 포장지에 KF80이나 KF94 등이 표기된 **보건용** 마스크를 쓰는 것이 좋다. 보건용 마스크에는 일반 마스크와 달리 **정전식 필터**가 들어간다. 정전식 필터는 부직포에 고압의 전류를 흘려 정전기를 띠게 만든 특수 필터이다. 정전기는 외부 물체가 닿으면 그 물체를 끌어당기는 성질이 있다. 풍선을 머리카락에 문지른 다음 살짝 떼어 보면 머리카락이 풍선을 따라 올라오는 것을 떠올리면 된다. 정전식 필터도 같은 원리로 초미세 먼지를 붙잡는다. 그런데 정전식 필터에 형성된 정전기는 시간이 지나면 점점 사라지고 **습기**가 닿아도 사라지므로 장시간 쓰거나 재사용하면 그 효과가 빠르게 줄어든다.

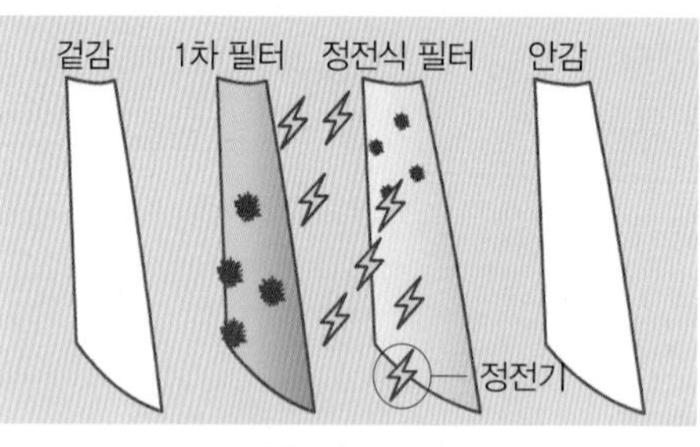

▲ 보건용 마스크의 구조

① 정전식 필터가 없는 마스크는 초미세 먼지를 차단하기 어렵겠군.
② 황사가 심한 날에도 보건용 마스크를 쓰고 외출하는 것이 좋겠군.
③ 보건용 마스크는 일반 마스크와 달리 여러 번 사용하면 안 되겠군.
④ 포장지를 개봉한 보건용 마스크는 가급적 빨리 사용하는 것이 좋겠군.
⑤ 미세 먼지가 심한 날에는 외출 후에 보건용 마스크를 깨끗하게 빨아야겠군.

어휘

- **보건용** 건강을 온전하게 잘 지키는 데 쓰임. 또는 그런 물품.
- **정전식** 마찰하는 물체가 띠는 이동하지 않는 전기식.
- **필터** 액체나 기체 속의 불순물을 걸러 내는 장치.
- **습기** 축축한 기운.

5

어휘·어법 어휘의 사전적 의미 파악하기

다음 밑줄 친 낱말이 ㉠'써야'와 같은 뜻으로 쓰인 것은 무엇입니까? (　　　)

① 어른에게는 존댓말을 써야 한다.
② 맞춤법을 틀려서 친구의 지우개를 빌려 썼다.
③ 날이 너무 추워 담요를 머리끝까지 쓰고 누웠다.
④ 어머니가 마시는 커피는 향기는 좋은데 너무 쓰다.
⑤ 오늘 배운 데까지 공책에 두 번 써 오는 게 숙제다.

어휘·어법 TIP

- **쓰다**

「1」 붓이나 연필 등으로 획을 그어 글자를 이루다.
「2」 얼굴에 어떤 물건을 걸거나 덮어쓰다.
「3」 맛이 한약이나 씀바귀의 맛과 같다.
「4」 어떤 일을 하는 데에 재료나 도구, 수단을 이용하다.
「5」 어떤 말이나 언어를 사용하다.

어휘력 완성

정답 및 풀이 17쪽

낱말 이해 | 낱말 관계 | 낱말 적용 | 관용 표현

1
다음 그림을 보고, 빈칸에 알맞은 낱말을 보기 에서 찾아 쓰시오.

보기
발생 연소 오염 입자 조기

수영이나 달리기 같은 유산소 운동은 지방 (   )에 효과적이다.

낱말 이해 | 낱말 관계 | 낱말 적용 | 관용 표현

2
다음 중 ㉠-㉡과 같은 낱말 관계로 짝 지은 것은 무엇입니까? (   )

공기 중에 떠다니는 먼지 중에서 지름 10마이크로미터 이하인 것을 ㉠미세 먼지라 하고, 그 중에서 2.5마이크로미터 이하인 것을 ㉡초미세 먼지라고 한다.

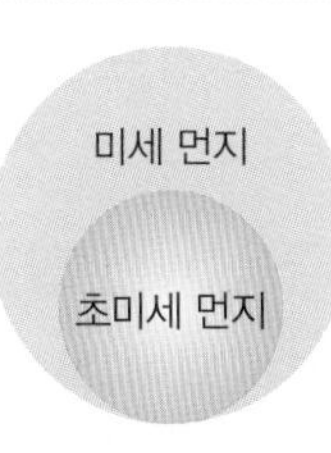

① 계절 – 봄
② 주택 – 집
③ 폐 – 허파
④ 몸속 – 체내
⑤ 발생 – 소멸

낱말 이해 | 낱말 관계 | 낱말 적용 | 관용 표현

3
다음 상황을 나타내기에 적절한 한자성어는 무엇입니까? (   )

봄이면 어김없이 황사가 찾아와 우리를 괴롭힌다. 황사가 낀 날에는 봄의 싱그러움을 전혀 느낄 수 없을 정도이다. 게다가 최근에는 미세 먼지마저 발생하여 우리를 더 힘들게 하고 있다.

① 금상첨화(錦上添花)
② 설상가상(雪上加霜)
③ 일편단심(一片丹心)
④ 임기응변(臨機應變)
⑤ 자화자찬(自畫自讚)

어휘력 +
- **금상첨화** 좋은 일 위에 또 좋은 일이 더하여짐.
- **설상가상** 난처한 일이나 불행한 일이 잇따라 일어남.
- **일편단심** 진심에서 우러나오는 변치 않는 마음.
- **임기응변** 그때그때 처한 사태에 맞추어 즉각 그 자리에서 결정하거나 처리함.
- **자화자찬** 자기가 그린 그림을 스스로 칭찬한다는 뜻으로, 자기가 한 일을 스스로 자랑함.

과학 02 우리나라 전통 발효 식품

• 지문 해설

• 지문 난이도: 하

• 글자 수: 1003자

900 1300

우리나라는 옛날부터 발효 식품이 발달하였다. 유산균이 ㉠풍부한 김치를 비롯하여 콩을 발효하여 만든 간장, 된장, 고추장, 청국장에 이르기까지 우리 식탁에는 발효 식품이 거의 빠지지 않는다. 발효 식품은 장운동을 활발하게 하여 소화를 도울 뿐만 아니라 성인병 예방에 ㉡탁월한 효능이 있다.

김치는 채소와 양념을 버무려서 익히는 과정에서 유산균이 생기는 대표적인 발효 식품이다. 김치의 유산균은 소금에 잘 견디는 특성이 있어서 다른 균과 달리 오랫동안 살아남는다. 또한 유산균이 마늘과 고추 등의 양념과 어울려서 잘 ㉢숙성되면 김치 맛을 좋게 한다.

콩으로 만든 장류도 우리 전통의 발효 식품이다. 콩을 장으로 만들려면 먼저 메주콩을 삶고 메주를 만들어야 한다. 삶은 콩을 빻지 않고 숙성시키면 청국장이 된다. 메주를 만들어 볏짚으로 묶어서 따뜻한 곳에 두고 소금을 뿌리면 장을 만들 수 있다. 이 과정에서 우리 몸에 좋은 균들이 생기는데, 이것으로 간장, 된장, 고추장 등 다양한 맛을 내는 장을 만든다.

젓갈은 삼면이 바다인 우리나라에서 ㉣유달리 발달한 발효 식품으로, 김장을 할 때 쓰거나 반찬으로 즐겨 먹는다. 멸치나 조기, 갈치, 오징어, 낙지 등의 어류, 새우나 게 등의 갑각류, 조개나 굴 등의 패류, 생선 알이나 내장 등을 항아리에 넣고 소금을 넣어 일정 기간 동안 숙성시켜 만든다. 이 과정에서 어패류에 있던 효소들이 분해되어 몸에 좋은 균으로 바뀌어 독특한 맛을 낸다.

이 밖에 주로 남쪽 지방에서 오래 전부터 만들어 먹었던 삭힌 홍어, 흔히 과메기라고 부르는 말린 청어나 꽁치, 소금에 절인 자반고등어 등도 발효 식품이다. 이 음식들은 생선을 볏짚으로 묶어서 바람에 마르도록 매달거나 볏짚과 함께 항아리에 넣어 일정 기간 동안 발효시킨 것이다. 이 과정에서도 몸에 좋은 균이 생겨서 ㉤독특한 맛이 생긴다.

이와 같이 우리의 발효 식품은 오랜 시간 정성으로 기다려야 한다는 특징이 있다. 우리 조상들은 일찍부터 이 일을 기꺼이 하며 가족의 건강을 지키고 발효 식품의 과학을 이어온 것이다.

- **발효** 효모·세균·곰팡이 등의 작용으로 유기물이 분해되어 알코올이나 탄산가스 등이 생기는 현상.
- **유산균** 포도당·과당 같은 탄수화물을 분해하여 유산으로 만드는 세균.
- **성인병**(成 이룰 성, 人 사람 인, 病 병 병) 고혈압·당뇨병·동맥 경화 등 마흔 살이 넘은 사람에게 주로 나타나는 병을 통틀어 이르는 말.
- **탁월한** 남보다 훨씬 뛰어난.
- **숙성되면** 발효가 잘되어 충분히 익게 되면.
- **어패류**(魚 물고기 어, 貝 조개 패, 類 무리 류) 생선과 조개 종류를 통틀어 이르는 말.
- **효소** 생물의 세포 안에서 합성되어 몸 안에서 이루어지는 화학 반응의 촉매 구실을 하는 화합물. 술이나 된장 등을 만드는 데 씀.
- **삭힌** 음식물을 발효시켜 맛이 들게 한.
- **볏짚** 벼의 이삭을 떨어낸 줄기.

정답 및 풀이 18쪽

1

글의 구조 문단 내용 정리하기

이 글의 문단별 주요 내용을 정리한 것입니다. 빈칸에 적절한 말을 쓰시오.

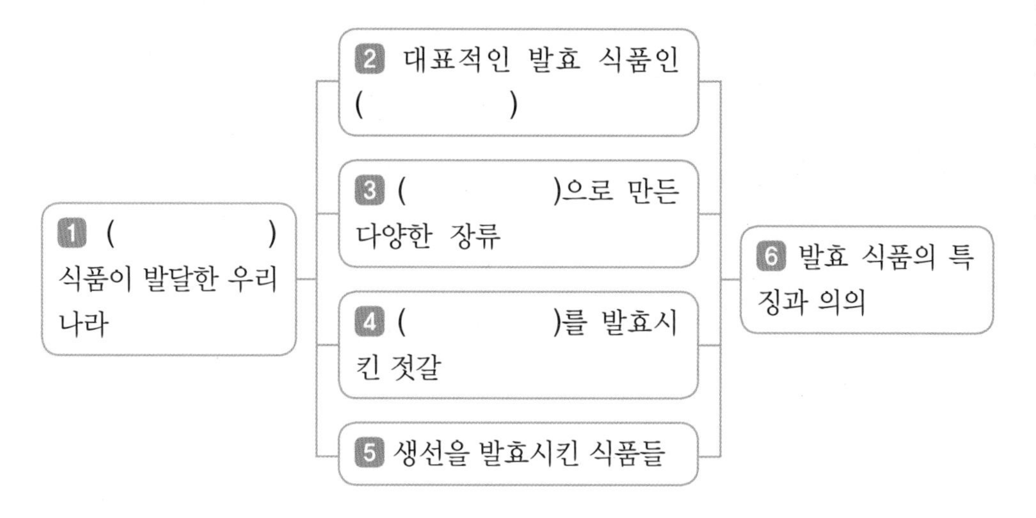

글의 구조 TIP

이 글은 총 여섯 개의 문단으로 이루어져 있습니다. 1문단에서는 우리나라에서 발달한 발효 식품과 효능을 설명하였고, 2~5문단에서는 대표적인 발효 식품을 예로 들어 자세히 설명하였습니다. 6문단에서는 발효 식품의 특징과 의의를 말하였습니다.

2

내용 이해 세부 정보 파악하기

이 글의 내용과 일치하지 않는 것은 무엇입니까? (   )

① 청국장은 메주콩을 삶아서 빻지 않은 채로 숙성시킨 것이다.
② 잘 익은 김치에 있는 유산균은 소금에 잘 견디는 특성이 있다.
③ 우리가 즐겨 먹는 발효 식품은 성인병을 예방하는 데 효과가 있다.
④ 젓갈은 어패류의 효소들이 분해되어 몸에 좋은 균으로 바뀐 것이다.
⑤ 발효 식품은 간단한 방법으로 짧은 시간에 만들 수 있어 효율적이다.

3

전개 방식 내용 전개 방식 파악하기

이 글에서 발효 식품을 설명한 방식으로 가장 적절한 것은 무엇입니까? (   )

① 시간의 흐름에 따라 변화 과정을 보여 주고 있다.
② 구체적인 사례들을 나란히 제시하여 설명하고 있다.
③ 어려운 개념을 그것과 비슷한 성격의 다른 대상에 빗대고 있다.
④ 서로 반대의 특성을 지닌 대상들을 항목별로 나누어 분석하고 있다.
⑤ 전문가의 말을 인용하여 어떤 현상의 원인을 과학적으로 설명하고 있다.

수능형 4

추론하기 외부 자료를 바탕으로 추론하기

이 글을 읽은 학생이 보기 에 대해 보일 반응으로 적절하지 않은 것은 무엇입니까? ( )

보기

우유가 상해서 먹지 못하게 되는 것은 부패이고, 요구르트로 변해 새로운 맛을 내는 것은 발효이다. 발효와 부패는 둘 다 균의 **증식**으로 일어나기 때문에 얼핏 비슷해 보이지만 둘은 전혀 다른 현상이다. 발효는 발효균에 의한 것인데, 발효균은 식품이 특정한 조건과 환경을 갖추었을 때에만 나타나서 식품의 맛과 향, **저장성**을 높인다. 이와 달리 부패는 부패균에 의한 것으로, 어떤 식품이라도 자연 상태 그대로 **방치하면** 거의 예외 없이 나타나며 부패 과정에서 **악취**가 난다. 부패한 음식을 먹으면 식중독을 일으키거나 심하면 죽음에 이르게 되므로 조심해야 한다.

① 유산균이 너무 많아지면 식품을 부패시키고 식중독을 일으키는군.
② 발효가 된 식품은 건강에 도움이 되지만 부패가 된 식품은 건강을 해치는군.
③ 발효 식품이 원래 재료와 다른 맛을 내는 것은 발효균이 생겼기 때문이겠군.
④ 젓갈 재료를 소금과 함께 항아리에 넣는 것은 발효가 될 환경을 만드는 것이군.
⑤ 이미 발효가 끝난 식품이라도 자연 상태 그대로 오랫동안 방치하면 부패할 수 있겠군.

어휘
- **증식** 생물 또는 그 조직이나 세포 등의 수가 늘어남.
- **저장성** 오래 보관하여도 상하지 않는 성질.
- **방치하면** 그대로 내버려 두면.
- **악취** 고약한 냄새. 또는 불쾌한 냄새.

5

어휘·어법 어휘의 문맥적 의미 파악하기

㉠~㉤을 바꾼 말로 적절하지 않은 것은 무엇입니까? ( )

① ㉠ 풍부한: 넉넉하고 많은
② ㉡ 탁월한: 남보다 두드러지게 뛰어난
③ ㉢ 숙성되면: 크게 자라면
④ ㉣ 유달리: 여느 것과는 아주 다르게
④ ㉤ 독특한: 특별하게 다른

1 낱말 이해 | 낱말 관계 | 낱말 적용 | 관용 표현

다음 낱말의 뜻을 찾아 선으로 이으시오.

(1) 숙성되다 •   • ㉮ 먹은 음식물이 흡수되기 쉬운 형태로 변화되다.

(2) 소화되다 •   • ㉯ 효소나 미생물의 작용에 의하여 발효된 것이 잘 익다.

2 낱말 이해 | 낱말 관계 | 낱말 적용 | 관용 표현

다음 낱말들을 모두 포함하는 말은 무엇입니까? (   )

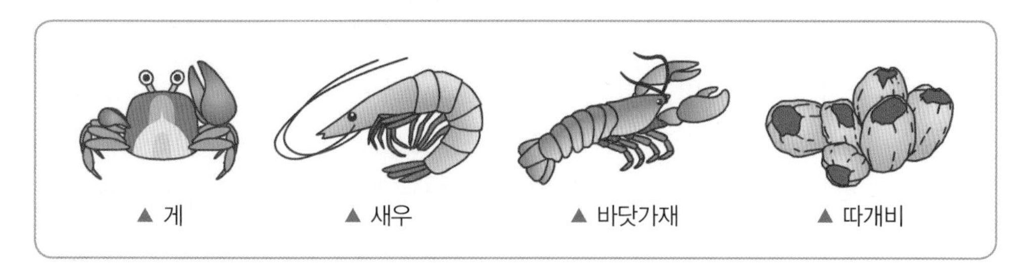
▲ 게 ▲ 새우 ▲ 바닷가재 ▲ 따개비

① 패류 ② 어류 ③ 장류
④ 발효 ⑤ 갑각류

3 낱말 이해 | 낱말 관계 | 낱말 적용 | 관용 표현

다음 밑줄 친 낱말이 ㉠과 같은 뜻으로 쓰인 것은 무엇입니까? (   )

김치를 비롯하여 콩을 발효하여 만든 간장, 된장, 고추장, 청국장에 ㉠이르기까지 우리 식탁에는 발효 식품이 거의 빠지지 않는다.

① 나는 아이들에게 내가 알고 있는 것을 모두 일러 주었다.
② 의사는 나에게 아직 퇴원하기에는 너무 이르다고 말했다.
③ 학생들은 약속한 시각보다 이르게 약속 장소에 도착했다.
④ 친구의 잘못을 남에게 모두 이르면 친구를 잃을 수 있다.
⑤ 환경 오염으로 지구의 생태계가 위험한 지경에 이르렀다.

어휘력+

• 이르다
「1」 어떤 장소나 시간에 닿다.
「2」 어떤 정도나 범위에 미치다.
「3」 기준을 잡은 때보다 앞서거나 빠르다.
「4」 무엇이라고 말하다.
「5」 어떤 사람의 잘못을 윗사람에게 말하여 알게 하다.

과학 03 외래 동식물에 주의를 기울이자

• 지문 해설

• 지문 난이도: 중

• 글자 수: 1204자

900 1300

다른 나라에서 들여온 동물이나 식물을 '외래 동식물'이라고 한다. 세계화가 진행되어 국가 간에 사람과 물건이 오가는 일이 많아지면서 식용이나 산업용, 애완용 및 관상용 등 여러 가지 이유로 외래 동식물이 들어오는 경우도 늘고 있다. 그러나 외래 동식물이 들어오는 것을 가볍게 보아 넘겨서는 안 된다. 외래 동식물이 여러 가지 문제를 일으키기 때문이다.

첫째, 외래 동식물이 들어오면 그 지역의 생태계가 파괴될 수 있다. 한 지역의 생태계는 그 지역의 생물들이 오랜 시간 함께 적응해 오면서 자연스럽게 먹이사슬 균형이 잡히도록 형성된 것인데, 갑자기 다른 종이 들어오면 먹이사슬 균형이 ㉠ 깨어지기 때문이다. 특히 외래종은 들어온 지역에 천적이 없는 경우가 많아 개체 수가 급격하게 늘어나면서 짧은 기간에 기존 생태계를 교란한다.

둘째, 외래 동식물은 토종 동식물의 생태계뿐만 아니라 인간에게도 피해를 준다. 농작물에 피해를 주는 외래 곤충이나 외래 식물, 토종 물고기를 잡아먹는 외래 물고기 등이 들어오면 농업과 어업에도 악영향을 미치기 때문이다. 만약 독성을 지닌 외래 동식물이 들어온다면 사람의 안전도 위협받을 수 있다.

우리나라도 외래 동식물로 인한 문제를 겪고 있다. 황소개구리와 가시박이 대표적이다. 황소개구리는 농가의 소득을 높이려는 목적으로 1970년대 일본에서 들여왔다. 하지만 일부 황소개구리들이 양식장을 빠져나가고, 양식장에서 기르던 황소개구리마저 잘 팔리지 않아 방치되면서 결국 우리나라 하천 생태계를 훼손하는 존재가 되고 말았다.

북아메리카가 원산지인 가시박도 우리나라 토종 식물을 죽이는 외래종이다. 덩굴손으로 주변의 다른 식물을 감고 올라가면서 햇빛을 차단해 말라죽게 만든다. 원래 수박에 생기는 병을 막기 위한 목적으로 들여왔는데 오래지 않아 야생으로 퍼지면서 생태계를 교란하고 있다. 황소개구리와 가시박 외에도 외래 동식물로 인한 피해는 매우 많다.

요즘은 외래종이더라도 개인이 키울 수 있도록 허가된 동물들이 많다. 그런데 키우던 외래종 동물을 몸집이 커지거나 병이 들었다는 이유 등으로 강이나 산에 마구 버리는 사람들이 있다. 심지어 개인이 수입 신고도 하지 않은 채 몰래 들여오는 경우도 있다. 이런 행위 때문에 특정 지역의 생태계가 파괴되어 버리면 다시 복구하는 데 많은 시간과 노력이 필요하다. 따라서 정부는 허가되지 않은 외래 동식물이 들어오는 일이 없도록 철저히 감시하고, 개인들도 주의를 기울여야 한다.

- **외래**(外 밖 외, 來 올 래) 밖에서 옴. 또는 다른 나라에서 옴.
- **관상용** 두고 보면서 즐기는 데 씀. 또는 그런 물건.
- **천적**(天 하늘 천, 敵 원수 적) 잡아먹는 동물을 잡아먹히는 동물에 상대하여 이르는 말. 예를 들면, 쥐에 대한 뱀, 배추흰나비에 대한 배추나비고치벌, 진딧물에 대한 무당벌레 따위.
- **개체**(個 낱 개, 體 몸 체) 독립된 하나하나의 생물.
- **교란한다** 뒤흔들어 어지럽게 하거나 혼란하게 한다.
- **토종** 본디부터 그곳에서 나는 종자.
- **악영향** 나쁜 영향.
- **방치**(放 놓을 방, 置 둘 치) 내버려 둠.
- **야생**(野 들 야, 生 날 생) 산이나 들에서 저절로 나서 자람. 또는 그런 생물.
- **복구**(復 회복할 복, 舊 옛 구) 파괴된 것을 다시 본디의 상태대로 고침.

정답 및 풀이 19쪽

글의 구조 문단 내용 정리하기

1 이 글의 문단별 주요 내용을 정리한 것입니다. 빈칸에 적절한 말을 쓰시오.

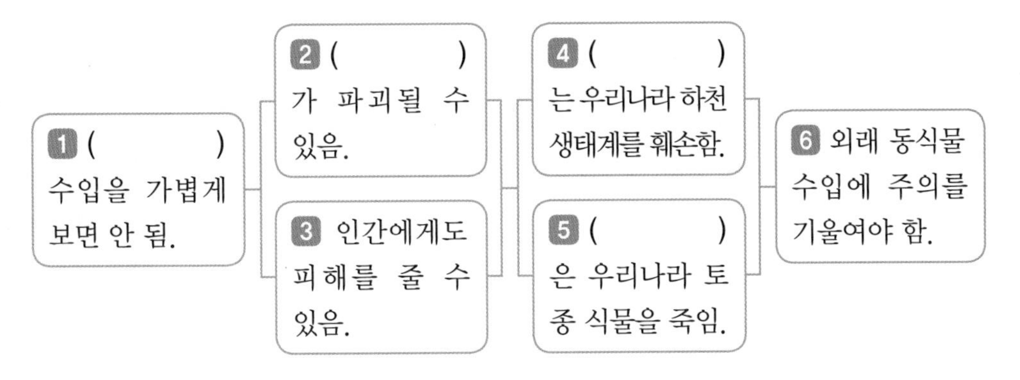

글의 구조 TIP

이 글은 총 여섯 개의 문단으로 이루어져 있습니다. 1문단은 서론, 2~5문단은 본론, 6문단은 결론으로, 1문단에서는 외래 동식물이 들어오는 것을 가볍게 넘겨서는 안 된다고 하였고, 2, 3문단에서는 외래 동식물이 일으키는 문제를 말하였습니다. 4, 5문단에서는 황소개구리와 가시박 등의 외래 동식물로 인한 우리나라의 피해 사례를 소개하였고, 6문단에서는 외래 동식물을 들여올 때 주의해야 함을 주장하였습니다.

내용 이해 세부 정보 파악하기

2 이 글에 대한 이해로 적절하지 않은 것은 무엇입니까? (   )

① 외래 동식물은 토종 동식물을 위협할 수 있다.

② 외래 동식물은 개인이 애완용으로 키울 수 없다.

③ 세계화가 진행되면서 외래 동식물이 증가하고 있다.

④ 외래 동식물은 현지의 먹이사슬 균형을 깨뜨리기도 한다.

⑤ 외래 동식물을 수입 신고도 하지 않은 채 몰래 들여오는 경우가 있다.

전개 방식 글쓰기 전략 파악하기

3 이 글의 글쓰기 전략으로 적절한 것을 모두 골라 짝 지은 것은 무엇입니까? (   )

보기

ㄱ. 실제 사례를 들어 말하고자 하는 바를 뒷받침하고 있다.

ㄴ. 질문을 하는 방식으로 독자의 관심을 불러일으키고 있다.

ㄷ. 통계 자료를 인용하여 문제 상황의 심각성을 강조하고 있다.

ㄹ. 특정 현상의 문제점을 설명하고 해결 방안을 제시하고 있다.

① ㄱ, ㄴ　② ㄱ, ㄹ　③ ㄴ, ㄹ

④ ㄴ, ㄷ　⑤ ㄷ, ㄹ

수능형 **4** 문제 풀이

적용하기 구체적인 상황에 적용하기

이 글을 참고할 때, 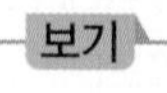에 대한 반응으로 적절하지 않은 것은 무엇입니까? (　　　)

보기

1876년 미국의 한 업체가 아시아의 **칡**을 관상용으로 수입하여 전시하였다. 당시 미국에는 칡이 없었다. 이후 많은 미국인들이 칡을 자신의 집 울타리나 뜰에 심었다. 그런데 유달리 강한 칡의 생명력과 빠른 성장 속도 때문에 수입된 지 50년 만에 미국 남부를 완전히 점령한 후 점점 **북상하여** 미국 전 지역의 숲을 점령하고 있다. 이 때문에 현지의 토종 나무를 죽이고, 낡은 하수관에 구멍을 내는 등 매년 수백만 달러의 피해를 내고 있다. 그러나 사람의 힘으로는 뽑을 수 없을 정도로 줄기가 굵고 초식동물마저 먹이로 삼지 않아 칡의 분포는 더욱 늘어가고 있다. 칡 이외에 지난 2000년대 초 우리나라에서 북미 지역에 **관상어**로 수출되었던 가물치도 현지의 하천 생태계를 교란하는 생물로 취급받고 있다.

① 칡은 미국인들에게 경제적 피해를 끼치는 외래 동식물이 되었군.
② 미국의 입장에서는 외래 동식물이 현지 생태계를 훼손한 것이군.
③ 전 세계 어디라도 외래 동식물을 수입할 때는 매우 조심해야겠군.
④ 칡과 가물치 때문에 파괴된 현지 생태계는 다시 복구할 수 없겠군.
⑤ 칡이나 가물치를 수입할 당시의 미국에는 이들의 천적이 없었겠군.

어휘

- **칡** 콩과의 낙엽 지는 덩굴풀. 산이나 들에 흔히 나는데, 잎은 세 잎씩 붙어 나고 8월에 자줏빛 꽃이 핌. (출처: 국립중앙과학관)

- **북상하여** 북쪽을 향하여 올라가.
- **관상어** 보면서 즐기기 위하여 기르는 물고기. 금붕어, 열대어 따위가 있음.

5

어휘·어법 어휘의 사전적 의미 파악하기

다음 밑줄 친 낱말이 ㉠ '깨어지기'와 비슷한 뜻으로 쓰인 것은 무엇입니까? (　　　)

① 축구를 하다 머리가 깨어지는 상처를 입었다.
② 마라톤 세계 기록이 십 년 만에 결국 깨어졌다.
③ 이웃 간의 다툼 때문에 마을의 평화가 깨어졌다.
④ 어머니가 아끼는 접시가 바닥에 떨어져 깨어졌다.
⑤ 우리 대표 팀이 상대 팀에게 3 대 0으로 깨어졌다.

어휘·어법 TIP

- **깨어지다**

「1」 단단한 물건이 여러 조각이 나다.
「2」 일 따위가 틀어져 성사가 안 되다.
「3」 얻어맞거나 부딪혀 상처가 나다.
「4」 어려운 관문이나 기록 따위가 돌파되다.
「5」 지속되던 분위기 따위가 일순간에 바뀌어 새로운 상태가 되다.
「6」 [⋯에/에게] 경기 따위에서 지다.

어휘력 완성

정답 및 풀이 19쪽

1

낱말 이해 | 낱말 관계 | 낱말 적용 | 관용 표현

다음 낱말의 뜻을 찾아 선으로 이으시오.

(1) 교란하다 • • ㉮ 내버려 두다.

(2) 방치하다 • • ㉯ 뒤흔들어 어지럽게 하거나 혼란하게 하다.

2

낱말 이해 | 낱말 관계 | 낱말 적용 | 관용 표현

다음 중 ㉠과 바꿔 쓰기에 가장 알맞은 말은 무엇입니까? (   )

외래종은 들어온 지역에 천적이 없는 경우가 많아 개체 수가 급격하게 ㉠늘어나면서 짧은 기간에 기존 생태계를 교란한다.

황소개구리

가시박

① 쌓이면서
② 길어지면서
③ 불어나면서
④ 두툼해지면서
⑤ 흥건해지면서

어휘력 +

- **쌓이다** 물건이 겹겹이 포개어져 놓이다.
- **길어지다** 길게 되다.
- **불어나다** 본디보다 커지거나 많아지다.
- **두툼하다** 꽤 두껍다.
- **흥건하다** 물 등이 많이 괴어 있다.

3

낱말 이해 | 낱말 관계 | 낱말 적용 | 관용 표현

다음 빈칸에 ㉠'복구'를 넣었을 때 어울리지 않는 것은 무엇입니까? (   )

특정 지역의 생태계가 파괴되어 버리면 다시 ㉠복구하는 데 많은 시간과 노력이 필요하다.

① 가뭄 피해 지역의 [   ]가 시급하다.
② 무분별한 벌목으로 산림이 [   ]되었다.
③ 국민 성금은 재해 [   ] 비용에 충당되었다.
④ 신종 바이러스 침투로 저장한 자료를 [   ]할 수 없게 되었다.
⑤ 온 나라가 지진으로 파괴된 도시를 [   ]하는 데 총력을 기울였다.

과학 04 세균과 바이러스는 어떻게 다를까?

• 지문 해설

• 지문 난이도: 중

• 글자 수: 1206자

900 1300

세균과 바이러스는 모두 질병을 일으키는 미생물이다. 옛날에는 질병을 일으키는 미생물이 세균뿐이라고 생각했다. 그러다 1892년 러시아의 생물학자가 '담배 모자이크 바이러스'를 발견하면서 바이러스의 존재가 밝혀졌다. 그렇지만 우리는 종종 세균과 바이러스를 헷갈려한다. 세균과 바이러스는 과연 어떤 차이점이 있을까?

세균과 바이러스의 가장 큰 차이는 조직 구조이다. 세균은 세포막과 세포벽, 핵, 세포질 등으로 구성되어 있다. 즉 하나의 독립된 세포로 이루어진 생물이다. 이와 달리 바이러스의 구조는 이보다 단순하다. 유전 정보가 들어 있는 핵산을 단백질이 둘러싸고 있는 게 전부다. 이 때문에 바이러스는 세포라고 할 수 없다. 세균은 생물에 해당하지만 바이러스는 생물과 무생물의 중간 단계쯤에 해당한다.

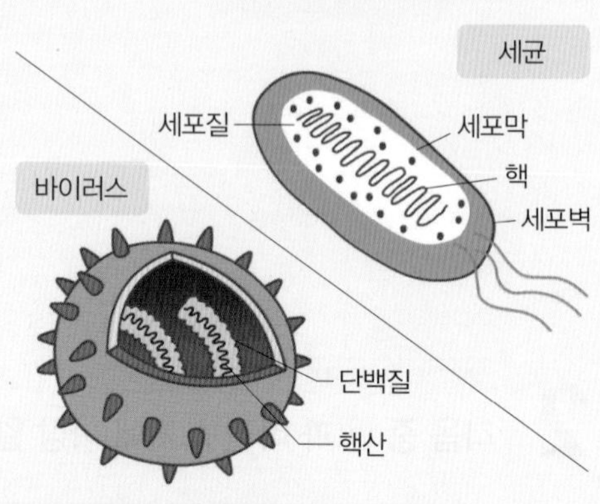

▲ 세균과 바이러스의 구조

이런 차이 때문에 세균과 바이러스는 증식 방법도 다르다. 세균은 스스로 생존을 위한 먹이 활동을 할 수 있기에 공기 중이나 사람의 몸속 등 먹이가 있는 곳이라면 어디에서든지 증식할 수 있다. 반면 바이러스는 스스로 먹이 활동을 할 수 없기에 반드시 살아 있는 생물체의 세포를 숙주로 삼아야만 증식할 수 있다.

바이러스와 세균은 크기도 다르다. 바이러스의 크기는 30~700나노미터인데 비해, 세균의 크기는 1~5마이크로미터이다. 바이러스가 세균보다 훨씬 작다. 이 때문에 세균보다 늦게 발견되어 20세기에 들어와서야 본격적으로 연구되었다.

세균과 바이러스는 차이점이 많지만 인간에게 질병을 일으킨다는 공통점이 있다. 세균에 의한 전염병에는 식중독, 결핵, 콜레라, 흑사병 같은 것들이 있다. 특히 14세기 중반에 유럽에서 유행한 흑사병은 당시 유럽 인구의 4분의 1 이상을 죽게 만들어 인류의 역사를 뒤흔들었다. 하지만 생활환경의 위생 상태가 좋아지고, 항생제가 개발되면서 흑사병은 현재 거의 사라졌다.

최근에 유행하는 전염병은 대부분 바이러스로 인한 것이다. 바이러스로 인한 전염병에는 에이즈, 메르스, 코로나19, 감기 같은 것들이 있다. 바이러스는 조직 구조가 단순하여 변이가 쉽게 일어나기 때문에 치료제 개발이 어렵다. 또한 세포가 아니어서 항생제로 치료할 수도 없다. 감기의 역사가 오래되었음에도 감기 치료제가 개발되지 않은 것도 이 때문이다.

세균이나 바이러스로 인한 질병을 막기 위해서는 손을 자주 씻거나 소독하는 것이 좋다. 또한 평소에 건강한 식생활과 운동 등을 통해 신체 면역력을 ㉠ 키우는 노력이 필요하다.

• **미생물** 세균·짚신벌레 등과 같이 현미경으로만 볼 수 있는 아주 작은 생물.

• **조직 구조** 모양·크기·기능이 비슷한 세포들이 모여서 이룬 것.

• **무생물** 생명이 없는 물건. 돌·물·흙 등.

• **증식** 생물 또는 그 조직이나 세포 등의 수가 늘어남.

• **숙주** 다른 생물에 붙거나 몸속에 들어가 양분을 얻는 기생 생물에게 영양을 공급하는 생물.

• **나노미터** 1나노미터는 10억 분의 1미터.

• **마이크로미터** 1마이크로미터는 100만 분의 1미터.

• **항생제** 세균이나 미생물의 발육과 번식을 억제하는 물질로 된 약제.

• **변이** 같은 종에서 성별, 나이와 관계없이 모양과 성질이 다른 개체가 존재하는 현상.

• **면역력** 외부에서 들어온 병균이나 독에 저항하는 힘.

정답 및 풀이 20쪽

1

글의 구조 문단 내용 정리하기

이 글의 문단별 주요 내용을 정리한 것입니다. 빈칸에 적절한 말을 쓰시오.

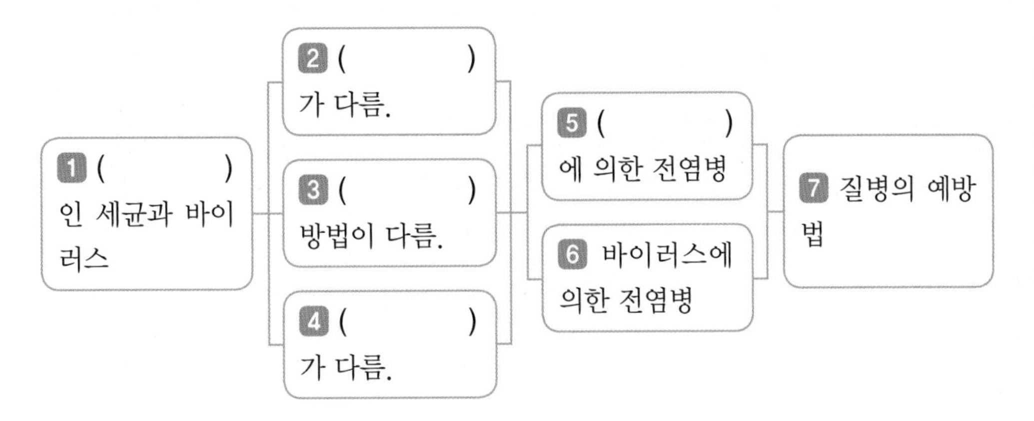

글의 구조 TIP

이 글은 총 일곱 개의 문단으로 이루어져 있습니다. 1문단에서는 미생물인 세균과 바이러스의 차이점이 무엇인지 화제를 제시했고, 2~4문단에서 세균과 바이러스의 차이점을 설명했습니다. 5~6문단에서는 세균과 바이러스가 일으키는 전염병을 말하였고, 7문단에서는 이에 대한 예방법을 설명하였습니다.

2

내용 이해 세부 정보 파악하기

이 글의 내용과 일치하는 것은 무엇입니까? (   )

① 세균이 바이러스보다 크기가 훨씬 작다.
② 세균은 바이러스와 달리 질병을 일으킨다.
③ 바이러스는 세균과 달리 생물로 볼 수 없다.
④ 세균과 바이러스 모두 스스로 증식할 수 있다.
⑤ 바이러스와 세균 모두 항생제로 치료할 수 있다.

3

전개 방식 설명 방법 파악하기

이 글의 설명 방법으로 가장 적절한 것은 무엇입니까? (   )

① 대상에 대한 전문가의 의견을 인용하여 설명하고 있다.
② 대상이 변화한 과정을 시간의 흐름에 따라 살피고 있다.
③ 용어의 **어원**을 풀이하여 내용에 대한 이해를 돕고 있다.
④ 두 대상을 서로 **견주어** 공통점과 차이점을 설명하고 있다.
⑤ 대상이 앞으로 어떻게 변화할지를 중심으로 자세히 말하고 있다.

어휘

- **어원** 어떤 말이 오늘날의 형태나 뜻으로 되기 전의 원래 형태나 뜻.
- **견주어** 둘 이상의 사물의 질·양 등을 서로 마주 대어.

추론하기 세부 내용 추론하기

이 글을 참고할 때, 보기 의 밑줄 친 부분의 까닭을 추론한 내용으로 가장 적절한 것은 무엇입니까? (　　　　　)

보기

바이러스를 통해 발생하는 전염병은 **전염성**이 높으면 **독성**이 낮고, 독성이 높으면 전염성이 낮은 경향이 있다. 이는 바이러스가 널리 퍼지려면 숙주가 오랜 기간 살아 있어야 하는데, 바이러스의 독성이 강하면 숙주가 빨리 죽어 버리기 때문이다. 따라서 숙주가 죽지 않고 활동할 수 있을 정도의 질병을 일으키는 경우가 많다.

① 바이러스가 생물이 되기 위해서는 숙주가 계속 살아 있어야 하기 때문에
② 바이러스는 크기가 작아서 살아가려면 숙주의 도움을 받아야 하기 때문에
③ 바이러스는 스스로 먹이 활동을 할 수 없어서 숙주와 **공생**해야 하기 때문에
④ 바이러스는 수명이 짧아서 증식을 하려면 반드시 숙주가 있어야 하기 때문에
⑤ 바이러스가 세균을 이겨 숙주를 차지하려면 더 강한 질병을 일으켜야 하기 때문에

어휘
- **전염성** 병 등이 남에게 옮아가는 성질.
- **독성** 독이 있는 성분.
- **공생** 서로 같이 살아감.

5

어휘·어법 어휘의 사전적 의미 파악하기

다음은 '키우다'의 뜻을 정리한 것입니다. 밑줄 친 낱말 중 이 글의 ㉠ '키우는'과 같은 뜻으로 쓰인 것은 무엇입니까? (　　　　　)

키우다
「1」 동식물을 돌보아 기르다.
「2」 사람을 돌보아 몸과 마음을 자라게 하다.
「3」 수준이나 능력 따위를 높이다.
「4」 규모, 범위 따위를 늘리다.
「5」 상태나 상황 따위를 나빠지거나 심해지게 하다.

① 우리 할아버지는 시골에서 소를 키운다.
② 그는 병원에 가지 않고 혼자 병을 키웠다.
③ 어머니는 혼자 힘으로 우리 3남매를 키웠다.
④ 그녀는 미국으로 건너가 꿈을 키우기도 했다.
⑤ 그는 조그만 가게를 커다란 슈퍼마켓으로 키웠다.

정답 및 풀이 20쪽

낱말 이해 | 낱말 관계 | 낱말 적용 | 관용 표현

1 다음 그림을 보고, 각 낱말의 뜻을 찾아 선으로 이으시오.

(1) 다르다 •   • ㉮ 계산·일 등이 어긋나거나 맞지 않다.

(2) 틀리다 •   • ㉯ 비교가 되는 두 대상이 서로 같지 않다.

낱말 이해 | 낱말 관계 | 낱말 적용 | 관용 표현

2 다음 중 보기 속 두 낱말의 관계와 다르게 짝 지은 것은 무엇입니까? (　　　)

보기

생물 – 무생물

① 단순 – 복잡　② 독립 – 의존　③ 소멸 – 생성
④ 전부 – 일부　⑤ 최근 – 근래

낱말 이해 | 낱말 관계 | 낱말 적용 | 관용 표현

3 다음 빈칸에 들어갈 관용어로 가장 적절한 것은 무엇입니까? (　　　)

코로나19가 전 세계적으로 유행하면서 학교도 제대로 가지 못하고, 더운 여름에도 늘 마스크를 써야 했어요. 코로나19는 바이러스가 원인이라고 하는데, 정말 (　　　　　　). 다시 나타나지 않았으면 좋겠어요.

① 학을 뗐어요.　② 코가 꿰였어요.
③ 바가지를 썼어요.　④ 시치미를 뗐어요.
⑤ 개 발에 땀이 났어요.

어휘력 +

- **학을 떼다** 괴롭거나 어려운 상황을 벗어나느라고 진땀을 빼거나, 그것에 거의 질려 버리다.
- **코가 꿰이다** 약점이 잡히다.
- **바가지를 쓰다** 요금이나 물건값을 실제 가격보다 비싸게 지불하여 억울한 손해를 보다.
- **시치미를 떼다** 자기가 하고도 하지 않은 체하거나 알고 있으면서도 모르는 체하다.
- **개 발에 땀이 나다** 땀이 잘 나지 않는 개 발에 땀이 나듯이, 해내기 어려운 일을 이루기 위하여 부지런히 움직이다.

과학 05 방사선이 위험한 이유

• 지문 해설

• 지문 난이도: 상

• 글자 수: 1200자

900 1300

2011년 3월 후쿠시마 원자력 발전소가 붕괴되는 사고가 일어났다. 그 이후 아직도 많은 사람들이 방사선 노출을 걱정하고 있다. 사실 방사선은 평범한 자연 상태에서도 존재한다. 그런데도 왜 우리나라 사람들은 일본에서 일어난 사고가 우리에게 끼칠 영향을 걱정할까? 이는 원자력 발전소에서 신체에 심각한 피해를 주는 방사선을 내뿜는 물질을 사용하는데, 그것이 인근 바다로 ㉠흘러 나갔기 때문이다. 만약 우리 몸이 다량의 방사선에 노출되면 어떤 문제가 생길까?

원자력 발전소에서 사용하는 우라늄이라는 물질은 매우 강력한 에너지의 방사선을 내뿜는다. 우리 몸이 그런 방사선에 노출되면 방사선이 몸을 통과하면서 세포 조직에 손상을 입는다. 손상의 정도는 방사선의 양에 따라 달라진다. 병원에서 엑스레이 촬영을 할 때도 방사선에 노출되지만 극히 적은 양이라서 우리 몸에 아무런 영향도 미치지 않는다. 하지만 짧은 시간에 많은 양의 방사선에 노출되거나 적은 양이라도 오랫동안 노출될 경우에는 세포 조직이 심각하게 손상된다. 심하면 그 자리에서 죽기도 한다.

방사선으로 인한 세포의 손상 정도가 가벼우면 자연스럽게 회복되지만, 그 정도가 일정한 수치를 넘으면 신체에 이상 증세가 나타난다. 방사선에 노출된 세포가 암세포로 변하는 것이 대표적인 이상 증세이다. 이 때문에 강력한 에너지를 지닌 방사선을 다량으로 쬐면 암에 걸릴 가능성이 높아지며, 시력이나 청력의 저하, 장기 손상 등의 장애가 나타난다. 가장 큰 문제는 생식 세포가 손상되었을 경우이다. 체세포의 손상은 당사자에게만 문제를 일으키지만, 생식 세포의 손상은 기형을 지닌 아이를 태어나게 할 수 있기 때문이다. 실제로 1986년 원자력 발전소 폭발 사고가 났던 체르노빌에서는 사고 이후에 기형을 지닌 아이들이 이전보다 훨씬 많이 태어났다.

방사선을 내뿜는 물질을 방사성 물질이라고 한다. 다량의 방사선에 오염된 물질은 모두 방사성 물질이 된다. 이런 물질이 우리 몸속에 많이 들어오면 밖으로 잘 배출되지 않고 몸속에서 계속 방사선을 방출한다. 예를 들어 우리가 방사선에 오염된 물고기를 먹을 경우, 그 물고기 속에 있는 방사성 물질이 우리 몸속으로 들어와 세포 조직을 손상시킨다. 이를 내부 피폭이라고 하는데, 일본에서 일어난 원자력 발전소 사고를 우리나라를 비롯한 가까운 나라들이 걱정하는 것도 이러한 내부 피폭의 가능성 때문이다.

• **원자력 발전소** 핵분열 반응에 의해서 생기는 열로써 수증기를 만들고, 이것으로 터빈을 돌려 전기를 얻는 발전소.

• **붕괴** 허물어져 무너짐.

• **방사선** 방사능을 가진 원소가 붕괴하면서 내보내는 알파선·베타선·감마선을 통틀어 이르는 말.

• **인근** 이웃한 곳. 또는 가까운 곳.

• **우라늄** 방사성 원소의 한 가지. 은백색의 금속 원소로, 원자 폭탄·원자로 등 원자력의 이용에 필요한 중요한 원료.

• **이상**(異 다를 이, 常 항상 상) 정상적인 상태와 다름. 또는 그런 상태.

• **저하** 사기·수준·정도·물가 등이 떨어져 낮아짐.

• **생식 세포** 생물이 자기와 같은 종류의 생물을 새로이 만들어 내는 것에 관여하는 세포.

• **체세포** 생식 세포를 제외한 모든 세포.

• **기형** 생물의 생김새 등이 정상이 아닌 이상한 모양.

• **배출** 불필요한 물질을 밀어서 밖으로 내보냄.

• **내부 피폭** 사람의 몸속에 들어와 존재하는 방사성 물질로부터 방출되는 방사선에 의한 피해.

정답 및 풀이 21쪽

글의 구조 문단 내용 정리하기

1 이 글의 문단별 주요 내용을 정리한 것입니다. 빈칸에 적절한 말을 쓰시오.

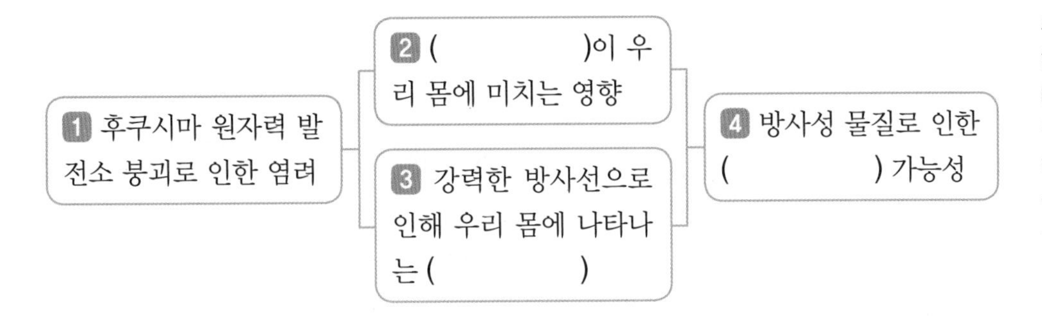

글의 구조 TIP

이 글은 총 네 개의 문단으로 이루어져 있습니다. 1문단에서는 후쿠시마 관련 방사선 노출에 대한 걱정을 나타냈고, 2문단과 3문단에서는 방사선 노출에 따른 우리 몸의 이상 증세를 설명하였습니다. 4문단에서는 방사성 물질로 인한 내부 피폭 가능성을 말하였습니다.

내용 이해 세부 정보 파악하기

2 이 글의 내용과 일치하지 않는 것은 무엇입니까? (   )

① 평범한 자연 상태에서도 방사선은 존재한다.
② 다량의 방사선에 노출되면 후대에까지 나쁜 영향을 미칠 수 있다.
③ 강력한 에너지를 지닌 방사선을 다량으로 쬐면 암에 걸릴 수 있다.
④ 적은 양이라도 방사선에 의해 손상된 세포 조직은 회복할 수 없다.
⑤ 외부의 방사성 물질이 몸속에 들어와 내부 피폭을 일으키기도 한다.

내용 이해 원인과 결과 파악하기

3 우리나라 사람들이 내부 피폭을 걱정하는 까닭으로 가장 적절한 것은 무엇입니까? (   )

① 후쿠시마 원자력 발전소의 붕괴 위험이 남아 있기 때문에
② 방사성 물질의 힘은 시간이 흐를수록 점점 약해지기 때문에
③ 일본에서 가까운 나라일수록 다량의 방사선에 직접적으로 노출되기 때문에
④ 다량의 방사선에 직접 노출되는 것보다 내부 피폭이 더 심각한 장애를 일으키기 때문에
⑤ 방사성 물질이 해산물 등을 통해 가까운 나라의 사람들 몸속으로 들어올 수 있기 때문에

수능형 **4**

문제 풀이

적용하기 다른 상황에 적용하기

이 글을 참고할 때, 보기 에 대한 반응으로 적절하지 않은 것은 무엇입니까? ( )

보기

1986년 4월 26일 우크라이나 체르노빌의 원자력 발전소에서 제4호 원자로가 폭발하였다. 이 폭발은 원자로에 큰 구멍을 내었고, **치명적인** 방사성 물질이 대기 중으로 흘러나왔다. 이 사건으로 인해 공식적으로 4365명이 죽었고, 수십 년이 지난 지금까지도 수백만 명의 사람들이 고통을 받고 있다. 특히 체르노빌과 방사성 물질의 **낙진**이 떨어진 인근 국가에서는 몇 년 뒤부터 암을 비롯하여 방사성 **질환**을 지닌 환자의 발생이 수십 배 이상 늘었고, 기형이나 **선천적 질환**을 지니고 태어나는 아이들의 수도 이전보다 크게 늘었다. 그리고 30여 년이 지난 지금까지도 체르노빌 지역에서는 사람이 살 수 없다.

① 방사선 관련 사고는 인근 국가에까지 매우 큰 영향을 끼치는군.
② 체르노빌 지역에는 아직 방사성 물질이 존재하기 때문에 사람이 살 수 없는 것이겠군.
③ 방사성 물질에 노출되어 생식 세포가 손상된 사람들이 많아서 기형아 출생이 늘어났겠군.
④ 방사선으로 인해 병에 걸린 사람들도 곧 몸속의 방사성 물질이 모두 배출되어 나아졌겠군.
⑤ 원자력 발전소 폭발 뒤 체르노빌에서 나온 음식 재료에는 방사성 물질이 존재할 수 있겠군.

어휘
- **치명적인** 목숨을 잃을 만큼 심한.
- **낙진** 방사능 등에 오염되어 대기 중에서 땅위로 떨어지는 물질.
- **질환** 몸의 온갖 병.
- **선천적 질환** 태어나면서부터 몸에 지니고 있는 병.

5

어휘·어법 어휘의 문맥적 의미 파악하기

㉠ '흘러 나갔기'와 바꿔 쓰기에 가장 적절한 말은 무엇입니까? ( )

① 노출되었기
② 돌출되었기
③ 송출되었기
④ 유출되었기
⑤ 퇴출되었기

어휘 · 어법 TIP
- **노출되다** 겉으로 드러나다.
- **돌출되다** 예기치 못하게 갑자기 쑥 나오거나 불거지다.
- **송출되다** 물품, 전기, 전파, 정보 따위가 기계적으로 전달되다. 예 위성에서 송출된 신호
- **유출되다** 밖으로 흘러 나가다.
- **퇴출되다** 물러나서 나가게 되다.

어휘력 완성

정답 및 풀이 21쪽

낱말 이해 | 낱말 관계 | 낱말 적용 | 관용 표현

1 ㉠과 ㉡의 뜻으로 알맞은 것을 찾아 선으로 이으시오.

(1) 지진으로 일부 고속도로가 ㉠붕괴하였다. • • ㉮ 안에서 밖으로 밀어 내보냄.

(2) 정부에서 비축해 둔 쌀을 ㉡방출하여 홍수로 피해를 입은 사람들에게 보냈다. • • ㉯ 허물어져 무너짐.

낱말 이해 | 낱말 관계 | 낱말 적용 | 관용 표현

2 다음 밑줄 친 낱말과 뜻이 반대인 것은 무엇입니까? (   )

방사선으로 인한 세포의 손상 정도가 가벼우면 자연스럽게 회복되지만, 그 정도가 일정한 수치를 넘으면 신체에 이상 증세가 나타난다.

① 괴상 ② 기형 ③ 이하 ④ 정상 ⑤ 현실

낱말 이해 | 낱말 관계 | 낱말 적용 | 관용 표현

3 다음 밑줄 친 상황을 표현하기에 알맞은 한자성어는 무엇입니까? (   )

2011년 3월 후쿠시마 원자력 발전소가 붕괴되는 사고가 일어났다. 그 이후 아직도 많은 사람들이 방사선 노출을 걱정하고 있다.

① 군계일학(群鷄一鶴)
② 무위도식(無爲徒食)
③ 안하무인(眼下無人)
④ 전전긍긍(戰戰兢兢)
⑤ 학수고대(鶴首苦待)

어휘력+

- **군계일학** 많은 사람 가운데서 뛰어난 인물을 이르는 말.
- **무위도식** 하는 일 없이 놀고 먹음을 이르는 말.
- **안하무인** 무례하고 건방져서 다른 사람을 업신여김을 이르는 말.
- **전전긍긍** 몹시 두려워서 벌벌 떨며 조심함.
- **학수고대** 학의 목처럼 목을 길게 빼고 간절히 기다림.

과학 06 얼마나 뚱뚱해야 비만일까

• 지문 해설

• 지문 난이도: 상

• 글자 수: 1200자

900 1300

비만은 만병의 근원이라는 말이 있다. 뚱뚱할수록 여러 가지 질병에 걸릴 가능성이 매우 높다는 것이다. 그래서 세계보건기구는 비만을 '21세기 신종 전염병'으로 규정하기도 하였다. 그렇다면 어느 정도 뚱뚱해야 비만이라고 할 수 있을까?

비만은 체지방이 필요한 것보다 많이 쌓인 상태를 의미한다. 의학적으로 비만 정도는 체중에서 체지방이 차지하는 비율인 '체지방률'로 측정한다. 예를 들어 몸무게 50kg인 사람의 체지방이 10kg이라면 체지방률은 '10÷50×100'이므로 20%이다. 남성의 경우는 체지방률이 15~20%, 여성의 경우는 20~25%를 정상으로 보고, 남성은 25% 이상, 여성은 30% 이상을 비만으로 판정한다. 하지만 체지방률은 개인이 정확하게 검사하기 어렵다.

개인이 쉽게 활용할 수 있는 비만 척도에는 체질량 지수(BMI)가 있다. 체질량 지수는 몸무게(kg)를, 미터로 계산한 키를 두 번 곱한 값으로 나눈 수치이다. 예컨대 키 160cm에 몸무게 50kg이라면 체질량 지수는 '50÷(1.6×1.6)'이므로 19.5가 된다. 대한비만학회에서는 BMI 18.5~23.0 미만을 표준 체중으로 보고, 18.5 미만을 저체중, 23.0 이상을 과체중으로 본다. 그리고 25.0 이상은 경도 비만, 30.0 이상은 고도 비만, 40.0 이상이면 초고도 비만으로 판정한다.

사실 BMI는 의학적으로 정확한 것은 아니다. 키와 몸무게뿐만 아니라 체형과 뼈의 무게 등에 의해서도 영향을 받기 때문이다. 예를 들어, 운동선수처럼 근육이 많은 사람들은 체지방량이 적은데도 높은 BMI를 보일 수 있다. 또한 올챙이처럼 배만 나오고 다른 부분은 비쩍 말랐는데도 BMI가 정상으로 나올 수 있다. 하지만 이런 문제가 있더라도 BMI는 일반인들이 쉽게 자신의 비만 정도를 확인할 수 있는 방법이다.

2018년 기준, 우리나라 초등학교 6학년 여학생과 남학생의 평균 키는 152.2cm이며, 몸무게는 여학생이 평균 46.0kg, 남학생이 평균 49.1kg이다. BMI는 여학생과 남학생이 각각 19.9와 21.2를 기록하였고, 4명 중 1명 꼴로 과체중 또는 비만인 것으로 나타났다.

한편, 과체중보다 저체중이 더 위험한 경우도 있다. 국민건강보험공단 데이터에 따르면, 고혈압, 당뇨, 심혈관계 질환 등이 있을 경우에는 저체중인 사람들의 사망 위험률이 경도 비만인 사람들보다 세 배 이상 높은 것으로 나타났다. 이는 ㉠마른 것이 ㉡뚱뚱한 것만큼 건강에 좋지 않을 수 있음을 의미한다. 따라서 마르게 보이려고 다이어트를 무리하여 하는 것보다는 표준 체중을 유지하는 것이 가장 좋다.

• **만병**(萬 일만 만, 病 병 병) 온갖 병.
• **근원**(根 뿌리 근, 源 근원 원) 어떤 일이 생겨나는 본바탕.
• **체지방** 몸속에 쌓여 있는 지방.
• **척도** 무엇을 측정하거나 평가할 때의 기준.
• **과체중** 표준보다 많이 나가는 몸무게.
• **경도**(輕 가벼울 경, 度 법 도) 가벼운 정도.
• **고도**(高 높을 고, 度 법 도) 정도가 높음.
• **초고도**(超 뛰어넘을 초, 高 높을 고, 度 법 도) 수준이나 정도가 극도로 높거나 뛰어남. 또는 그런 정도.
• **체형**(體 몸 체, 型 모형 형) 체격에 나타나는 특징으로 나눈 부류.
• **저체중** 정상보다 적은 몸무게.
• **심혈관계** 심장과 혈관으로 구성되어 있는 하나의 계통.

정답 및 풀이 22쪽

1

글의 구조 문단 내용 정리하기

이 글의 문단별 주요 내용을 정리한 것입니다. 빈칸에 적절한 말을 쓰시오.

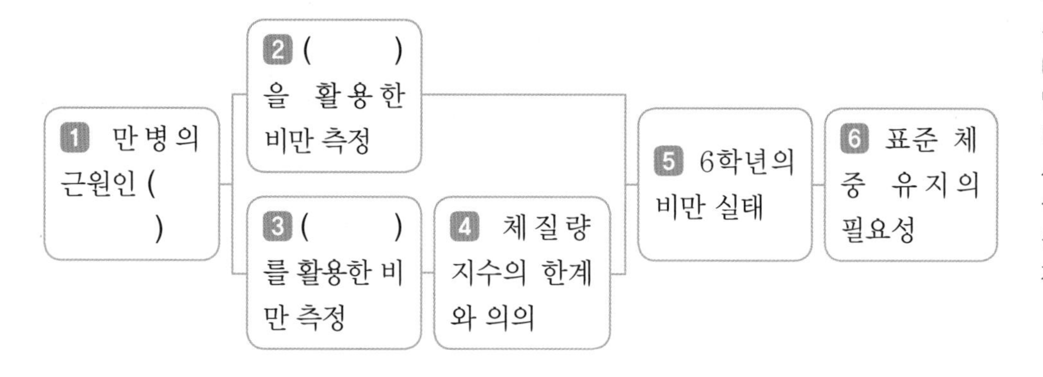

글의 구조 TIP

이 글은 총 여섯 개의 문단으로 이루어져 있습니다. 1문단에서는 비만의 위험성을 말하였고, 2~4문단에서는 비만 측정 방법인 체지방률과 체질량 지수에 대하여 소개했습니다. 5문단에서 체질량 지수로 6학년의 비만 실태를 설명하였고, 6문단에서는 표준 체중을 유지하는 것이 가장 좋다고 했습니다.

2

내용 이해 세부 정보 파악하기

이 글의 내용과 일치하지 않는 것은 무엇입니까? (   )

① 체지방률은 '체중÷체지방량×100'으로 계산한다.
② 남성의 경우 체지방률이 25% 이상이면 비만에 해당한다.
③ 세계보건기구는 비만을 신종 전염병으로 규정하며 경고하였다.
④ 체질량 지수는 비만 정도를 쉽게 측정할 수 있으나 정확하지 않다.
⑤ 체중이 정상보다 적게 나가는 저체중이 비만보다 위험한 경우도 있다.

3

전개 방식 내용 전개 방식 파악하기

이 글의 서술 방식으로 적절하지 않은 것은 무엇입니까? (   )

① **정의**의 방법을 사용하여 의학적인 비만 기준을 제시하고 있다.
② **예시**의 방법을 사용하여 체질량 지수의 한계를 제시하고 있다.
③ 통계 자료를 인용하여 초등 6학년의 비만 실태를 제시하고 있다.
④ **권위** 있는 기관의 말을 인용하여 비만의 위험성을 제시하고 있다.
⑤ 비만의 원인을 분석하고 표준 체중을 유지할 것을 당부하고 있다.

어휘

- **정의** 어떤 말이나 사물의 뜻을 명백히 밝혀 규정하는 일.
- **예시** 예를 들어서 보임.
- **권위** 어떤 분야에서 남이 믿을 만한 뛰어난 지식이나 기술. 또는 힘.

적용하기 구체적인 상황에 적용하기

수능형 4 이 글을 읽고 보기 를 이해한 내용으로 적절하지 않은 것은 무엇입니까? (　　　　)

문제 풀이

보기

아래의 측정값은 몸무게가 50kg인 A, B 두 남성에게서 얻은 것이다.

측정 대상	BMI	체지방량(kg)
A	24	12
B	20	10

① A와 B를 비교할 때 A의 키가 더 작다.
② 의학적으로 보면 A와 B 모두 비만이다.
③ B의 체지방률은 '10÷50×100'으로 계산한다.
④ A의 체지방률이 B의 체지방률보다 더 높다.
⑤ BMI만 볼 때 A는 과체중이고 B는 표준이다.

어휘·어법 낱말 관계 파악하기

5 다음 중 ㉠'마른' – ㉡'뚱뚱한'의 낱말 관계와 다르게 짝 지은 것은 무엇입니까?

(　　　　)

① 가결 – 부결
② 감소 – 증가
③ 결점 – 단점
④ 구속 – 석방
⑤ 급행 – 완행

어휘 · 어법 TIP

- **가결** 제출된 의안을 좋다고 결정함.
- **부결** 의논한 안건을 받아들이지 않기로 결정함.
- **감소** 줄어서 적어짐.
- **증가** 수나 양이 많아짐.
- **결점** 잘못되거나 부족하여 완전하지 못한 점.
- **단점** 모자라거나 흠이 되는 점.
- **구속** 죄지은 사람을 가두어 둠.
- **석방** 잡혀 있는 사람을 풀어 자유롭게 함.
- **급행** 급히 감.
- **완행** 느리게 감.

어휘력 완성

1

낱말 이해 | 낱말 관계 | 낱말 적용 | 관용 표현

㉠과 ㉡의 뜻으로 알맞은 것을 찾아 선으로 이으시오.

(1) 포유동물들의 ㉠골격은 기본적으로 모두 비슷하다. • • ㉮ 체격에 나타나는 특징으로 나눈 부류.

(2) 복부에 지방이 많은 ㉡체형은 마른 비만일 가능성이 높다. • • ㉯ 동물 몸을 받쳐 주는 여러 가지 뼈의 조직.

2

낱말 이해 | 낱말 관계 | 낱말 적용 | 관용 표현

'다의어'와 '동음이의어'의 뜻이 다음과 같을 때, 밑줄 친 낱말 중 ㉠'배'와 다의어 관계인 것은 무엇입니까? (   )

두 가지 이상의 뜻을 지닌 낱말을 다의어라고 한다. 다의어의 뜻에는 기본적인 의미인 중심 의미와 중심 의미가 확장된 의미인 주변 의미가 있다. 중심 의미와 주변 의미는 서로 연관성이 있다. 이와 달리 말소리는 같지만 뜻이 다른 단어를 동음이의어라고 한다. 동음이의어는 우연히 말소리가 같아진 것이라서 의미 간에 연관성이 없으며, 사전에도 다른 단어로 처리된다.

올챙이처럼 ㉠배만 나오고 다른 부분은 비쩍 말랐는데도 BMI가 정상으로 나타날 수 있다.

① 저 장독은 배가 유달리 부르다.
② 제철에 나는 배는 정말 달콤하다.
③ 우리는 큰 배를 타고 섬으로 갔다.
④ 그는 일을 나보다 두 배는 많이 했다.
⑤ 저 멀리 배 한 척이 그림처럼 떠 있다.

3

낱말 이해 | 낱말 관계 | 낱말 적용 | 관용 표현

다음 상황을 표현하기에 가장 적절한 한자성어는 무엇입니까? (   )

비만은 만병의 근원이라는 말이 있다. 뚱뚱할수록 여러 질병에 걸릴 가능성이 매우 높다는 것이다. 한편, 너무 마른 것도 뚱뚱한 것만큼 건강에 좋지 않다.

① 과유불급(過猶不及)
② 구사일생(九死一生)
③ 안빈낙도(安貧樂道)
④ 타산지석(他山之石)
⑤ 호시탐탐(虎視眈眈)

어휘력 +

- **과유불급** 모든 일은 너무 지나치지 말아야 한다는 말.
- **구사일생** 죽을 고비를 여러 차례 넘기고 겨우 살아남.
- **안빈낙도** 가난한 생활을 하면서도 편안한 마음으로 도를 즐겨 지킴.
- **타산지석** 남의 좋지 않은 말이나 행동도 자신의 지식과 인격을 닦는 데에 도움이 될 수 있음.
- **호시탐탐** 남의 것을 빼앗기 위하여 형세를 살피며 가만히 기회를 엿봄.

우주 쓰레기의 위협

지금까지 인류는 경쟁적으로 인공위성과 우주선을 우주로 쏘아 올렸습니다. 쓰임이 다한 인공위성은 어떻게 될까요? 지구 궤도를 돌지만 이용할 수 없는 모든 인공적인 물체들을 우주 쓰레기라고 합니다. 우주 쓰레기의 개념과 발생 원인, 현재 상황, 우주 쓰레기로 인한 문제점과 이를 해결하기 위한 국제적인 노력 등을 설명하는 글입니다.

일상으로 들어온 3D 프린터

3D 프린터를 2D 프린터와 비교해서 소개하고, 3D 프린터의 장점 및 활용 분야, 오용이나 악용의 위험성 등을 설명하는 글입니다.

바코드(bar code)의 원리

1차원 바코드가 정보를 담는 방법과 장단점을 소개한 뒤, 이를 보완한 2차원 바코드의 특징과 장점을 QR 코드를 예로 들어 설명하는 글입니다.

기술

'기술' 영역의 글은 컴퓨터, 통신, 디지털 등을 바탕으로 우리 삶 속에서 현재 활용되고 있는, 또는 미래에 구현될 기술의 원리나 현상 등을 알려 줍니다.

사람과 자연을 살리는 적정 기술

현지의 사정에 맞는 재료와 기술을 이용해 가난한 나라 사람들을 돕는 기술을 적정 기술이라고 합니다. 적정 기술의 개념을 여러 가지 사례를 활용하여 소개한 뒤, 적정 기술의 개발 조건과 의의 등을 이어서 알려 줍니다.

폴더블폰과 플렉서블 디스플레이

평판 디스플레이와 달리 휘거나 구부릴 수 있는 플렉서블 디스플레이의 다양한 형태와 장점, 개발 현황을 알려 주는 글입니다. 또한 이를 활용한 폴더블폰의 종류 및 발전 방향을 자세히 설명합니다.

대동여지도와 기리고차

김정호가 1861년에 만든 대동여지도의 특징을 소개하고, 대동여지도를 만들 때 사용한 기리고차의 거리 측정 원리를 설명하는 글입니다.

기술 01 우주 쓰레기의 위협

• 지문 해설

• 지문 난이도: 하

• 글자 수: 1188자

900 1300

인류가 우주 개발에 나선 지도 어느새 60년이 지났다. 그 사이 과학 기술이 발달하면서 세계 여러 나라는 앞다투어 인공위성과 우주선을 우주로 쏘아 올렸다. 한국천문연구원에 따르면, 1957년 이후 2018년까지 우주로 쏘아 올린 인공위성은 7900여 개이며, 이 중에서 현재까지 운용 중인 위성은 1900여 개에 불과하다고 한다. 나머지는 수명을 다해 퇴역하거나 부서진 채 지구 궤도를 돌고 있거나 지구로 추락했다. 인공위성이나 우주선을 쏘아 올린 뒤 버려진 발사체들도 상당수가 지구 궤도를 따라 돌고 있는데 이처럼 지구 궤도를 돌지만 이용할 수 없는 모든 인공적인 물체들을 우주 쓰레기라고 한다.

현재 지구 주위를 떠도는 우주 쓰레기는 1미터가 넘는 큰 것에서 1센티미터도 안 되는 작은 것까지 최소 수백만 개에 달한다. 아주 작은 것까지 합치면 최대 일억 육천만 개에 달한다는 연구 결과도 있다. 이런 우주 쓰레기는 시속 2만 8천 킬로미터의 속도로 지구를 돌고 있다. 크기가 작아도 속도가 매우 빠르기 때문에 운용 중인 인공위성이나 우주선과 충돌하면 큰 피해를 줄 수 있다. 인공위성이 지름 1센티미터인 우주 쓰레기에 부딪히기만 해도 1.5톤 트럭에 시속 70킬로미터로 부딪히는 것과 같은 충격을 받는다. 우주 쓰레기가 많아서 충돌할 가능성도 매우 높다.

지구 궤도를 도는 우주 쓰레기들끼리 충돌하는 것도 문제다. 우주 쓰레기들이 서로 충돌하여 부서지면 또 다른 우주 쓰레기 조각이 발생하고, 그 조각들이 주변의 우주 쓰레기에 다시 충돌하는 연쇄 충돌이 일어날 수도 있다. 그런 일들이 벌어지면 지구 주위는 온통 우주 쓰레기 조각들로 뒤덮이게 되고, 결국은 우리의 삶을 편리하게 해 주는 인공위성을 사용할 수 없게 된다.

부피가 큰 우주 쓰레기들은 지구도 위협한다. 우주에서 지구로 떨어지는 물체는 대부분 대기권에서 불에 타 없어지지만, 일부가 남아서 지구로 ㉠ 떨어지기도 한다. 만에 하나 이런 물체가 사람들이 많이 사는 도시에 떨어진다면 막대한 피해가 발생할 수도 있다.

빠른 속도로 지구를 돌고 있는 수많은 우주 쓰레기를 없애는 것은 쉬운 일이 아니다. 그러나 이대로 두어서도 안 된다. 이 때문에 우주 쓰레기를 추적하고 안전하게 수거하기 위한 국제적인 공조가 필요하다. 한편, 우주 쓰레기를 청소하기 위한 청소 위성의 개발도 세계 여러 나라에서 진행되고 있다. 우리나라도 몇 년 안에 발사하는 것을 목표로 청소 위성을 개발하고 있다.

• **운용**(運 옮길 운, 用 쓸 용) 무엇을 움직이게 하거나 부리어 씀.

• **퇴역**(退 물러날 퇴, 役 부릴 역) 어떤 일에 종사하다가 물러남. 또는 그런 사람이나 물건.

• **궤도** 행성, 혜성, 인공위성 따위가 중력의 영향을 받아 다른 천체의 둘레를 돌면서 그리는 곡선의 길.

• **발사체**(發 필 발, 射 쏠 사, 體 몸 체) 우주선을 지구 궤도로 올리거나 지구 중력장에서 벗어나도록 하는 로켓 장치.

• **연쇄** 사물이나 현상이 사슬처럼 서로 이어져 통일체를 이룸.

• **대기권** 지구를 둘러싸고 있는 대기의 층. 지상 약 1,000킬로미터까지를 이르며, 온도의 분포에 따라 밑에서부터 대류권, 성층권, 중간권, 열권으로 나눔.

• **막대한** 말할 수 없이 많은.

• **공조**(共 한가지 공, 助 도울 조) 여러 사람이 함께 도와주거나 서로 도와줌.

정답 및 풀이 23쪽

1

글의 구조 문단 내용 정리하기

이 글의 문단별 주요 내용을 정리한 것입니다. 빈칸에 적절한 말을 쓰시오.

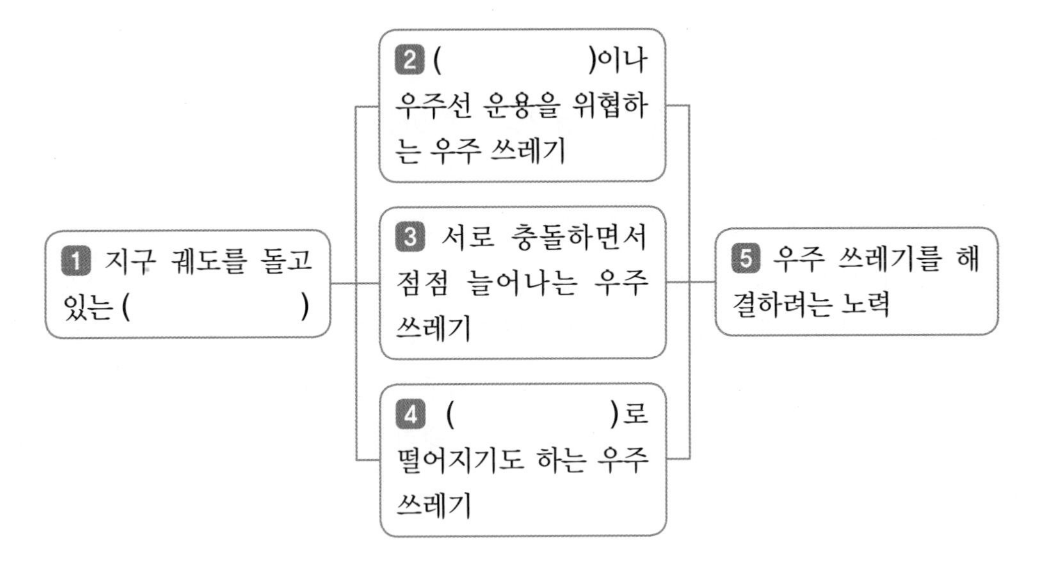

글의 구조 TIP

이 글은 총 다섯 개의 문단으로 이루어져 있습니다. 1문단에서 우주 쓰레기가 무엇인지 이야기하였고, 2~4문단에서는 우주 쓰레기가 일으키는 문제를 설명하였습니다. 5문단에서는 우주 쓰레기를 없애기 위한 노력을 말하였습니다.

2

내용 이해 중심 내용 파악하기

이 글에서 확인할 수 <u>없는</u> 내용은 무엇입니까? (   )

① 우주 쓰레기의 개념
② 우주 쓰레기의 크기
③ 우주 쓰레기의 위험성
④ 우주 쓰레기의 발생 원인
⑤ 우주 쓰레기의 증가 속도

3

내용 이해 세부 정보 파악하기

이 글의 내용과 일치하지 <u>않는</u> 것은 무엇입니까? (   )

① 우주 쓰레기는 속도가 빨라서 부딪힐 때의 충격이 매우 크다.
② 우주로 쏘아 올린 인공위성의 3/4 가량은 현재 사용되지 않는다.
③ 우주 쓰레기는 대부분 크기가 커서 지구로 떨어질 가능성이 높다.
④ 세계 여러 나라에서 우주 쓰레기를 해결하기 위한 노력을 하고 있다.
⑤ 우주 쓰레기들끼리 충돌하여 더 많은 우주 쓰레기를 발생시키고 있다.

수능형 **4**

문제 풀이

적용하기 구체적인 상황에 적용하기

이 글을 읽은 학생이 보기 에 대해 보인 반응으로 적절하지 않은 것은 무엇입니까? (　　　)

보기

중국의 **우주 정거장** '톈궁 1호'의 **잔해**가 2018년 4월 2일 오전 9시16분쯤 남태평양에 떨어졌다. 톈궁 1호는 2011년 9월 29일 발사된 중국의 실험용 우주 정거장으로, 2016년 3월 기계 **결함**으로 **통제** 불능 상태가 되면서 지구로 떨어질 것이 예상되었다. 일반적으로 임무를 완수한 우주선이나 우주 정거장은 지상의 통제에 따라 안전하게 낙하한다. 그러나 톈궁 1호는 어디로 떨어질지 알 수 없는 상황이었다. 4월 2일 오전 8시 15분쯤 지구 대기권에 진입한 톈궁 1호는 파편 대부분이 사라졌으며, 일부 잔해가 남태평양 중부 지역에 떨어졌다.

① 지구로 떨어질 가능성이 높은 우주 쓰레기부터 수거하거나 없애야겠군.
② 톈궁 1호같이 어떤 우주 쓰레기는 대기권에서 완전히 없어지지 않기도 하는군.
③ 국제적으로 공조하여 인공위성이나 우주 정거장을 금지하는 **규약**을 맺어야겠군.
④ 톈궁 1호가 지구로 떨어지지 않았다면 다른 우주 쓰레기와 충돌할 수도 있었겠군.
⑤ 톈궁 1호의 사례는 우주 쓰레기가 우리의 생명을 위협할 수도 있음을 보여 주는군.

어휘

- **우주 정거장** 지구 주위의 궤도를 도는 유인 인공위성. 우주 비행사나 연구자가 장기간 머물 수 있도록 설계한 기지로, 관측이나 실험이 가능하고 연료 공급도 받을 수 있음.
- **잔해** 부서지거나 못 쓰게 되어 남아 있는 물체.
- **결함** 부족하거나 완전하지 못하여 흠이 되는 부분.
- **통제** 일정한 방침이나 목적에 따라 행위를 제한하거나 제약함.
- **규약** 조직체 안에서, 서로 지키도록 협의하여 정하여 놓은 규칙.

5

어휘·어법 어휘의 문맥적 의미 파악하기

㉠ '떨어지기도'와 바꿔 쓸 수 있는 말은 무엇입니까? (　　　)

① 몰락하기도
② 추락하기도
③ 타락하기도
④ 탈락하기도
⑤ 하락하기도

어휘·어법 TIP

- **몰락하다** 재물이나 세력 따위가 쇠하여 보잘것없어지다. 혹은 멸망하여 모조리 없어지다.
- **추락하다** 높은 곳에서 떨어지다.
- **타락하다** 올바른 길에서 벗어나 잘못된 길로 빠지다.
- **탈락하다** 범위에 들지 못하고 떨어지거나 빠지다.
- **하락하다** 값이나 등급 따위가 떨어지다.

1 낱말 이해 | 낱말 관계 | 낱말 적용 | 관용 표현

㉠과 ㉡의 뜻으로 알맞은 것을 찾아 선으로 이으시오.

(1) 큰 재해가 일어난 국가에 다른 나라가 ㉠ 원조를 하기도 한다. •　　• ㉮ 물품이나 돈 따위로 도와줌.

(2) 세계 평화를 유지하기 위해서는 강대국들 간의 ㉡ 공조가 필수적이다. •　　• ㉯ 여러 사람이 함께 도와주거나 서로 도와줌.

2 낱말 이해 | 낱말 관계 | 낱말 적용 | 관용 표현

다음 밑줄 친 부분과 바꿔 쓸 수 있는 것은 무엇입니까? (　　　　)

현재 지구 주위를 떠도는 우주 쓰레기는 1미터가 넘는 큰 것에서 1센티미터도 안 되는 작은 것까지 최소 수백만 개에 달한다.

① 당도하는　② 응고하는　③ 출발하는
④ 표류하는　⑤ 피난하는

3 낱말 이해 | 낱말 관계 | 낱말 적용 | 관용 표현

다음 상황을 표현하는 관용어로 가장 알맞은 것은 무엇입니까? (　　　　)

지구 궤도를 도는 우주 쓰레기들끼리 충돌하는 것도 문제다. 우주 쓰레기들이 서로 충돌하여 부서지면 또 다른 우주 쓰레기 조각이 발생하고, 그 조각들이 주변의 우주 쓰레기에 다시 충돌하는 연쇄 충돌이 일어날 수도 있다.

① 낙동강 오리알　② 엎친 데 덮치다
③ 간도 쓸개도 없다　④ 죽도 밥도 안 되다
⑤ 발바닥에 불이 나다

어휘력+

- **낙동강 오리알** 무리에서 떨어져 나오거나 홀로 소외되어 처량하게 된 신세.
- **엎친 데 덮치다** 어렵거나 나쁜 일이 겹치어 일어나다.
- **간도 쓸개도 없다** 용기나 줏대 없이 남에게 굽히다.
- **죽도 밥도 안 되다** 어중간하여 이것도 저것도 안 되다.
- **발바닥에 불이 나다** 부리나케 여기저기 돌아다니다.

기술 02 일상으로 들어온 3D 프린터

• 지문 해설

• 지문 난이도: 중

• 글자 수: 1106자

900 1300

1 일반적으로 프린터는 종이와 같은 2차원 평면에 인쇄하는 장치를 의미한다. 하지만 3D 프린터는 3차원의 입체적인 물건을 만들어 내는 기계로, 만드는 방법에 따라 재료를 얇게 한 층씩 쌓아올려 만드는 방식과 큰 덩어리를 깎아서 조각하는 방식으로 구분된다. 일반적인 프린터가 물건을 찍은 사진을 2차원 평면에 인쇄하는 것인데 비해 3D 프린터는 3차원 도면 데이터를 이용하여 그 물건 자체를 만들어 낸다. 최근에는 3D 프린터를 이용하여 복잡한 구조의 건축물을 짓기도 하고, 자동차나 비행기를 만들어 내기도 하며, 심지어 피자 같은 요리를 만들어 내기도 한다.

2 3D 프린터는 물체를 설계한 원형에 가깝게 만들 수 있는데다가 설계 도면 데이터의 수정이 쉬워 원하는 형태의 제품을 빨리 만들 수 있다. 초기의 3D 프린터는 제조업체에서 시제품을 빨리 만들어 내는 용도로 활용되었으나 최근에는 개인 작업물은 물론 의료, 건설, 항공, 식품 등 광범위한 분야까지 활용 영역을 빠르게 넓혀 가고 있다. 특히 3D 프린팅 기술은 초정밀 생산 기술과 연결될 수 있어서 맞춤 의료 분야와 우주 항공 분야에서의 활용도가 높아지고 있다. 그리고 3D 프린터의 활용 영역이 넓어지면서 물건을 만드는 시간이 단축되고 비용도 이전보다 절감되고 있다.

3 하지만 3D 프린터의 오용이나 악용의 위험성을 경계하는 목소리도 있다. 특히 3D 프린터를 이용하여 살상 무기를 만들 수도 있다는 점이 문제다. 몇 해 전 미국에서 발생한 '3D 권총' 논란이 대표적이다. 총기를 제작하는 한 회사가 3D 프린터로 생산한 총의 설계 도면을 인터넷에 공개하자 순식간에 다운로드 횟수가 10만 건을 돌파했다. 실제로 3D 프린터를 이용한 권총이 만들어지기도 했다. 이에 놀란 미국 정부는 회사 측에 인터넷에 올린 도면을 삭제하라고 요청하였다.

4 이와 같은 오용이나 악용의 가능성을 막기 위해 전문가들은 "3D 프린팅 기술의 오용과 악용을 막을 수 있는 적절한 규제 법안이 마련되어야 한다."라고 지적한다. 이처럼 3D 프린터 기술이 계속 발전하기 위해 해결해야 할 문제들이 많이 있기는 하지만 그 가능성이 [㉠]하다는 것은 틀림없는 사실이다.

• **도면** 토목, 건축, 기계 따위의 구조나 설계를 나타낸 그림.
• **원형**(原 근원 원, 形 모양 형) 본디의 모양.
• **시제품** 시험 삼아 만들어 본 제품.
• **광범위한** 범위가 넓은.
• **초정밀** 기술 등이 매우 세밀하여 빈틈이 없거나 정확함.
• **절감** 비용을 절약하여 줄임.
• **오용** 잘못 사용함.
• **악용** 알맞지 않게 쓰거나 나쁜 일에 씀.
• **살상**(殺 죽일 살, 傷 다칠 상) 사람을 죽이거나 상처를 입힘.
• **규제** 규칙이나 규정에 의하여 일정한 한도를 정하거나 정한 한도를 넘지 못하게 막음.

정답 및 풀이 23쪽

1

글의 구조 문단 내용 정리하기

이 글의 문단별 주요 내용을 정리한 것입니다. 빈칸에 적절한 말을 쓰시오.

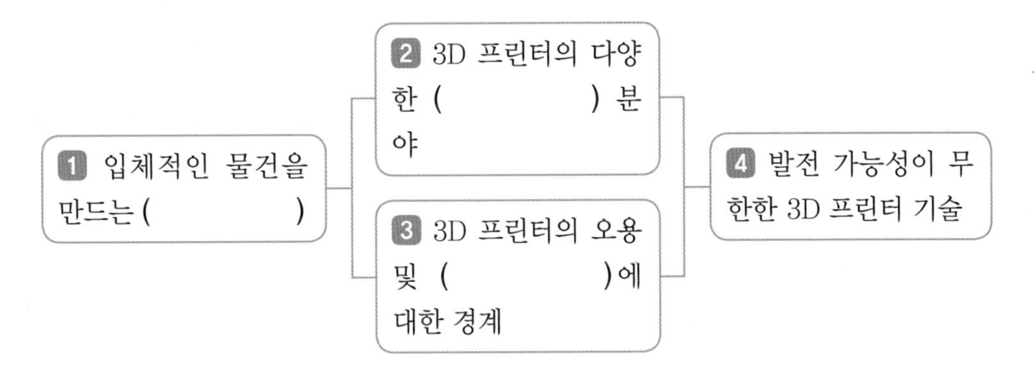

글의 구조 TIP

이 글은 총 네 개의 문단으로 이루어져 있습니다. 1문단에서는 3D 프린터가 무엇인지 설명하였고, 2문단에서는 다양한 활용 분야를, 3문단에서는 오용 및 악용의 위험성을 설명하였습니다. 4문단에서는 3D 프린터의 가능성이 무한함을 말하였습니다.

2

내용 이해 중심 내용 파악하기

'3D 프린터'에 대한 설명으로 적절하지 않은 것은 무엇입니까? (　　　　)

① 물건을 만들려면 설계 도면 데이터가 필요하다.
② 2D 프린터와 달리 입체적인 물건을 만들어 낸다.
③ 매우 다양한 분야로 활용 범위를 넓혀 가고 있다.
④ 오용 및 악용을 막기 위한 규제 법안이 마련되었다.
⑤ 물건을 만드는 데 드는 시간과 비용을 줄일 수 있다.

3

전개 방식 문단의 설명 방법 파악하기

3문단에 사용된 설명 방법으로 적절한 것은 무엇입니까? (　　　　)

① 대상을 구성 요소로 쪼개어 설명하고 있다.
② 대상을 일정한 기준에 따라 분류하고 있다.
③ 차이점을 중심으로 두 대상을 견주고 있다.
④ 대상의 작동 과정을 단계별로 설명하고 있다.
⑤ 예시의 방법으로 내용을 쉽게 설명하고 있다.

어휘

- **견주고** 둘 이상의 사물의 질(質)이나 양(量) 등을 서로 마주 대어 보고.

수능형

4

문제 풀이

적용하기 구체적인 상황에 적용하기

이 글을 참고할 때, 보기 에 대한 반응으로 적절하지 않은 것은 무엇입니까?

( )

보기

비영리 단체 ○○○○은 3D 프린터로 **의수**를 만들어 장애를 지닌 전 세계의 아이들에게 무료로 제공하고 있다. 그동안 **선천 기형**이나 사고로 손을 잃었지만 비싼 가격 때문에 의수를 마련하기 어려운 아이들이 많았다. 그러나 ○○○○은 3D 프린터를 이용하여 각각의 장애인들에게 꼭 맞는 의수를 만들어 전달하고 있다. 의수를 만드는 비용은 모두 자원 봉사와 기부를 통해 해결하고 있다. ○○○○의 의수를 받은 아이들은 천 명이 넘는다.

– ○○ 신문

① 기존 제품보다 더 적은 비용을 들여서 의수를 만들 수 있겠군.
② 맞춤 의수를 제작하려면 개인별로 도면 데이터를 만들어야겠군.
③ 의수를 개별 사용자에게 맞추어서 아주 정밀하게 만들 수 있겠군.
④ 의수를 제작하는 시간이 기존 제품보다 오래 걸리는 단점이 있겠군.
⑤ 의수의 재료를 한 층씩 쌓아올리거나 큰 덩어리를 깎아서 만들겠군.

어휘

- **비영리** 재산상의 이익을 꾀하지 않음.
- **의수** 손이 없는 사람에게 인공으로 만들어 붙이는 손.
- **선천 기형** 임신 중 모체의 질병 또는 기타 환경적, 유전적 요인으로 인하여, 태어나면서부터 신체에 구조적 이상을 나타내는 일.

5

어휘·어법 문맥에 맞는 한자성어 찾기

㉠에 들어갈 한자성어로 가장 적절한 것은 무엇입니까? ( )

① 무궁무진(無窮無盡)
② 반신반의(半信半疑)
③ 변화무쌍(變化無雙)
④ 오리무중(五里霧中)
⑤ 사면초가(四面楚歌)

어휘 · 어법 TIP

- **무궁무진** 끝이 없고 다함이 없음.
- **반신반의** 얼마쯤 믿으면서도 한편으로는 의심함.
- **변화무쌍** 변하는 정도가 비할 데 없이 심함.
- **오리무중** 무슨 일에 대하여 방향이나 갈피를 잡을 수 없음.
- **사면초가** 아무에게도 도움을 받지 못하는, 외롭고 곤란한 지경에 빠진 형편을 이르는 말.

낱말 이해 | 낱말 관계 | 낱말 적용 | 관용 표현

1 ㉠~㉢의 뜻으로 알맞은 것을 찾아 선으로 이으시오.

(1) 그 선수는 약물 ㉠남용으로 건강하던 몸이 망가져 버렸다. • • ㉮ 잘못 사용함.

(2) 권력의 ㉡악용은 국민들에게 미치는 피해가 매우 심하다. • • ㉯ 알맞지 않게 쓰거나 나쁜 일에 씀.

(3) 청소년들의 언어에서 낱말을 ㉢오용하는 사례가 늘고 있다. • • ㉰ 일정한 기준이나 한도를 넘어서 함부로 씀.

낱말 이해 | 낱말 관계 | 낱말 적용 | 관용 표현

2 다음 밑줄 친 부분과 반대되는 뜻의 낱말은 무엇입니까? (   )

만드는 방법에 따라 재료를 얇게 한 층씩 쌓아올려 만드는 방식과 큰 덩어리를 깎아서 조각하는 방식으로 구분된다.

① 굵게　② 넓게　③ 잘게　④ 가늘게　⑤ 두껍게

낱말 이해 | 낱말 관계 | 낱말 적용 | 관용 표현

3 다음 '같다'의 뜻을 참고할 때, 밑줄 친 낱말 중 ㉠과 같은 뜻으로 쓰인 것은 무엇입니까? (   )

같다
「1」 서로 다르지 않고 하나이다. ㉥ 다르다
「2」 다른 것과 비교하여 그것과 다르지 않다.
「3」 ('같은' 꼴로 쓰여) 그런 부류에 속한다는 뜻을 나타내는 말.
「4」 추측, 불확실한 단정을 나타내는 말.

최근에는 3D 프린터를 이용하여 피자 ㉠같은 요리를 만들기도 한다.

① 나는 엄마와 키가 같다.
② 우리 선생님의 마음은 천사 같다.
③ 우리 세 명은 모두 같은 초등학교에 다녔다.
④ 그는 휴일에 빨래나 청소 같은 집안일을 한다.
⑤ 먹구름이 잔뜩 낀 것을 보니 소나기가 내릴 것 같다.

기술 03 바코드(bar code)의 원리

• 지문 해설

• 지문 난이도: 중

• 글자 수: 1021 자 (900 ~ 1300)

바코드는 제조 회사, 가격, 종류 따위의 정보를 검고 흰 막대 줄무늬 모양으로 표시한 부호이다. 상품의 포장이나 꼬리표에 표시된 바코드를 컴퓨터와 연결된 바코드스캐너로 읽으면 컴퓨터는 바코드의 막대 선을 굵기에 따라 0 또는 1로 인식하는데, 이 이진법 원리를 사용하여 문자와 숫자 등의 정보를 담는다(모든 정보를 0과 1로 변환하여 저장함.). 나란히 나열된 선에 정보를 담고 있기 때문에 이를 ㉠1차원 바코드라 부른다.

▲ 1차원 바코드의 사용 모습

표준형 바코드는 30개의 막대 선과 13개의 숫자로 구성되어 있다. 바코드를 스캔하면 바코드 아래에 적혀 있는 13개의 숫자로 변환되는데 이 숫자는 일반적으로 왼쪽부터 '국가 번호 3자리+제조업체 번호 4자리+자체 상품 번호 5자리+검증 번호 1자리'로 구성된다. 우리나라의 국가 번호는 880이며, 앞 번호에 오류가 있는지를 검증하는 마지막 번호는 일정한 수학적 공식에 따라 0부터 9까지의 숫자가 주어진다.

1차원 바코드는 제작 및 관리 비용이 저렴하고 인식 속도가 빠른데다 정확성이 높아서 상품 재고와 매출 관리, 도서 분류, 신분증명서 등 다양한 분야에 널리 보급되었다. 그러나 담을 수 있는 정보의 종류와 양이 적다는 문제점이 있다. 1차원 바코드에는 영어와 숫자를 최대 20자리까지밖에 담을 수 없다.

이를 보완하기 위해 QR 코드로 대표되는 ㉡2차원 바코드가 개발되었다. 2차원 바코드도 셀의 흑백에 따라 1차원 바코드처럼 0과 1로 구분한다. 하지만 가로 방향으로만 정보를 담을 수 있는 1차원 바코드와 달리 가로와 세로 모두 정보를 담을 수 있다. 이 때문에 2차원 바코드는 1차원 바코드보다 정보를 많이 담을 수 있으며, 1차원 바코드같이 데이터베이스와 연동하지 않아도 그 자체로 정보 제공이 가능하다.

흑백 격자무늬의 정사각형인 QR 코드는 영어와 숫자 외에 한자, 한글, 기호 등 다양한 종류의 정보를 담을 수 있다. 숫자는 최대 7089자, 한자나 한글은 최대 1817자를 저장할 수 있으며, 사진, 동영상, 음성 등도 담을 수 있다. 게다가 1차원 바코드와 달리 최대 30%까지 훼손되더라도 정보의 대부분을 읽을 수 있다.

▲ 2차원 바코드의 일종인 QR 코드

• **부호** 일정한 뜻을 나타내기 위하여 따로 정하여 쓰는 기호.
• **바코드스캐너** 바코드를 읽고 코드화하여 컴퓨터에 입력하는 장치.
• **이진법** 숫자 0과 1만을 사용하여, 둘씩 묶어서 윗자리로 올려 가는 표기법.
• **변환** 어떤 사물이 전혀 다른 사물로 변하여 바뀜.
• **검증(檢 검사할 검, 證 증거 증)** 검사하여 증명함.
• **저렴하고** 물건 따위의 값이 싸고.
• **재고(在 있을 재, 庫 곳간 고)** 창고에 있는 물건.
• **보급** 널리 펴서 알리거나 사용하게 함.
• **보완** 모자라는 것을 더하여 완전하게 함.
• **셀(cell)** 정보의 한 단위에 대한 기억 장소.
• **데이터베이스** 여러 가지 업무에 공동으로 필요한 데이터를 유기적으로 결합하여 저장한 집합체.
• **연동** 기계나 장치 등에서 한 부분을 움직이면 연결되어 있는 다른 부분도 잇따라 함께 움직이는 일.
• **격자무늬** 바둑판처럼 가로 세로를 일정한 간격으로 직각이 되게 만든 무늬.

정답 및 풀이 24쪽

글의 구조 TIP

이 글은 총 다섯 개의 문단으로 이루어져 있습니다. 1~3문단에서는 1차원 바코드의 개념 및 원리, 체계, 장점 및 단점 등을 설명하였고, 4, 5문단에서는 2차원 바코드의 등장과 장점을 설명하였습니다.

1

글의 구조 | 문단 내용 정리하기

이 글의 문단별 주요 내용을 정리한 것입니다. 빈칸에 적절한 말을 쓰시오.

1 1차원 (   )의 개념 및 원리

2 1차원 바코드의 13개의 숫자 체계

3 1차원 바코드의 (   ) 및 단점

4 1차원 바코드의 단점을 극복한 (   ) 바코드

5 2차원 바코드의 (   )

2

내용 이해 | 세부 정보 파악하기

㉠과 ㉡에 대한 설명으로 적절하지 않은 것은 무엇입니까? (   )

① ㉠은 ㉡과 달리 영어와 숫자로 된 정보만 담을 수 있다.
② ㉠은 ㉡과 달리 이진법 원리를 이용하여 정보를 담는다.
③ ㉠은 ㉡과 달리 바코드 자체만으로는 정보를 제공할 수 없다.
④ ㉡은 ㉠과 달리 가로 방향과 세로 방향 모두 정보를 담을 수 있다.
⑤ ㉡은 ㉠과 달리 바코드의 일부가 훼손되어도 정보를 읽을 수 있다.

3

내용 이해 | 중심 내용 파악하기

이 글에서 대답을 찾을 수 있는 질문으로 적절하지 않은 것은 무엇입니까? (   )

① 1차원 바코드는 어떤 분야에서 주로 활용될까?
② 1차원 바코드의 숫자는 무엇을 뜻하는 것일까?
③ 2차원 바코드는 어떤 과정을 거쳐 개발되었을까?
④ 1차원 바코드는 어떤 점이 좋아서 널리 사용될까?
⑤ 2차원 바코드는 1차원 바코드와 어떤 점이 다를까?

수능형

4

적용하기 시각 자료에 적용하기

이 글을 읽고, 보기 의 자료를 이해한 내용으로 적절하지 않은 것은 무엇입니까? (　　　)

보기

① [보기]의 바코드에서 각각의 막대 선은 컴퓨터에서 0과 1 중 하나로 인식되겠군.

② [보기]의 바코드를 사용하는 상품은 우리나라에 있는 제조업체에서 만든 것이겠군.

③ [보기]의 바코드를 스캔하면 바코드 아래에 적혀 있는 13개의 숫자로 변환되겠군.

④ [보기]와 같은 바코드에는 영어나 숫자로 된 정보를 최대 20자리까지밖에 담지 못하겠군.

⑤ [보기]의 바코드를 사용하는 제조업체에서 만든 상품의 바코드 마지막은 모두 '6'이 되겠군.

5

어휘·어법 속담으로 표현하기

2차원 바코드를 1차원 바코드와 비교하여 평가할 수 있는 말로 가장 적절한 속담은 무엇입니까? (　　　)

① 냉수 먹고 이 쑤시기

② 나중 난 뿔이 우뚝하다

③ 길든 짧든 대보아야 한다

④ 굼벵이도 구르는 재주가 있다

⑤ 벼는 익을수록 고개를 숙인다

어휘 · 어법 TIP

- **냉수 먹고 이 쑤시기** 실속은 없으면서 무엇이 있는 체함.
- **나중 난 뿔이 우뚝하다** 나중에 생긴 것이 먼저 것보다 훨씬 나음.
- **길든 짧든 대보아야 한다** 이기고 지고, 잘하고 못하는 것은 실지로 겨루어 보거나 겪어 보아야 알 수 있음.
- **굼벵이도 구르는 재주가 있다** 아무리 무능한 사람도 한 가지 재주는 있음.
- **벼는 익을수록 고개를 숙인다** 교양이 있고 수양을 쌓은 사람일수록 더욱 겸손함.

정답 및 풀이 24쪽

낱말 이해 | 낱말 관계 | 낱말 적용 | 관용 표현

1 다음 빈칸에 들어갈 낱말로 가장 알맞은 것은 무엇입니까? (   )

> 그 사람이 하는 주장은 과학적인 (   )을/를 전혀 거치지 않은 허무맹랑한 소리일 뿐이다.

① 검증　② 연동　③ 오류　④ 정보　⑤ 표시

낱말 이해 | 낱말 관계 | 낱말 적용 | 관용 표현

2 다음 낱말과 뜻이 반대인 낱말을 찾아 선으로 이으시오.

(1) 자동 •　　• ㉮ 매입

(2) 구분 •　　• ㉯ 수동

(3) 매출 •　　• ㉰ 종합

낱말 이해 | 낱말 관계 | 낱말 적용 | 관용 표현

3 다음 빈칸에 들어갈 한자성어로 가장 알맞은 것은 무엇입니까? (   )

> 2차원 바코드는 가로 방향으로만 정보를 담을 수 있는 1차원 바코드와 달리 가로와 세로 모두 정보를 담을 수 있다. 이 때문에 2차원 바코드는 1차원 바코드보다 정보를 많이 담을 수 있으며, 1차원 바코드같이 데이터베이스와 연동하지 않아도 그 자체로 정보 제공이 가능하다.
>
> 설명을 보니 2차원 바코드는 1차원 바코드를 바탕으로 만들었는데도 1차원 바코드보다 훨씬 낫네! 사람으로 치면 (   )과/와 같은 셈이네.

① 정저지와(井底之蛙)
② 동가홍상(同價紅裳)
③ 동상이몽(同床異夢)
④ 동병상련(同病相憐)
⑤ 청출어람(青出於藍)

어휘력 +
- **정저지와** 외진 곳에서만 살아서 넓은 세상의 형편을 모르는 사람을 비유적으로 이르는 말.
- **동가홍상** 같은 값이면 좋은 물건을 가짐을 이르는 말.
- **동상이몽** 겉으로는 같이 행동하면서도 속으로는 각각 딴생각을 하고 있음을 이르는 말.
- **동병상련** 어려운 처지에 있는 사람끼리 서로 가엾게 여김.
- **청출어람** 제자나 후배가 스승이나 선배보다 나음.

기술 04 폴더블폰과 플렉서블 디스플레이

• 지문 해설

• 지문 난이도: 중

• 글자 수: 1202자 (900 – 1300)

1 일반 스마트폰이나 모니터 등에 사용하는 평판 디스플레이와 달리 휘거나 구부릴 수 있는 디스플레이를 플렉서블 디스플레이라고 한다. 플렉서블 디스플레이에는 다양한 형태가 있는데, 화면이 휘어져 곡면을 이루고 있는 '커브드', 화면의 일부를 구부릴 수 있는 '벤더블', 화면을 두루마리처럼 돌돌 말 수 있는 '롤러블', 화면을 종이 접듯이 접을 수 있는 '폴더블' 등으로 구분된다. 플렉서블 디스플레이에서 한 걸음 더 나아간 스트레처블 디스플레이도 있다. 플렉서블 디스플레이가 구부리거나 접는 수준이라면 스트레처블 디스플레이는 디스플레이 전체를 고무처럼 잡아 늘였다가 원래 상태로 되돌릴 수 있다.

2 대부분의 플렉서블 디스플레이와 스트레처블 디스플레이는 공간 활용성이나 휴대성을 높일 수 있는데다가 얇고 가벼우며 잘 깨지지 않는다는 장점이 있다. 커브드 디스플레이를 적용한 스마트폰은 이미 오래 전에 출시되었으며 현재는 폴더블 디스플레이를 적용한 폴더블폰이 출시되었다. 스마트폰 회사들이 폴더블폰의 차기 제품으로 연구하고 있는 것은 롤러블폰이다. 하지만 이를 위해서는 메모리 칩이나 회로 기판, 배터리 등의 부품도 잘 휘어질 수 있게 만들어야 하므로 아직은 상용화에 어려움을 겪고 있다.

3 폴더블폰의 핵심은 디스플레이를 접는 기술이다. 디스플레이를 접는 방식에는 화면이 안쪽에 위치하도록 접는 인폴딩 방식과 화면이 바깥쪽에 위치하도록 접는 아웃폴딩 방식이 있다. 인폴딩 방식은 펼쳤을 때 화면이 평평한 상태를 유지하기에 유리하지만 접었을 때 접히는 부분에 주름이 ㉠<u>생길</u> 수 있다. 이와 달리 아웃폴딩 방식은 인폴딩 방식보다 만들기가 쉽고 화면이 바깥쪽에 있어 접었을 때도 사용할 수 있다. 하지만 펼쳤을 때 접히는 부분에 주름이 생기기 쉽고 상대적으로 화면이 파손될 위험이 크다. 마치 손가락을 굽히면 안쪽에 주름이 생기고 펼쳤을 때는 바깥쪽에 주름이 생기는 것과 같다. 이 외에 인폴딩 방식과 아웃폴딩 방식을 결합하여 'Z'자 형태로 접히는 폴더블폰도 있다.

4 2019년에 최초로 출시된 폴더블폰은 모두 디스플레이를 좌우로 접을 수 있는 형태였다. 이 방식은 마치 책처럼 좌우로 펼칠 수 있기에 화면을 넓게 사용할 수 있다. 그리고 2020년에는 조개껍데기처럼 위아래로 접을 수 있어 접었을 때의 휴대성에 초점을 둔 폴더블폰이 출시되었다. 앞으로는 더욱 다양한 형태로 접을 수 있는 폴더블폰이나 아예 돌돌 말 수 있는 형태의 롤러블폰이 출시될 것으로 예상된다.

• **평판**(平 평평할 평, 板 널빤지 판) 평평한 판.
• **곡면** 편평하지 않고 굽어 휘어진 면.
• **휴대성** 손에 들거나 몸에 지니고 다닐 수 있는 특성.
• **출시**(出 날 출, 市 저자 시) 상품이 시중에 나옴.
• **차기**(次 버금 차, 期 기약할 기) 다음 시기.
• **칩**(chip) 반도체의 작은 조각 표면에 복잡한 전자 회로를 아주 작게 줄여서 넣은 것.
• **회로** 전기가 어떤 점을 떠나 도체를 돌아서 다시 그 자리까지 오는 길.
• **기판** 여러 가지 전기 장치들을 달 수 있게 전기 회로가 갖추어져 있는 판.
• **상용화**(常 항상 상, 用 쓸 용, 化 될 화) 물품 따위가 일상적으로 쓰이게 됨.
• **파손될** 깨어져 못 쓰게 됨.

정답 및 풀이 25쪽

글의 구조 문단 내용 정리하기

1 이 글의 문단별 주요 내용을 정리한 것입니다. 빈칸에 적절한 말을 쓰시오.

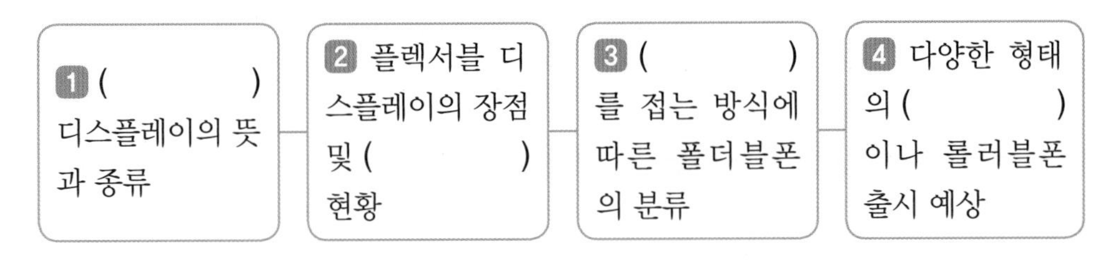

글의 구조 TIP

이 글은 총 네 개의 문단으로 이루어져 있습니다. 1문단에서는 플렉서블 디스플레이의 뜻과 종류를, 2문단에서는 플렉서블 디스플레이의 장점 및 개발 현황을 설명하였습니다. 3문단에서는 폴더블폰을 인폴딩 방식과 아웃폴딩 방식으로 분류하여 설명하였고, 4문단에서는 앞으로 개발될 형태에 대한 기대를 나타냈습니다.

내용 이해 세부 정보 파악하기

2 이 글의 내용과 일치하지 않는 것은 무엇입니까? (　　　　　)

① 플렉서블 디스플레이는 공간 활용성을 높일 수 있다.
② 플렉서블 디스플레이는 얇아서 잘 깨지는 문제점이 있다.
③ 롤러블폰을 상용화하려면 휘어지는 부품을 개발해야 한다.
④ 폴더블폰의 뒤를 이을 제품으로 롤러블폰이 예상되고 있다.
⑤ 스트레처블 디스플레이는 화면 자체를 늘이고 줄일 수 있다.

전개 방식 설명 방법 파악하기

3 이 글의 설명 방법으로 적절하지 않은 것은 무엇입니까? (　　　　　)

① 대상을 일정한 기준에 따라 나누고 각각 설명하고 있다.
② 두 대상을 대조하며 각각의 장점과 단점을 분석하고 있다.
③ 대상의 특징을 익숙한 다른 대상에 빗대어 설명하고 있다.
④ 핵심 개념을 정의하여 이어지는 내용의 이해를 돕고 있다.
⑤ 어떤 일에 대한 원인과 그에 따른 결과를 중심으로 설명하고 있다.

수능형

4

문제 풀이

적용하기 시각 자료에 적용하기

3 문단을 참고하여 ㉮와 ㉯를 이해한 내용으로 적절하지 않은 것은 무엇입니까? ( )

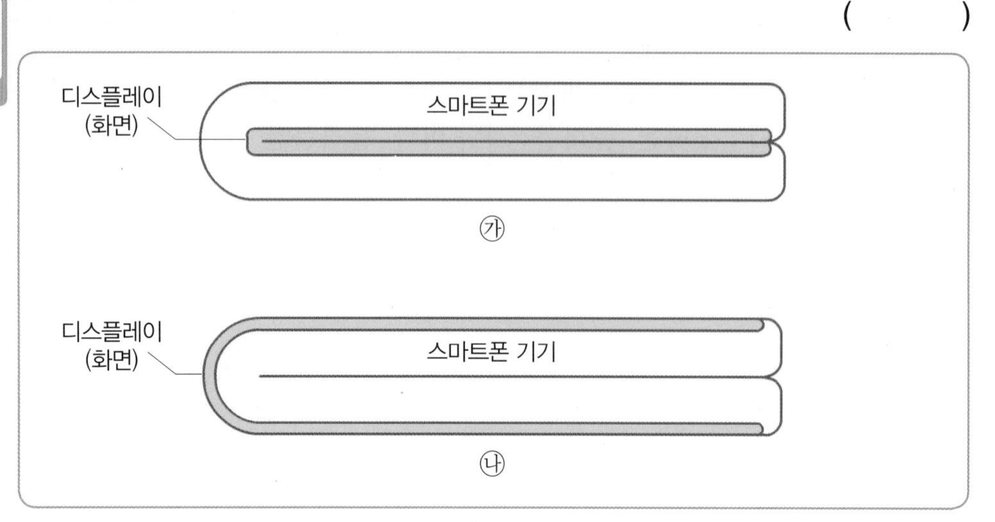

① ㉯는 스마트폰을 펼치지 않아도 화면을 볼 수 있겠군.

② ㉮를 만들려면 ㉯에 비해서 기술 수준이 더 높아야겠군.

③ ㉯는 펼쳤을 때 ㉮와 달리 화면에 주름이 생기지 않겠군.

④ ㉯는 ㉮에 비해서 접었을 때 화면이 파손될 위험이 크겠군.

⑤ ㉮는 ㉯에 비해서 펼쳤을 때 화면을 평평하게 유지하는 데 유리하겠군.

5

어휘·어법 어휘의 문맥적 의미 파악하기

다음 중 ㉠ '생길'과 바꿔 쓸 수 있는 말은 무엇입니까? ( )

① 기원할

② 등장할

③ 발생할

④ 소멸할

⑤ 재생할

어휘 · 어법 TIP

- **기원하다** 바라는 일이 이루어지기를 빌다.
- **등장하다** 연극, 영화, 소설 따위에 어떤 인물이 나타나다.
- **발생하다** 어떤 일이나 사물이 생겨나다.
- **소멸하다** 사라져 없어지다.
- **재생하다** 죽게 되었다가 다시 살아나다.

낱말 이해 | 낱말 관계 | 낱말 적용 | 관용 표현

1 다음 낱말의 뜻으로 알맞은 것을 찾아 선으로 이으시오.

(1) 출시 •　　　　• ㉮ 일상적으로 쓰이게 됨. 또는 그렇게 만듦.

(2) 상용화 •　　　　• ㉯ 상품이 시중에 나옴. 또는 상품을 시중에 내보냄.

낱말 이해 | 낱말 관계 | 낱말 적용 | 관용 표현

2 ㉠과 비슷한 뜻의 낱말이 아닌 것은 무엇입니까? (　　　　)

앞으로는 더욱 다양한 형태로 접을 수 있는 폴더블폰이나 아예 돌돌 말 수 있는 형태의 롤러블폰이 출시될 것으로 ㉠ 예상된다.

① 예견　　② 예비　　③ 예측　　④ 전망　　⑤ 짐작

낱말 이해 | 낱말 관계 | 낱말 적용 | 관용 표현

3 다음에서 설명하는 '플렉서블 디스플레이'를 표현하는 말로 알맞은 것은 무엇입니까? (　　　　)

플렉서블 디스플레이에는 다양한 형태가 있는데, 화면이 휘어져 곡면을 이루고 있는 '커브드', 화면의 일부를 구부릴 수 있는 '벤더블', 화면을 두루마리처럼 돌돌 말 수 있는 '롤러블', 화면을 종이 접듯이 접을 수 있는 '폴더블' 등으로 구분된다.

① 각양각색(各樣各色)
② 과대망상(誇大妄想)
③ 약육강식(弱肉强食)
④ 유일무이(唯一無二)
⑤ 일거양득(一擧兩得)

어휘력 +
- **각양각색** 각기 다른 여러 가지 모양과 빛깔.
- **과대망상** 사실보다 과장하여 터무니없는 헛된 생각을 하는 증상.
- **약육강식** 강한 자가 약한 자를 희생시켜서 번영하거나, 약한 자가 강한 자에게 끝내는 멸망됨.
- **유일무이** 오직 하나뿐이고 둘도 없음.
- **일거양득** 한 가지 일을 하여 두 가지 이익을 얻음.

기술 05 사람과 자연을 살리는 적정 기술

• 지문 해설

• 지문 난이도: 중

• 글자 수: 1189자

900 1300

아프리카의 일부 지역에서는 식수를 구하기 위해 멀리까지 가야 하는 경우가 많다. 대개 여성들이나 아이들이 이 일을 담당하는데, 무거운 물통이나 양동이를 지거나 인 채로 다녀야 하니 힘들기도 하지만 목이나 척추를 다치기 쉽다. 이런 상황을 안타깝게 여긴 한 발명가가 도넛 모양의 '큐-드럼(Q-Drum)'을 만들었다. '큐-드럼'은 두루마리 화장지처럼 가운데 구멍이 뚫려 있고, 그 사이를 관통하여 줄이 걸려 있는 형태의 물통이다. ㉠이 물통은 줄을 이용해 굴리면서 쉽게 끌고 갈 수 있기 때문에 힘이 약한 여성이나 어린이도 많은 힘을 들이지 않고 한 식구가 하루에 필요한 양인 50리터의 물을 한 번에 옮길 수 있다.

▲ 어린아이가 '큐-드럼'을 끌고 가는 모습

'큐-드럼'처럼 현지의 사정에 맞는 재료와 기술을 이용해 가난한 나라 사람들을 돕는 기술을 '적정 기술'이라고 한다. 대표적인 적정 기술에는 '큐-드럼' 외에도 한 명이 일 년 간 먹을 수 있는 약 700리터의 물을 정수할 수 있는 '라이프 스트로우(Life Straw)', 페트병과 물, 표백제만으로 어두운 실내를 밝힐 수 있는 '페트병 태양 전등', 전기가 없어도 쉽게 지하수를 끌어올릴 수 있는 수동식 펌프, 쉽게 구할 수 있는 재료를 땔감으로 사용하는 화덕 등이 있다.

적정 기술은 비록 오래된 기술이라도 많은 사람들에게 도움을 줄 수 있도록 하자는 생각에서 비롯되었다. 즉 어려운 상황에 처해 있는 사람들에게 실질적인 도움을 줌으로써 인간으로서 삶의 질을 높이는 것을 목적으로 하는 기술이다. 이 때문에 사용자 중심의 개발과 지원이 이루어져야 한다. 구체적으로는 값이 싸야 하고, 전기가 없어도 사용할 수 있어야 하며, 현지에서 어렵지 않게 구할 수 있는 재료로 만들어야 한다. 그리고 누구나 쉽게 사용할 수 있고, 고장이 나도 쉽게 고칠 수 있어야 한다. 이런 점을 충족하기 위해서는 저개발국 주민들의 현지 상황을 정확하게 파악해야 한다.

한편, 적정 기술은 가난한 지역의 사람들을 위해 개발되었지만, 환경오염을 줄이려는 선진국 사람들에게도 인기를 끌고 있다. ㉮대부분의 제품이 친환경적이기 때문이다. 등산이나 캠핑을 할 때 사용하는 휴대용 정수기와 태양열로 작동하는 램프와 조리기 등이 대표적이다. 이런 점을 고려할 때 적정 기술은 인간과 자연을 살리는 기술이라고 할 수 있다. 미래를 대비하는 첨단 기술도 중요하지만 소외된 사람들과 자연 생태계에 도움이 되는 적정 기술도 중요하다.

• **관통(貫 꿸 관, 通 통할 통)하여** 이쪽 끝에서 저쪽 끝까지 꿰뚫어 통하여.

• **현지(現 나타날 현, 地 땅 지)** 현재 어떤 일이 벌어지고 있는 곳.

• **적정** 적당하고 바름. 알맞고 바른 정도.

• **정수** 물을 깨끗하고 맑게 함. 또는 그 물.

• **표백제** 천이나 식품 등의 빛깔을 희게 하는 약품이나 약제.

• **수동식** 기계 등을 동력을 쓰지 않고 손으로 움직이는 방식.

• **화덕** 솥을 걸 수 있도록 쇠나 흙으로 아궁이처럼 만든 물건.

• **실질적인** 실제의 내용이나 성질을 갖춘.

• **저개발국** 산업의 근대화와 경제 개발이 선진국에 비하여 뒤떨어진 나라.

• **조리기** 음식을 만드는 데에 쓰는 기구.

정답 및 풀이 26쪽

글의 구조 문단 내용 정리하기

1 이 글의 문단별 주요 내용을 정리한 것입니다. 빈칸에 적절한 말을 쓰시오.

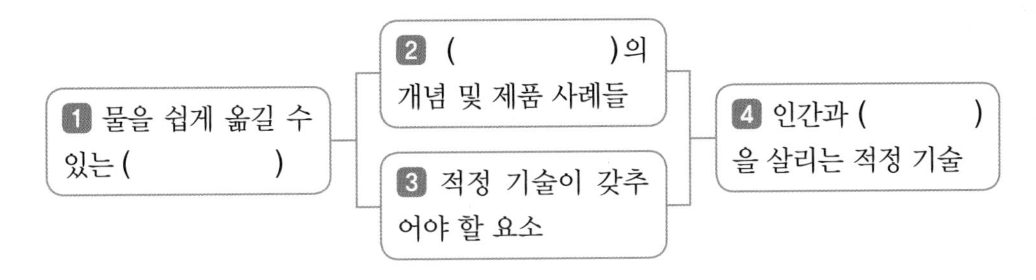

글의 구조 TIP

이 글은 총 네 개의 문단으로 이루어져 있습니다. 1문단에서는 '큐-드럼'이 무엇인지 설명하였고, 2문단에서는 '큐-드럼'과 같은 적정 기술의 개념과 제품들을 예로 들었습니다. 3문단에서는 적정 기술이 갖추어야 할 조건들을 설명하였고, 4문단에서는 적정 기술의 중요성을 말하였습니다.

내용 이해 세부 정보 파악하기

2 이 글의 내용과 일치하지 않는 것은 무엇입니까? (   )

① 적정 기술을 적용한 제품은 환경을 생각하는 사람들도 이용한다.
② 큐-드럼을 이용하면 어린이도 어렵지 않게 물을 길어 올 수 있다.
③ 적정 기술은 첨단 기술을 활용하여 저개발국의 주민들을 돕는 것이다.
④ 적정 기술은 기본적으로 현지에서 쉽게 구할 수 있는 재료를 활용한다.
⑤ 적정 기술은 저개발국 주민들의 삶의 질을 높이는 것을 목적으로 한다.

내용 이해 원인과 결과 파악하기

3 이 글을 참고할 때, ㉮의 이유로 가장 적절한 것은 무엇입니까? (   )

① 쉽게 망가지지 않도록 튼튼하게 만들었기 때문에
② 선진국 사람들에게 실질적인 도움을 주려고 만들었기 때문에
③ 미래를 대비할 수 있는 첨단 기술을 적용하여 만들었기 때문에
④ 휴대성이 높고 누구나 쉽게 사용할 수 있도록 만들었기 때문에
⑤ 전기를 제대로 쓸 수 없는 지역에서 사용하도록 만들었기 때문에

수능형

4

추론하기 외부 자료를 바탕으로 추론하기

보기 는 적정 기술과 관련된 자료입니다. 이 글과 보기 를 통해 이끌어 낼 수 있는 주장으로 가장 적절한 것은 무엇입니까? (　　　　)

보기

일부 아프리카나 동남아시아 등 저개발국 주민을 돕기 위해 지난 40여 년 동안 세계적으로 1000조 원이 넘는 **원조**가 이루어졌다. 하지만 현지 주민들의 삶은 그리 나아지지 않았다. 계속되는 공짜 원조가 주민을 **의존적**으로 만들었기 때문이다. 그래서 적정 기술로 만든 물건도 공짜로 나누어 주지 않는다. 현지 주민들이 충분히 감당할 수 있을 정도의 돈을 받고 판매하는 것이다. 그래야만 자신의 힘으로 필요한 것을 샀다는 **자긍심**도 생기고, 자신의 돈이 들어간 만큼 물건도 더욱 소중하게 사용하게 된다.

① 저개발국 주민들이 물건을 아껴 쓸 수 있도록 물건 가격을 올려야 한다.
② 지금보다 훨씬 많은 지원을 하여 저개발국 주민들의 생계를 보장해야 한다.
③ 더 많은 적정 기술을 활용하여 저개발국 주민들을 지속적으로 도와야 한다.
④ 저개발국 주민들에게 물건이나 돈을 주기보다는 일자리를 마련해 주어야 한다.
⑤ 저개발국 주민들의 **자립** 의지를 심어 줄 수 있는 방향으로 그들을 도와야 한다.

어휘

- **원조** 도와줌.
- **의존적** 다른 것에 의지하는 것.
- **자긍심** 스스로 떳떳하고 자랑스럽게 여기는 마음.
- **자립**(自 스스로 자, 立 설 립) 남의 힘에 의지하지 않고 자기의 힘으로 해 나감.

5

어휘·어법 속담으로 표현하기

㉠을 표현하기에 적절한 속담은 무엇입니까? (　　　　)

① 내 코가 석 자
② 등잔 밑이 어둡다
③ 달걀로 바위 치기
④ 땅 짚고 헤엄치기
⑤ 빈 수레가 요란하다

어휘 · 어법 TIP

- **내 코가 석 자** 내 사정이 급하고 어려워서 남을 돌볼 여유가 없다.
- **등잔 밑이 어둡다** 어떤 사물에서 가까이 있는 사람이 도리어 그 사물에 대해 잘 알기 어렵다.
- **달걀로 바위 치기** 대항해도 도저히 이길 수 없는 경우.
- **땅 짚고 헤엄치기** 아주 하기 쉬운 일.
- **빈 수레가 요란하다** 실속 없는 사람이 겉으로 더 떠들어 대다.

어휘력 완성

정답 및 풀이 26쪽

1 낱말 이해 | 낱말 관계 | 낱말 적용 | 관용 표현

㉠~㉢의 뜻으로 알맞은 것을 찾아 선으로 이으시오.

(1) 그곳에서는 좋은 품질의 농산물을 ㉠적정 가격으로 판다. • 　　　• ㉮ 일정한 분량을 채워 모자람이 없게 함.

(2) 구성원들의 다양한 욕구를 모두 ㉡충족시킬 수는 없다. • 　　　• ㉯ 어떤 일에 알맞은 성질이나 적응 능력.

(3) 지금 하고 있는 일이 그의 ㉢적성에 가장 잘 맞는다. • 　　　• ㉰ 알맞고 바른 정도.

2 낱말 이해 | 낱말 관계 | 낱말 적용 | 관용 표현

다음 밑줄 친 부분과 바꿔 쓸 수 있는 말은 무엇입니까? (　　　　)

> 적정 기술 제품은 고장이 나도 쉽게 고칠 수 있어야 한다.

① 개선할　② 변경할　③ 수리할
④ 정정할　⑤ 치료할

어휘력 +
- **개선하다** 잘못된 점을 고쳐 잘되게 하다.
- **변경하다** 다르게 바꾸어 고치다.
- **수리하다** 고장이 나거나 못 쓰게 된 물건을 손질하여 제대로 되게 하다.
- **정정하다** 잘못을 고쳐서 바로잡다.
- **치료하다** 병이나 다친 데를 다스려서 낫게 하다.

3 낱말 이해 | 낱말 관계 | 낱말 적용 | 관용 표현

다음 밑줄 친 낱말 중 ㉠'정수'와 같은 뜻으로 쓰인 것을 두 가지 고르시오.

(　　　　)

① 비빔밥은 우리 전통 음식 문화의 정수이다.
② 식당은 정수와 살균을 거친 물을 식수로 사용한다.
③ 이 작품은 조선 회화 작품의 정수를 보여 주고 있다.
④ 한국인이 유럽 문화의 정수를 이해하기는 쉽지 않다.
⑤ 서울시의 물 소비량이 많아지면서 정수 비용도 증가하고 있다.

어휘력 +
- **정수**[1] 물을 깨끗하고 맑게 함. 또는 그 물.
- **정수**[2] 사물의 중심이 되는 골자 또는 요점.

기술 06 대동여지도와 기리고차

• 지문 해설

• 지문 난이도: 상

• 글자 수: 1165자

900 1300

'대동여지도'는 김정호가 1861년에 만든 전국 지도이다. '대동여지도'는 '우리나라 지도'라는 뜻이다. 이 지도는 22개의 책자로 되어 있는데, 이를 모두 펼쳐 연결하면 가로는 3.8미터, 세로는 6.7미터나 된다. 세로로 세우면 2층짜리 건물보다 더 높다. 그렇다고 정밀도가 떨어지지도 않는다. 일제 강점기에 조선총독부가 우리나라를 정밀 측량하여 지도를 만들었는데, 막상 만들고 나니 대동여지도와 별 차이가 없었다는 일화가 있을 정도이다.

김정호는 우리나라 남북을 120리 간격으로 22단으로 나누고, 다시 동서를 80리 간격으로 나누어서 지도의 한 면을 만들었다. 그리고 남북을 기준으로 22단을 각각 하나의 책자 형태로 만들었다. 이 책자 하나하나를 '첩'이라고 하는데, 한 첩은 가로 세로가 약 20cm×30cm이다. 한 첩에 담긴 지도를 펼치면 해당하는 위치의 우리나라 동서가 펼쳐지고, 연이은 첩을 상하로 맞추어서 잇대면 우리나라의 남북이 이어진다. 각 첩의 표지에는 그 첩에 담긴 주요 지명을 적어서 필요한 부분만 찾아서 휴대하기 편하게 만들었다.

김정호는 지도를 만들 때 '기리고차'라는 거리 측정 수레를 사용하였다. 기리고차는 수레에 앉은 사람 옆에 종과 북이 달려 있고, 수레 내부에는 세 개의 톱니바퀴가 설치되어 있다. 수레바퀴는 아래 톱니바퀴와 축을 통해 연결되어 있는데, 수레바퀴가 12회 돌면 아래 톱니바퀴가 1회 돈다. ㉠아래 톱니바퀴는 다시 중간 톱니바퀴와 연결되어 있는데, 아래 톱니바퀴가 15회 돌면 중간 톱니바퀴가 1회 돈다. 그리고 중간 톱니바퀴는 위 톱니바퀴와 연결되어 있는데, 중간 톱니바퀴가 10회 돌면 위 톱니바퀴가 1회 돈다. 기리고차 수레바퀴의 둘레가 10자이다. 따라서 위 톱니바퀴가 1회 돌면 수레의 이동 거리는 총 18,000(10자×12회×15회×10회)자가 된다. 18,000자는 당시의 거리 기준으로 계산하면 10리에 해당한다.

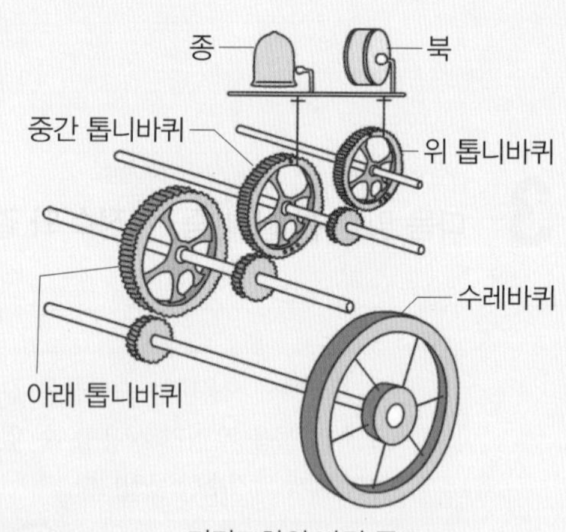

▲ 기리고차의 바퀴 구조

이와 같은 원리를 바탕으로 기리고차는 0.5리를 가면 종이 한 번 울리고, 1리를 가면 종이 여러 번 울리며, 5리를 가면 북이 한 번 울리고, 10리를 가면 북이 여러 번 울리게 되어 있었다. 수레에 앉아 있는 사람은 종소리와 북소리의 횟수를 기록하여 거리 ㉡계산을 했다. 오늘날 마라톤 경기의 거리를 측정하는 데 쓰이는 장치나 택시의 이동 거리를 측정하는 장치도 기리고차의 거리 측정 원리와 같다.

• **대동여지도** 1861년에 김정호가 제작한 우리나라의 대축척 지도. 27년간 전국을 직접 답사하고 실제로 재서 만듦. 22첩.

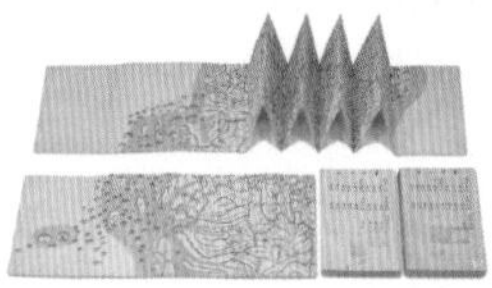

• **정밀도** 세밀한 데까지 빈틈이 없거나 정확한 정도.

• **측량** 땅 위의 어떤 위치나 거리·방향 등을 재어 그림으로 나타냄. 또는 그 일.

• **일화(逸 달아날 일, 話 말할 화)** 아직 세상에 널리 알려지지 않은 이야기.

• **리(里 마을 리)** 우리나라의 거리의 단위. 1리는 약 393미터.

• **휴대하기** 어떤 물건을 몸에 지니기.

• **측정(測 잴 측, 定 정할 정)** 기계나 장치로 길이·무게·속도 등을 잼.

• **자** 길이를 잴 때 쓰이는 말. 시대에 따라 1자의 길이가 달랐는데, 당시 기준으로는 약 24.4센티미터 가량임.

정답 및 풀이 27쪽

1

글의 구조 | 문단 내용 정리하기

이 글의 문단별 주요 내용을 정리한 것입니다. 빈칸에 적절한 말을 쓰시오.

- 1 정밀도가 매우 높은 (   )
- 2 (   )하기 편하게 구성된 대동여지도
- 3 거리를 측정하는 데 사용된 (   )
- 4 기리고차의 거리 측정 방법

글의 구조 TIP

이 글은 총 네 개의 문단으로 이루어져 있습니다. 1문단에서는 대동여지도의 정밀도를 설명하였고, 2문단에서는 대동여지도의 구성 및 휴대성을, 3, 4문단에서는 '기리고차'의 측정 방법을 자세하게 설명하였습니다.

2

내용 이해 | 중심 내용 파악하기

이 글에서 설명하지 않은 것은 무엇입니까? (   )

① 기리고차의 구조
② 기리고차의 용도
③ 기리고차의 종류
④ 대동여지도의 크기
⑤ 대동여지도의 특징

3

적용하기 | 다른 상황에 적용하기

㉠의 원리와 가장 비슷한 것은 무엇입니까? (   )

① 긴 지렛대를 이용하여 적은 힘으로 큰 물체를 움직이는 것
② 시계의 초침이 육십 눈금 움직일 때 분침이 한 눈금 움직이는 것
③ 선풍기 날개의 도는 속도가 빨라질수록 바람의 세기가 세지는 것
④ 등산화 바닥을 울퉁불퉁하게 만들어 잘 미끄러지지 않게 만드는 것
⑤ 달리는 버스가 갑자기 서면 버스 안의 승객 몸이 앞으로 기울어지는 것

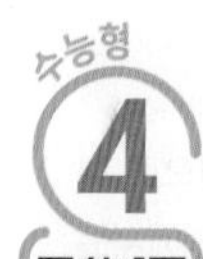
수능형

4

적용하기 시각 자료에 적용하기

보기 는 기리고차의 구조입니다. 이 글을 참고하여 보기 를 이해한 내용으로 적절하지 않은 것은 무엇입니까? (　　　　)

보기

① ㉮가 15회 회전하면 종이 여러 번 울리겠군.

② ㉯가 5회 회전하면 북이 한 번 울리겠군.

③ ㉰가 한 바퀴 회전하면 북이 여러 번 울리겠군.

④ 종이 여러 번 울린 뒤에는 바로 북이 한 번 울리겠군.

⑤ 북이 한 번 울린 뒤에 종이 한 번 울리면 5.5리를 간 것이군.

5

어휘·어법 어휘의 사전적 의미 파악하기

다음 밑줄 친 낱말 중 ㉡ '계산'과 다른 뜻으로 쓰인 것은 무엇입니까? (　　　　)

① 나는 숫자와 관련된 계산에 약하다.

② 그는 자신의 이익을 따지는 계산에 밝다.

③ 저축을 하고 이자가 얼마인지 계산해 보았다.

④ 그 은행원은 오늘 계산을 잘못해서 고생했다.

⑤ 나는 오늘 쓴 돈은 오늘 계산을 해야 마음이 편하다.

어휘 · 어법 TIP

• 계산

「1」 수를 헤아림.

「2」 어떤 일을 예상하거나 고려함.

「3」 값을 치름.

「4」 어떤 일이 자기에게 이해득실이 있는지 따짐.

어휘력 완성

정답 및 풀이 27쪽

1 낱말 이해 | 낱말 관계 | 낱말 적용 | 관용 표현

㉠과 ㉡의 뜻으로 알맞은 것을 찾아 선으로 이으시오.

(1) 건물을 짓기 위해서는 정확한 ㉠측량이 먼저 이루어져야 한다. •

(2) 재료 양을 정확하게 ㉡계량하려면 저울이나 계량컵을 이용해야 한다. •

• ㉮ 분량이나 무게 등을 잼.

• ㉯ 땅 위의 어떤 위치나 거리·방향 등을 재어 그림으로 나타냄. 또는 그 일.

2 낱말 이해 | 낱말 관계 | 낱말 적용 | 관용 표현

다음 밑줄 친 부분과 바꿔 쓸 수 있는 말은 무엇입니까? (　　　)

> 김정호는 우리나라의 남북을 120리 간격으로 22단으로 나누고, 다시 동서를 80리 간격으로 나누어서 지도의 한 면을 만들었다.

① 공유하고　② 교환하고　③ 배부하고
④ 배분하고　⑤ 분할하고

어휘력+
- **공유하다** 두 사람 이상이 한 물건을 공동으로 소유하다.
- **교환하다** 서로 바꾸다. 또는 서로 주고받고 하다.
- **배부하다** 출판물이나 서류 따위를 나누어 주다.
- **배분하다** 여러 사람에게 몫몫이 나누어 주다.
- **분할하다** 나누어 쪼개다.

3 낱말 이해 | 낱말 관계 | 낱말 적용 | 관용 표현

다음 밑줄 친 부분을 표현하기에 알맞은 한자성어는 무엇입니까? (　　　)

> 대동여지도는 정밀도도 매우 뛰어나다. 일제 강점기에 조선총독부가 우리나라를 정밀 측량하여 지도를 만들었는데, 막상 만들고 나니 대동여지도와 별 차이가 없었다는 일화가 있을 정도이다.

① 고진감래(苦盡甘來)　② 대동소이(大同小異)
③ 이구동성(異口同聲)　④ 이심전심(以心傳心)
⑤ 전화위복(轉禍爲福)

독해 비법

어휘의 뜻

낱말의 문맥적 의미 파악하기

모르는 낱말이 나오면 글을 이해하기 어렵습니다. 그럴 때는 낱말의 앞뒤 내용의 흐름을 살펴 문맥적 의미를 짐작하면 됩니다. 그러면 정확한 뜻은 몰라도 대강은 파악할 수 있습니다. 또한 해당 낱말과 비슷한 뜻의 다른 낱말을 떠올려서 그 낱말과 바꾸었을 때 문장의 뜻이 훼손되지 않고 자연스럽게 통하는지 확인하는 방법으로도 낱말의 뜻을 파악할 수 있습니다.

한편, 같은 낱말이라도 문맥에 따라 뜻이 달라질 수 있습니다. 예를 들어 '사람이라고 해서 모두 사람이 아니다.'라는 문장에서, 앞의 '사람'은 생물학적 사람, 즉 동물과 구분되는 사람을 뜻하는 데 비해, 뒤의 '사람'은 사람이면 마땅히 갖추어야 할 인격을 갖춘 사람을 뜻합니다. 이를 잘 파악하려면 글쓴이가 전달하려는 내용을 파악하면서 읽는 연습을 꾸준히 하면 됩니다.

관용적 표현의 의미 파악하기

관용적 표현에는 속담과 관용어, 한자성어 등이 있습니다. 이런 표현을 사용하면 말하고자 하는 바를 효과적으로 강조하고 인상 깊게 표현할 수 있어 글에서 자주 사용됩니다. 그러므로 관용적 표현의 뜻을 알면 글을 제대로 이해할 수 있습니다.

관용적 표현은 낱말처럼 각각의 뜻을 미리 아는 것이 가장 좋습니다. 모르는 관용적 표현이 나올 때는 앞뒤 문맥을 통해 짐작해야 합니다. 특히 속담은 비유적인 뜻을 지닌 경우가 많으므로 조금만 주의 깊게 생각하면 뜻을 충분히 파악할 수 있습니다. 예를 들어 '원숭이도 나무에서 떨어진다'라는 속담은 나무 위에서 사는 원숭이가 나무에서 떨어진다는 내용을 고려할 때, 아무리 익숙하고 잘하는 사람이라도 간혹 실수할 때가 있음을 이르는 말이라는 것을 어렵지 않게 알 수 있습니다.

판소리

판소리의 개념을 정의한 뒤, 소리꾼과 고수가 하는 역할을 분석하고, 판소리의 내용적 특성인 즉흥성과 해학성을 설명하는 글입니다.

랩 음악의 특징

미국에서 시작된 랩 음악이 대중화된 과정과 랩 음악의 형식적 측면과 내용적 측면의 특성을 설명하는 글입니다.

가야금의 구조

가야금의 종류를 소개한 뒤, 가야금의 구성 요소와 부분별 명칭, 현을 매는 방법을 순차적으로 설명하는 글입니다.

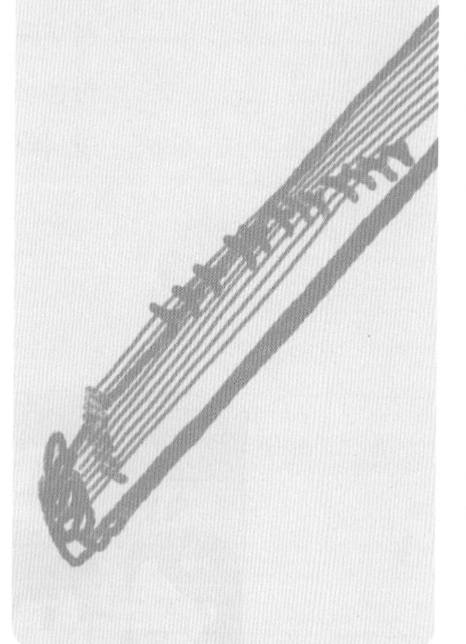

예술

'예술' 영역의 글은 동서양의 음악, 미술, 공연, 건축 등을 바탕으로 다양한 예술 분야와 관련된 이론과 비평 등을 다룹니다.

우리 전통 건축의 특징

우리나라의 전통 건축물은 자연을 닮았습니다. 초가집이나 기와집의 지붕 선은 야트막한 야산이나 멀리 떨어져 있는 산의 모습을 닮은 모습입니다. 자연과 조화를 이루려는 우리 선조들의 생각을 건축 재료와 담·기단 등의 사례를 통해 설명하는 글입니다.

낙서와 예술 사이, 그라피티

스프레이 페인트를 이용하여 벽에 그린 그림이나 글자 등을 그라피티라고 합니다. 대도시의 소외 계층에서 시작된 그라피티의 특성을 알아보고, 그라피티를 예술이라고 보는 입장과 범법 행위라고 보는 입장에 대해 각각 설명하는 글입니다.

예술 01 판소리

• 지문 해설

• 지문 난이도: 중

• 글자 수: 1209자

900 1300

판소리는 '판'과 '소리'가 합해진 용어이다. '판'이란 '소리꾼'과 북을 치는 '고수', '구경꾼'들이 모인 자리를 의미한다. 이 셋이 모여야 판소리가 공연될 수 있다. 그리고 '소리'는 노래의 다른 말이다. 따라서 판소리는 소리꾼 한 사람이 북 치는 사람의 장단에 맞추어 구경꾼들 앞에서 펼치는 노래 공연이라고 할 수 있다. 이때 노래는 서사적이고 극적인 이야기를 담고 있다.

광대 혹은 창자라고도 하는 소리꾼은 소리, 아니리, 발림 등을 통해 긴 이야기를 펼쳐 나간다. 소리는 장단에 맞춰 이루어지는 노래이고, 아니리는 소리꾼이 이야기를 하듯 말로 내용을 읊는 것이다. 노래 공연인 판소리에 아니리가 왜 필요할까? 그것은 이야기가 길어 노래로만 이끌어 가기 어렵기 때문이다. 소리꾼이 한 편의 판소리를 다 부르는 데 몇 시간씩 걸린다. 그래서 노래 중간중간 아니리를 섞어 숨을 돌리기도 하고, 해학적인 말로 청중을 웃기기도 한다.

소리꾼은 소리를 하면서 다양한 몸짓도 보여준다. 이를 발림이라고 한다. 이때 중요하게 활용되는 도구가 소리꾼이 들고 있는 부채이다. 부채는 「심청가」에서 심 봉사의 지팡이가 되기도 하고, 「흥보가」에서 흥부의 톱이 되기도 하고, 「춘향가」에서 이몽룡의 마패가 되기도 한다.

고수는 소리꾼이 공연할 때 옆에 앉아 북장단을 치는 사람이다. 소리꾼은 고수가 얼마나 장단을 잘 쳐 주는가에 따라 제 실력을 발휘할 수도 있고 그렇지 못할 수도 있다. 고수는 장단을 맞추는 일 외에 '으이', '얼씨구', '좋다', '그렇지' 같은 추임새를 통해 소리꾼에게 힘을 더해 주고 구경꾼의 호응도 이끌어 낸다.

판소리의 특징은 즉흥성과 해학성이다. 즉흥성이란 현장 상황에 맞추어 공연하는 것이다. 그러나 아무런 준비 없이 공연하는 것이 아니라, 여러 가지 상황을 예상하고 있다가 그때그때 적절하게 대처한다는 의미이다. 한 시간만 공연하려 했는데 구경꾼들의 반응이 너무 좋으면 두 시간으로 늘리기도 하고, 특정 장면에서 기대했던 반응이 나오지 않으면 그 장면을 서둘러 끝내 버리기도 하는 식이다.

해학성은 비판 의식을 바탕으로 웃음을 주는 것이다. 이는 소리꾼이 사회의 하층 계급이었다는 점에서 비롯된다. 사회적으로 ㉠ 천대받던 그들은 이야기의 주인공이 겪는 삶의 힘겨움을 과장해서 표현하였고, 구경꾼들은 그것을 통해 자신의 삶을 위로받으며 웃을 수 있었다. 결국 해학성은 구경꾼들이 공감할 수 있는 내용을 유쾌하게 즐길 수 있도록 표현하는 것이다.

• **장단** 노래·춤 등의 길고 짧은 박자.

• **서사적** 사실이나 사건 등을 있는 그대로 적는 성질을 띤 것.

• **극적(劇 심할 극, 的 과녁 적)인** 극을 보는 것처럼 큰 긴장이나 감동을 불러일으키는.

• **해학적인** 재치 있게 비꼬면서 웃음을 자아내는 말이나 행동이 있는.

• **청중** 강연이나 설교·음악 등을 들으려고 모인 사람들.

• **마패** 조선 시대에, 관리가 나랏일로 지방에 나갈 때 역에서 말을 빌려 쓰는 증명으로 쓰던, 구리로 만든 둥근 패.

• **추임새** 판소리에서, 노래 사이사이에 장단을 맞추는 고수가 흥을 돋우기 위하여 넣는 소리.

• **천대(賤 천할 천, 待 기다릴 대)** 업신여기어 천하게 대우하거나 푸대접함.

• **과장해서** 사실보다 지나치게 부풀려서.

정답 및 풀이 28쪽

글의 구조 문단 내용 정리하기

1 이 글의 문단별 주요 내용을 정리한 것입니다. 빈칸에 적절한 말을 쓰시오.

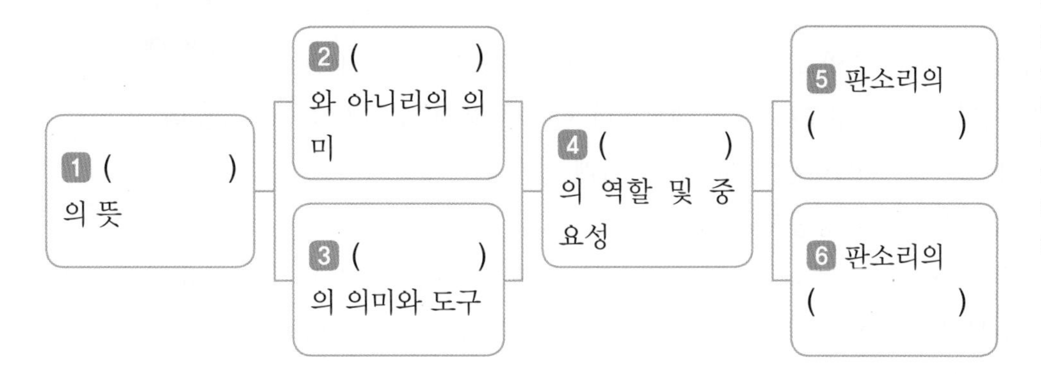

글의 구조 TIP

이 글은 총 여섯 개의 문단으로 이루어져 있습니다. 1문단에서는 판소리가 무엇인지 풀이하여 설명하였고 2, 3문단에서는 소리꾼의 소리와 아니리, 발림의 의미를 설명하였습니다. 4문단에서는 고수의 역할을, 5, 6문단에서는 판소리의 특징을 설명하였습니다.

내용 이해 세부 정보 파악하기

2 이 글의 내용과 일치하지 않는 것은 무엇입니까? (   )

① 판소리는 서사적인 이야기를 전개하는 노래 공연이다.
② 소리꾼은 당시에 사회적으로 천대받던 하층 계급이었다.
③ 소리꾼과 고수, 청중이 있어야 판소리를 공연할 수 있다.
④ 판소리는 사전에 아무런 계획 없이 즉흥적으로 공연한다.
⑤ 소리꾼은 부채를 이용하여 다양한 몸짓을 보여 주기도 한다.

전개 방식 내용 전개 방식 파악하기

3 이 글의 내용 전개 방식으로 적절한 것은 무엇입니까? (   )

① 판소리의 구성 요소를 분석한 뒤 각각 설명하고 있다.
② 판소리의 형성 과정을 시간의 흐름에 따라 살피고 있다.
③ 판소리가 우리 사회에 끼친 부정적인 면을 비판하고 있다.
④ 판소리가 지닌 긍정적인 면과 부정적인 면을 나누어 설명하고 있다.
⑤ 지역별 판소리의 특징을 기준에 따라 분류한 뒤 서로 비교하고 있다.

수능형

4

문제 풀이

적용하기 구체적인 상황에 적용하기

다음 선생님의 질문에 대한 대답으로 가장 적절한 것은 무엇입니까? (   )

보기

선생님: 판소리의 장단에는 진양조, 중모리, 중중모리, 자진모리, 휘모리 등이 있습니다. 가장 느린 진양조는 슬픈 **대목**이나 한가한 풍경 묘사에 주로 쓰이고, 기본 장단인 중모리는 상황을 **담담하게** 서술하는 대목에 주로 쓰입니다. 중모리보다 빠른 중중모리는 흥겹게 노는 장면이나 가벼운 느낌을 주는 대목에, 중중모리보다 빠른 자진모리는 **긴박한** 장면에, 가장 빠른 장단인 휘모리는 극적인 상황이 빠르게 벌어지는 대목에 주로 쓰입니다. 잘 아셨나요? 다음은 「흥보가」에서 흥보 아내가 부르는 대목입니다. 이 대목에는 어떤 장단이 가장 잘 어울릴까요?

"가난이야 가난이야 원수년의 가난이야. 몹쓸 년의 팔자로다 어떤 사람 팔자 좋아 **고대광실** 높은 집에 **부귀영화**로 잘 사는디 이 년의 신세는 어이허여 이 지경이 웬일이냐 아이고 아이고 내 신세야."

① 진양조 ② 중모리
③ 중중모리 ④ 자진모리
⑤ 휘모리

어휘

- **대목** 이야기나 글 등의 특정한 부분.
- **담담하게** 욕심이나 거리낌이 없어 마음이 편안하게.
- **긴박한** 사정이 아주 다급하고 절박한.
- **고대광실** 규모가 굉장히 크고 잘 지은 집.
- **부귀영화** 재산이 많고 지위가 높으며 영화로움.

5

어휘·어법 어휘의 문맥적 의미 파악하기

㉠ '천대'와 바꿔 쓰기에 적절하지 <u>않은</u> 것은 무엇입니까? (   )

① 괄시
② 홀대
③ 환대
④ 푸대접
⑤ 업신여김

어휘 · 어법 TIP

- **괄시** 업신여기어 천하게 대우하거나 푸대접함.
- **홀대** 소홀히 대접함.
- **환대** 반갑게 맞아 정성껏 후하게 대접함.
- **푸대접** 정성을 들이지 않고 아무렇게나 하는 대접.
- **업신여김** 교만한 마음에서 남을 낮추어 보거나 하찮게 여기는 일.

낱말 이해 | 낱말 관계 | 낱말 적용 | 관용 표현

1

㉠과 ㉡의 뜻으로 알맞은 것을 찾아 선으로 이으시오.

(1) 막을 올리기 한 달 전부터 단원들은 ㉠공연 준비를 했다. • • ㉮ 여러 사람 앞에서 음악·무용·연극 등을 공개하여 보여 줌.

(2) 이 영화는 ㉡상영 시간이 4시간 가까이 될 정도로 길다. • • ㉯ 극장 같은 데서 영화를 보여 줌.

낱말 이해 | 낱말 관계 | 낱말 적용 | 관용 표현

2

다음 중 ㉠-㉡과 같은 낱말 관계로 짝 지은 것은 무엇입니까? (　　　　)

① 계절 – 겨울　② 고음 – 저음　③ 책방 – 서점
④ 예술 – 무용　⑤ 자유 – 구속

어휘력+

• **소리**
「1」 물체가 움직임에 따라 진동이 퍼져 귀에 들리는 울림.
「2」 사람의 목소리 또는 말.
「3」 판소리·민요 등 우리나라 전통의 노래.

낱말 이해 | 낱말 관계 | 낱말 적용 | 관용 표현

3

다음 밑줄 친 부분을 표현하는 한자성어로 알맞지 않은 것은 무엇입니까? (　　　　)

판소리는 소리꾼 한 사람이 북 치는 사람의 장단에 맞추어 구경꾼들 앞에서 펼치는 노래 공연이다. 이때 구경꾼들은 대부분 사회적 지위가 높지 않은 평범한 사람들이었다.

① 갑남을녀(甲男乙女)　② 난형난제(難兄難弟)
③ 장삼이사(張三李四)　④ 초동급부(樵童汲婦)
⑤ 필부필부(匹夫匹婦)

어휘력+

• **갑남을녀** 갑이란 남자와 을이란 여자라는 뜻으로, 평범한 사람들을 이르는 말.
• **난형난제** 두 사물이 비슷하여 낫고 못함을 정하기 어려움을 이르는 말.
• **장삼이사** 장씨의 셋째 아들과 이씨의 넷째 아들이라는 뜻으로, 평범한 사람들을 이르는 말.
• **초동급부** 땔나무를 하는 아이와 물을 긷는 아낙네라는 뜻으로, 평범한 사람을 이르는 말.
• **필부필부** 평범한 남녀.

예술 02 랩 음악의 특징

• 지문 해설

• 지문 난이도: 중

• 글자 수: 1083자

900 1300

'랩(rap)'은 강렬하고 반복적인 리듬에 맞춰 빠른 속도로 읊듯이 노래하는 대중음악이다. 시초는 명확하지 않으나 1970년대 뉴욕에서 청소년을 대상으로 하는 파티의 진행자가 음악 중간중간 빠른 속도로 즉흥적인 말을 넣으면서 사람들에게 알려졌고, 아프리카계 청소년들의 열광적인 호응을 얻어 미국 전역과 다른 나라에 ㉠퍼지기 시작했다. 이후 1980년대부터 독자적인 음악으로 자리 잡게 되었다. 랩을 전문적으로 하는 사람을 래퍼라고 한다.

랩은 언어적 요소가 매우 강하다는 특징을 지닌다. 기존 대중음악의 경우 가사가 리듬이나 선율과 조화를 이루는 반면에 랩은 가사를 매우 중요하게 여긴다. 물론 일정한 위치에서 유사한 발음을 반복하여 만들어내는 리듬인 라임(rhyme)과 호흡을 조절하여 만들어내는 리듬인 플로우(flow) 등이 나타난다는 점에서 음악적 요소도 존재한다. 그러나 랩은 음악적 요소를 축소시켜 정형화된 리듬에서 나오는 안정감을 거부한다. 이는 돌발적이고 즉흥적인 가사를 중시하는 형태로 나타난다.

직설적인 공격성과 사회에 대한 저항 의식도 랩의 특징이다. 랩이 시작된 미국에서조차 문제가 될 정도로 기성세대와 사회에 대한 강한 저항 의식을 비속어를 사용하여 나타낸다. 앞서 설명했듯이 랩은 언어적 요소의 비중이 매우 강하기 때문에 사회 현상에 대한 래퍼의 생각을 직설적으로 드러낼 수 있다. 이런 특성이 랩 본연의 즉흥성, 저항성과 결합되면서 래퍼 자신이 살아가는 사회를 비판하는 형태로 나타난 것이다. 이런 공격성은 사회가 아니라 특정 개인을 향하기도 한다.

랩은 기본적으로 1인칭의 음악이다. 이런 특징 또한 랩의 태생과 관련이 깊다. 래퍼는 자신이 보거나 겪은 사회 현실이나 자신이 경험한 일에 대한 느낌과 생각을 자신의 시각에서 빠르게 쏘아댄다. 래퍼 자신이 말을 하는 1인칭 주체가 되어 자신이나 자신의 주변에 대한 이야기를 자신만의 언어로 표현하는 것이다. 이 때문에 작사가가 따로 있는 일반적인 대중가요와 달리 랩의 가사는 래퍼 자신이 직접 쓰는 경우가 많다.

• **시초**(始 처음 시, 初 처음 초) 맨 처음.

• **즉흥적인** 준비나 계획 없이 그때그때의 기분이나 생각에 따라 하는.

• **호응** 어떤 요구나 호소 같은 것에 응하여 따름.

• **선율** 높낮이와 박자, 강약 등을 지닌 음의 흐름.

• **정형화된** 일정한 형식이나 틀로 고정된.

• **돌발적** 어떤 일이 뜻밖에 갑자기 일어나는 것.

• **직설적**(直 곧을 직, 說 말씀 설, 的 과녁 적)**인** 바른대로 말하는.

• **기성세대** 현재 그 사회의 중심으로 자리 잡고 있는 세대.

• **1인칭** 말하는 사람이 자기 또는 자기의 동아리를 이르는 인칭. 예를 들어 '나는 학생이다.'에서 '나', '우리는 소풍을 간다.'에서 '우리' 따위.

• **주체**(主 주인 주, 體 몸 체) 사물의 상태·성질·작용의 주가 되는 것.

정답 및 풀이 29쪽

글의 구조 TIP

이 글은 총 네 개의 문단으로 이루어져 있습니다. 1 문단에서는 랩의 개념과 시초를 설명하였고 2~4 문단에서는 랩의 특징을 각각 설명하였습니다.

1

글의 구조 문단 내용 정리하기

이 글의 문단별 주요 내용을 정리한 것입니다. 빈칸에 적절한 말을 쓰시오.

- 1 (   )의 개념과 시초
  - 2 랩의 특징 ①: (   ) 요소가 매우 강함.
  - 3 랩의 특징 ②: (   )과 저항 의식
  - 4 랩의 특징 ③: (   )의 음악

2

내용 이해 세부 정보 파악하기

이 글을 통해 알 수 있는 내용으로 적절하지 않은 것은 무엇입니까? (   )

① 랩은 돌발적이고 즉흥적인 가사를 중시한다.
② 랩은 음악적 요소보다 언어적 요소가 강하다.
③ 랩은 사회적 문제에 대한 해결 방안을 제시한다.
④ 랩은 80년대부터 독자적인 음악으로 자리잡았다.
⑤ 랩은 래퍼의 느낌이나 생각을 직설적으로 드러낸다.

3

내용 이해 중요 내용 파악하기

랩의 가사에 대한 설명으로 적절하지 않은 것은 무엇입니까? (   )

① 사회에 대한 저항 의식이 강하다.
② 자신이 보거나 겪은 일을 표현한다.
③ 랩 전문 작사가가 쓰는 경우가 많다.
④ 기성세대에 대한 거부감을 드러낸다.
⑤ 직설적이며 비속어를 사용하기도 한다.

수능형

4

문제 풀이

추론하기 외부 자료를 바탕으로 추론하기

랩 음악과 보기 에 쓰인 작품의 공통점을 파악한 내용으로 적절하지 않은 것은 무엇입니까? (　　　　)

보기

이 내 몸이 살아가고자 하니 무는 것이 많아 못 견디겠네.

피의 껍질 같은 작은 이, 보리알같이 크고 살찐 이, 굶주린 이, 알에서 막 깨어난 이, 작은 벼룩, 굵은 벼룩, 강벼룩, 왜벼룩, 기는 놈 뛰는 놈에 비파 같이 넓적한 빈대 새끼, **사령(使令)** 같은 **등에**, **각다귀**, 사마귀, 하얀 바퀴벌레, 누런 바퀴벌레, 바구미(곤충의 일종), 거저리(곤충의 일종), 부리 뾰족한 모기, 다리가 기다란 모기, 야윈 모기, 살찐 모기, 그리마(지네와 비슷하게 생긴 벌레), 뾰록이(벌레의 일종), 밤낮으로 쉴 새 없이 물기도 하고 쏘기도 하고 빨기도 하고 뜯기도 하고, 심한 **당비루** 여기서 더 견디기 어렵구나.

그중에서 차마 견딜 수 없는 것은 오뉴월 복더위에 쉬파리인가 하노라.

– 조선 후기에 지어진 시조

① 내용이 직설적인 점이 랩과 유사하군.

② 리듬감이 느껴지는 점이 랩과 유사하군.

③ 자신의 경험을 드러낸 점이 랩과 유사하군.

④ 강한 공격성을 표현하는 점이 랩과 유사하군.

⑤ 1인칭의 시점에서 노래하는 점이 랩과 유사하군.

어휘

- **사령** 조선 시대에, 각 관아에서 심부름하던 사람.
- **등에** 등엣과의 곤충. 몸빛은 대체로 누런 갈색이고 온몸에 털이 많음.
- **각다귀** 각다귓과의 곤충을 이르는 말. 모양은 모기와 비슷하나 크기는 더 큼.
- **당비루** 벌레에 의한 피부병.

5

어휘·어법 어휘의 사전적 의미 파악하기

다음 밑줄 친 낱말 중 ㉠ '퍼지기'와 같은 뜻으로 쓰인 것은 무엇입니까? (　　　　)

① 라면이 푹 퍼져서 탱탱 불어 버렸다.

② 강의 하류에는 삼각지가 넓게 퍼져 있다.

③ 지친 아이는 아무렇게나 퍼져 잠이 들었다.

④ 운동을 안 했더니 그만 몸이 펑퍼짐하게 퍼졌다.

⑤ 이 긴급 뉴스는 위성을 통해 전 세계로 퍼져 나갔다.

어휘 · 어법 TIP

- **퍼지다**

「1」 끝 쪽으로 가면서 점점 굵거나 넓적하게 벌어지다.
「2」 몸이나 몸의 어떤 부분이 살이 쪄서 가로 벌어지다.
「3」 끓이거나 삶은 것이 불어서 커지거나 잘 익다.
「4」 지치거나 힘이 없어 몸이 늘어지다.
「5」 어떤 물질이나 현상 따위가 넓은 범위에 미치다.

어휘력 완성

정답 및 풀이 29쪽

1

낱말 이해 | 낱말 관계 | 낱말 적용 | 관용 표현

㉠~㉢의 뜻으로 알맞은 것을 찾아 선으로 이으시오.

(1) 영희의 연설은 청중의 뜨거운 ㉠호응을 불러일으켰다. •

(2) 철수는 친구들의 말에 번번이 ㉡순응을 한다. •

(3) 최근 힘든 일이 많았던 나에게 친구의 ㉢응원은 큰 힘이 되었다. •

• ㉮ 곁에서 하는 일이 잘되도록 격려하거나 도와줌.

• ㉯ 어떤 요구나 호소 같은 것에 응하여 따름.

• ㉰ 어떤 것에 잘 적응하거나 순순히 따름.

2

낱말 이해 | 낱말 관계 | 낱말 적용 | 관용 표현

다음 밑줄 친 부분과 뜻이 반대인 낱말은 무엇입니까? (　　　　)

랩은 1970년대 뉴욕에서 청소년을 대상으로 하는 파티의 진행자가 음악 중간중간 빠른 속도로 즉흥적인 말을 넣으면서 사람들에게 알려졌다.

① 계획적　② 독창적
③ 선풍적　④ 일반적
⑤ 직설적

어휘력+

- **계획적** 미리 정해진 계획에 따르는 것.
- **독창적** 자기 혼자의 힘으로 생각해 내거나 만들어 내는 것.
- **선풍적** 회오리바람처럼 갑자기 발생하여 사회에 큰 영향을 끼치거나 큰 관심을 받는 것.
- **일반적** 어떤 특정한 분야에만 한정되지 않고 전체에 두루 해당되는 것.
- **직설적** 바른대로 말하는 것.

3

낱말 이해 | 낱말 관계 | 낱말 적용 | 관용 표현

다음 빈칸에 들어갈 속담으로 가장 알맞은 것은 무엇입니까? (　　　　)

래퍼는 자신이 보거나 직접 겪은 일에 대한 느낌을 자신의 시각에서 직설적으로 빠르게 쏘아댄다. 이렇게 하고 싶은 말을 참거나 돌려서 말하지 않고 마구 내뱉는 래퍼의 태도는 '(　　　　　　　　)'라는 속담을 떠올리게 한다.

① 백지장도 맞들면 낫다
② 배보다 배꼽이 더 크다
③ 바늘 도둑이 소도둑 된다
④ 낮말은 새가 듣고 밤말은 쥐가 듣는다
⑤ 고기는 씹어야 맛이고 말은 해야 맛이다

예술 03 가야금의 구조

• 지문 해설

• 지문 난이도: 상

• 글자 수: 1036자

900 1300

가야금은 거문고와 함께 오늘날까지 ㉠전승되고 있는 전통 현악기이다. 여러 기록을 종합하면 그 기원이 적어도 신라 시대 이전일 것으로 짐작된다. 가야금에는 정악 가야금과 산조 가야금이 있다. 법도에 맞게 연주하는 음악인 정악(正樂)에 주로 사용하는 정악 가야금은 옛 형태를 거의 그대로 유지하고 있으며, 비교적 몸체가 크고 줄과 줄의 간격이 넓다. 이와 달리 산조 가야금은 빠른 곡조의 음악인 산조(散調)를 연주하기 위해 19세기 말에 ㉡개량된 가야금으로, 정악 가야금보다 몸체 크기가 작고, 줄과 줄의 간격도 좁아 다양한 ㉢기교를 부리기 쉽다. 최근에는 현대적으로 다양하게 개량된 가야금도 사용되고 있다.

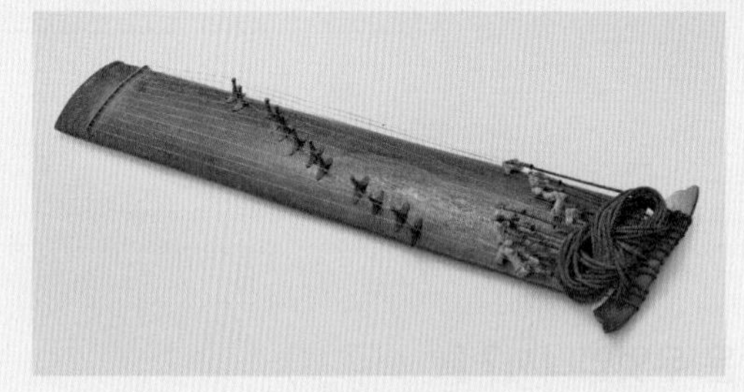

▲ 정악 가야금

▲ 산조 가야금

가야금은 연주할 때 오른손이 놓이는 좌단, 현을 받치는 안족, 12개의 홈을 파서 현을 놓게 만든 현침, 현침 뒤로 현을 매어 두는 돌괘, 12현을 고정하는 부들, 소리를 울리게 하는 울림통 등으로 구성된다. 주재료는 ㉣재질이 부드럽고 가벼운 오동나무를 쓴다. 이 때문에 음색이 부드럽고 우아해, 독주는 물론 다양한 악기와의 ㉤합주에도 어울린다.

가야금은 연주자의 무릎 위에 길게 눕혀 손가락으로 줄을 뜯거나 튕겨서 연주한다. 이때 연주자의 오른손 쪽에 위치하는 가야금의 머리 부분을 '좌단'이나 '용두'라고 한다. 그리고 반대쪽 몸통 끝을 정악 가야금은 '양이두', 산조 가야금은 '봉미'라고 한다.

가야금의 줄, 즉 현은 명주실을 꼬아 만든다. 12개의 줄을 좁고 긴 몸통 위의 양쪽에 묶어 팽팽하게 당기고, 줄마다 기러기발 모양의 나무기둥인 '안족'으로 받친다. 그리고 안족의 위치를 옮겨 음의 높낮이를 조율한다. 연주자와 가까운 쪽은 높은 음을 내는 가는 줄을 사용하고 바깥쪽으로 갈수록 낮은 음을 내는 굵은 줄을 사용한다. 좌단 쪽으로는 '현침'으로 줄을 받쳐 줄과 몸통 사이에 간격을 두고, 가야금의 뒷면에 있는 '돌괘'에 매어 고정한다. 그리고 반대쪽으로는 무명실로 만든 '부들'이라는 굵은 줄에 이어서 고정하는데, 부들의 실 고리에 색실이 감겨진 부분을 '학슬'이라고 한다. 부들은 양이두나 봉미에 뚫린 12개의 구멍에 고정되어 있다.

• **전승**(傳 전할 전, 承 이을 승) 문화, 풍속, 제도 따위를 이어받아 계승함. 또는 그것을 물려주어 잇게 함.

• **현악기** 현을 튕기거나 활로 켜서 소리를 내는 악기. 가야금, 거문고, 바이올린 등.

• **기원**(起 일어날 기, 源 근원 원) 사물이 처음으로 생김.

• **법도**(法 법 법, 度 법도 도) 생활상의 예법과 제도(制度)를 아울러 이르는 말.

• **개량**(改 고칠 개, 良 좋을 량)**된** 품질이나 성능 등의 나쁜 점을 보완하여 더 좋게 고친.

• **기교** 아주 교묘한 기술이나 솜씨.

• **재질**(材 재목 재, 質 바탕 질) 재료가 가지는 성질.

• **독주**(獨 홀로 독, 走 아뢸 주) 혼자서 악기를 연주함.

• **합주** 두 가지 이상의 악기로 동시에 하는 연주.

• **조율** 악기의 음을 일정한 기준음에 맞춤.

정답 및 풀이 29쪽

글의 구조 문단 내용 정리하기

1

이 글의 문단별 주요 내용을 정리한 것입니다. 빈칸에 적절한 말을 쓰시오.

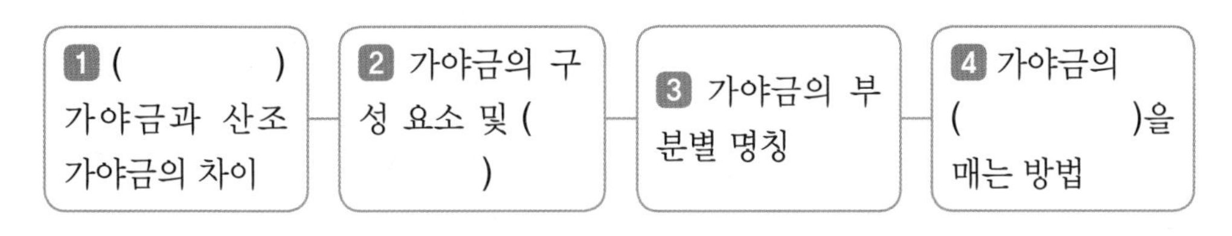

글의 구조 TIP

이 글은 총 네 개의 문단으로 이루어져 있습니다. 1문단에서는 정악 가야금과 산조 가야금의 차이를 설명하였고, 2, 3문단에서는 가야금의 구성 요소와 부분별 명칭을, 4문단에서는 가야금의 현을 매는 방법을 설명하였습니다.

내용 이해 세부 정보 파악하기

2

가야금을 소개하는 누리집을 만들려고 합니다. 이 글에서 자료를 찾을 수 <u>없는</u> 것은 무엇입니까? (　　　)

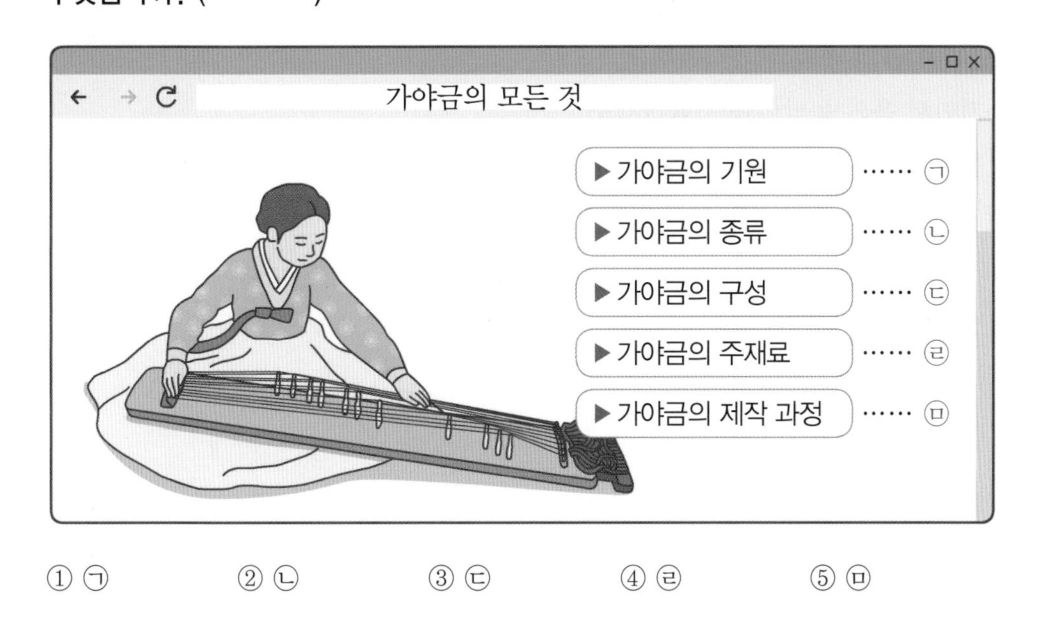

① ㉠　② ㉡　③ ㉢　④ ㉣　⑤ ㉤

추론하기 세부 내용 추론하기

3

이 글을 통해 알 수 있는 내용으로 적절하지 <u>않은</u> 것은 무엇입니까? (　　　)

① 현대적으로 개량된 가야금이 계속 제작되고 있다.
② 거문고도 가야금과 마찬가지로 현을 사용하는 악기이다.
③ 산조 가야금은 정악 가야금보다 빠른 곡조에 효과적이다.
④ 가야금의 음색은 **금속성** 재질의 악기와는 어울리지 않는다.
⑤ 오동나무가 아닌 재료로 가야금을 만들면 음색이 달라진다.

어휘

- **금속성** 쇠붙이가 지니는 성질. 금속성 재질의 악기에는 트럼펫, 호른 등이 있음.

문제 풀이

적용하기 시각 자료에 적용하기

4 이 글을 읽은 학생이 보기 를 보고 이해한 내용으로 적절하지 않은 것은 무엇입니까? (　　　)

보기

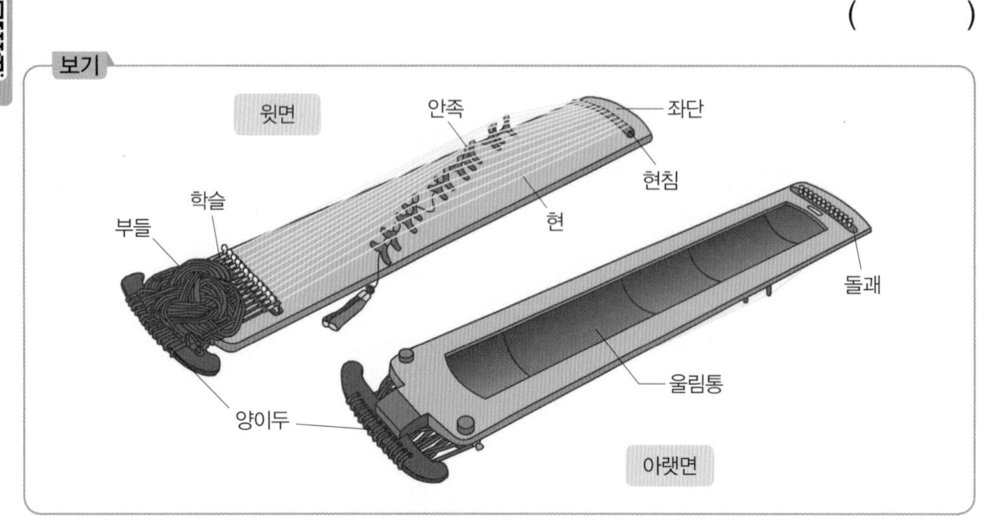

① 학슬은 다른 줄들과 달리 색깔이 두드러지겠군.
② 예전부터 내려오던 가야금의 형태와 유사하겠군.
③ 안족의 위치를 옮기면서 음의 높낮이를 조율하겠군.
④ 비교적 가야금의 몸체가 크고 줄과 줄의 간격이 넓겠군.
⑤ 12현은 굵기가 똑같이 되도록 명주실을 꼬아 만들었겠군.

어휘·어법 어휘의 사전적 의미 파악하기

5 ㉠~㉤의 뜻풀이로 적절하지 않은 것은 무엇입니까? (　　　)

① ㉠ 전승: 재산, 신분, 직업 따위를 대대로 물려줌.
② ㉡ 개량: 나쁜 점을 보완하여 더 좋게 고침.
③ ㉢ 기교: 아주 교묘한 기술이나 솜씨.
④ ㉣ 재질: 재료가 가지는 성질.
⑤ ㉤ 합주: 두 가지 이상의 악기로 동시에 하는 연주.

어휘력 완성

1

낱말 이해 | 낱말 관계 | 낱말 적용 | 관용 표현

㉠과 ㉡의 뜻으로 알맞은 것을 찾아 선으로 이으시오.

(1) 단원들이 연주에 앞서 각자 자기의 악기를 ㉠조율하고 있다. •

(2) 산조 가야금은 빠른 곡조의 음악인 산조를 연주하기 위해 ㉡개량되었다. •

• ㉮ 품질이나 성능 등의 나쁜 점을 보완하여 더 좋게 고침.

• ㉯ 악기의 음을 일정한 기준음에 맞춤.

2

낱말 이해 | 낱말 관계 | 낱말 적용 | 관용 표현

다음 밑줄 친 부분과 바꿔 쓸 수 있는 한자어는 무엇입니까? (　　　)

> 가야금은 거문고와 함께 오늘날까지 전승되고 있는 전통 현악기이다.

① 계승　② 상승　③ 탑승
④ 편승　⑤ 환승

어휘력+

- **계승** 조상의 전통이나 문화유산, 업적 등을 물려받아 이어 나감.
- **상승** 낮은 데서 위로 올라감.
- **탑승** 배나 비행기, 차 따위에 올라감.
- **편승** 남이 타고 가는 차편을 얻어 탐. 또는 남의 세력을 이용하여 자신의 이익을 거둠.
- **환승** 다른 노선이나 교통수단으로 갈아탐.

3

낱말 이해 | 낱말 관계 | 낱말 적용 | 관용 표현

다음 밑줄 친 부분을 나타내기에 가장 알맞은 한자성어는 무엇입니까? (　　　)

> 산조 가야금은 정악 가야금보다 몸체 크기가 작고, 줄과 줄의 간격도 좁아 다양한 기교를 부리기 쉽다. 최근에는 현대적으로 다양하게 개량한 가야금도 사용하고 있다.

① 다다익선(多多益善)　② 동분서주(東奔西走)
③ 법고창신(法古創新)　④ 입신양명(立身揚名)
⑤ 연목구어(緣木求魚)

어휘력+

- **다다익선** 많으면 많을수록 더욱 좋음.
- **동분서주** 동쪽으로 뛰고 서쪽으로 뛴다는 뜻으로, 사방으로 이리저리 몹시 바쁘게 돌아다님.
- **법고창신** 옛것을 본받아 새로운 것을 창조함.
- **입신양명** 출세하여 이름을 세상에 떨침.
- **연목구어** 도저히 불가능한 일을 굳이 하려 함을 비유적으로 이르는 말.

예술 04 낙서와 예술 사이, 그라피티

• 지문 해설

• 지문 난이도: 중

• 글자 수: 1186자

900 1300

1 외국 영화를 보면 건물 벽면이나 지하철 외부 등에 스프레이 페인트로 그린 낙서 그림이 종종 나온다. 우리나라에서도 대학교 근처의 골목 벽이나 건물 벽면 등에서 쉽게 볼 수 있다. 이처럼 스프레이 페인트를 이용하여 벽에 그린 그림이나 글자 등을 '그라피티(Graffiti)'라고 한다.

2 그라피티는 소유주의 허락을 받지 않고 그리는 경우가 대부분이라서 낙서화라고도 불린다. 힙합 문화의 하나인 그라피티는 대도시에 살고 있는 소외 계층으로부터 시작되었다. 이들은 건물 외벽이나 지하철 차량, 보행자용 터널 등에 스프레이 페인트를 사용해 가지각색의 구호나 낙서 같은 그림을 그림으로써 새로운 거리 문화를 창조하였다. 사회적으로 소외된 계층이 그라피티를 그리면서 자신들의 삶의 모습과 저항 의식을 드러낸 것이다. 이렇게 시작된 그라피티는 이제 세계의 대도시 곳곳에서 쉽게 찾아볼 수 있을 정도로 널리 퍼졌다.

3 그렇다면 그라피티를 보는 예술계의 반응은 어떨까? 일부 그라피티는 예술적 가치를 인정받기도 하지만, 대부분은 치기 어린 낙서로 취급받는다. 실제로 많은 국가에서 그라피티를 공공시설이나 사유 재산을 훼손하는 낙서로 취급한다. 하지만, 영국이나 프랑스 같은 국가에서는 사람들에게 즐거움을 주는 '거리의 예술'로 자리 잡았다. 이를 볼 때, 그라피티는 예술과 낙서의 중간쯤에 위치한다고 할 수 있다.

4 그라피티에 대해 우호적인 유럽과 미국에서는 그라피티가 일상화되어 보행자의 시선을 끌기도 하고, 미술관에서 그라피티를 주제로 전시회가 열리기도 한다. 이런 점은 그라피티가 예술성을 인정받고 있음을 증명하는 것으로 볼 수 있다. 키스 해링이나 뱅크시같이 세계적인 예술가로 인정받는 그라피티 작가들도 있다.

5 하지만 그라피티를 예술로 인정하지 않는 사람들도 적지 않다. 이들은 자신을 드러내기 위해서 불법적으로 그린 그라피티는 표현의 자유를 ㉠함부로 쓰는 것일 뿐이라고 본다. 특히 지하철이나 공원 등 다수가 이용하는 공공시설에 그림을 그리거나, 주인의 허락 없이 건물에 그림을 그려 사유 재산을 훼손하는 것은 예술을 핑계로 한 범법 행위일 뿐이라고 생각한다.

6 행위 예술이나 민화처럼 예술로 인정받지 못했던 것이 시대가 달라짐에 따라 예술로 인정받기도 한다. 그라피티도 그런 과정을 밟고 있다고 할 수 있다. 하지만 유적지나 공공 시설물에 무분별하게 그림을 그리거나 낙서를 하여 사람들의 손가락질을 받기도 하는 것도 사실이다.

• **소유주**(所 바 소, 有 있을 유, 主 주인 주) 어떤 물건이 누구의 것이라고 법으로 인정하는 권리가 있는 사람.

• **소외** 주위에서 꺼리며 따돌림.

• **구호**(口 입 구, 號 부르짖을 호) 어떤 요구나 주장 등을 나타내기 위하여 외치는 짤막한 말이나 글.

• **저항** 어떤 힘이나 권위 등에 맞서서 버팀.

• **치기** 어리고 유치한 기분이나 감정.

• **우호적인** 개인끼리 또는 나라끼리 서로 사이가 좋은.

• **일상화** 날마다 늘 있는 일이 됨.

• **범법**(犯 범할 범, 法 법 법) 법을 어김.

• **행위 예술** 표현하고자 하는 관념이나 내용을 신체를 통하여 구체적으로 보여 주는 예술.

• **민화** 지난날, 민간의 전설·민속·서민 생활 등을 소재로 그린 그림.

글의 구조 문단 내용 정리하기

1 이 글의 문단별 주요 내용을 정리한 것입니다. 빈칸에 적절한 말을 쓰시오.

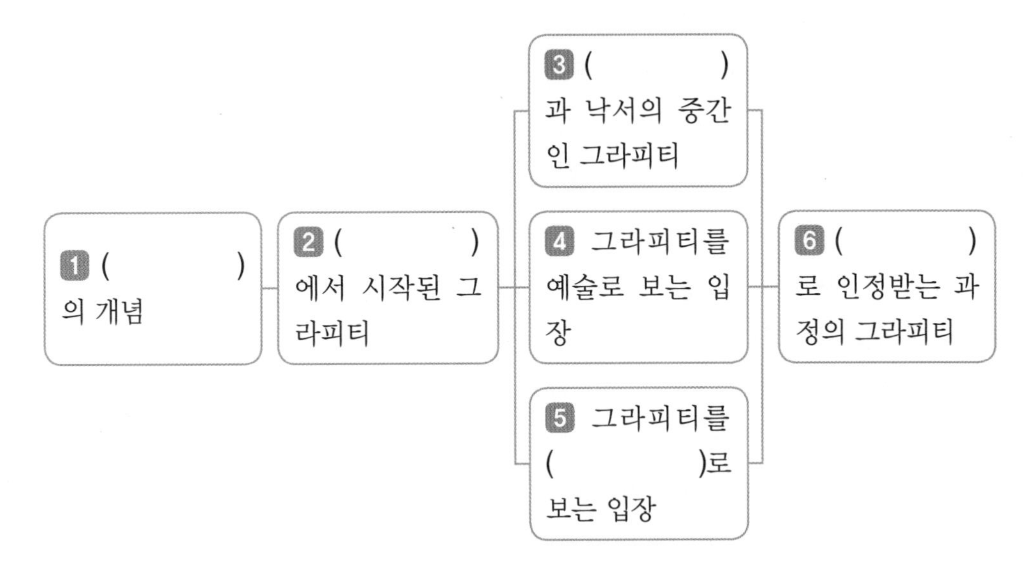

글의 구조 TIP

이 글은 총 여섯 개의 문단으로 이루어져 있습니다. 1문단에서는 그라피티의 개념을, 2문단에서는 그라피티의 발상을 설명하였습니다. 3~5문단에서는 그라피티의 예술성과 이에 상반된 입장을 말하였고, 6문단에서는 현 상황의 과도기적 형태를 설명하였습니다.

내용 이해 세부 정보 파악하기

2 이 글을 통해 알 수 있는 내용으로 적절하지 않은 것은 무엇입니까? (   )

① 그라피티는 아직 예술로 완전히 인정받지는 못하고 있다.
② 그라피티는 세계 대도시에서 어렵지 않게 찾아볼 수 있다.
③ 그라피티는 허락을 받지 않은 채 그림을 그리는 경우가 많다.
④ 그라피티는 유럽과 미국의 예술가들이 실험적으로 시작하였다.
⑤ 그라피티는 공공시설을 훼손하여 사람들의 비난을 받기도 한다.

전개 방식 내용 전개 방식 파악하기

3 4와 5문단에 쓰인 글쓰기 전략으로 적절한 것은 무엇입니까? (   )

① 묻고 답하는 방식을 활용하여 내용을 전개하고 있다.
② 현상의 문제점을 지적한 후 해결책을 제시하고 있다.
③ 대상에 대해 **상반되는** 두 입장을 각각 설명하고 있다.
④ 구체적인 예를 들어가며 어려운 개념을 설명하고 있다.
⑤ 대상을 둘로 나누어 공통점과 차이점을 분석하고 있다.

어휘

- **상반되는** 서로 반대되거나 어긋나는.

수능형

4

추론하기 외부 자료를 바탕으로 추론하기

이 글을 참고할 때, 보기 에 대한 반응으로 가장 적절한 것은 무엇입니까? (　　　　)

보기

반달리즘은 문화유산이나 예술품, 공공시설 등을 파괴하거나 훼손하는 행위를 가리키는 말이다. 이 용어는 5세기 유럽의 민족 대이동 때 북아프리카 반달족이 로마를 점령하여 **광포한 약탈**과 파괴 행위를 하였다는 데서 유래한다. 본래는 문화나 예술을 파괴하는 경향을 가리켰지만, 최근에는 약탈이나 **방화**, 낙서나 무분별한 개발 등으로 공공시설이나 자연경관 등을 훼손하는 행위도 포함하는 의미로 사용된다.

① 반달리즘과 달리 그라피티는 사회적으로 긍정적인 평가를 받는군.
② 공공시설이나 유적지에 그라피티를 하면 반달리즘이 될 수 있겠군.
③ 그라피티와 반달리즘은 새로운 문화를 만드는 점에서 공통점이 있군.
④ 반달리즘과 달리 그라피티는 합법적으로 이루어지는 행위로 볼 수 있군.
⑤ 그라피티가 정식 예술로 인정받으려면 반달리즘의 정신을 반영해야겠군.

어휘

- **광포한** 미치광이처럼 행동이 사납고 난폭한.
- **약탈** 폭력을 써서 강제로 남의 것을 빼앗음.
- **방화** 일부러 불을 지름.

5

어휘·어법 어휘의 문맥적 의미 파악하기

㉠ '함부로 쓰는'과 바꿔 쓰기에 적절한 낱말은 무엇입니까? (　　　　)

① 남용하는
② 자신하는
③ 억압하는
④ 쟁취하는
⑤ 확산하는

어휘·어법 TIP

- **남용하다** 일정한 기준이나 한도를 넘어서 함부로 쓰다.
- **자신하다** 어떤 일을 해낼 수 있다거나 어떤 일이 꼭 그렇게 되리라는 데 대하여 스스로 굳게 믿다.
- **억압하다** 자기의 뜻대로 자유로이 행동하지 못하도록 억지로 억누르다.
- **쟁취하다** 힘들게 싸워서 바라던 바를 얻다.
- **확산하다** 흩어져 널리 퍼지다.

어휘력 완성

정답 및 풀이 30쪽

1

낱말 이해 | 낱말 관계 | 낱말 적용 | 관용 표현

다음을 참고하여 ㉠~㉢의 뜻으로 알맞은 것을 찾아 선으로 이으시오.

> 청소년들의 ㉠치기 어린 행동은 사람들의 ㉡시선을 끌기도 하지만 때로는 사람들의 ㉢지탄을 받기도 한다.

(1) 치기 •　　　　• ㉮ 잘못을 지적하여 비난함.

(2) 시선 •　　　　• ㉯ 어리고 유치한 기분이나 감정.

(3) 지탄 •　　　　• ㉰ 주의 또는 관심을 비유적으로 이르는 말.

2

낱말 이해 | 낱말 관계 | 낱말 적용 | 관용 표현

다음 중 ㉠-㉡과 같은 낱말 관계로 짝 지은 것은 무엇입니까? (　　　　)

> ㉠행위 예술이나 민화처럼 ㉡예술로 인정받지 못했던 것이 시대가 달라짐에 따라 예술로 인정받기도 한다. 그라피티도 그런 과정을 밟고 있다고 할 수 있다.

① 배구 – 농구　② 스승 – 제자　③ 어머니 – 아버지
④ 메아리 – 산울림　⑤ 추리 소설 – 소설

3

낱말 이해 | 낱말 관계 | 낱말 적용 | 관용 표현

다음 밑줄 친 낱말 중 ㉠과 같은 뜻으로 쓰인 것은 무엇입니까? (　　　　)

> 미술관에서 그라피티를 주제로 전시회를 ㉠열기도 했다. 이런 점은 그라피티가 예술성을 인정받고 있음을 증명하는 것으로 볼 수 있다.

① 용의자는 마침내 형사에게 입을 열었다.
② 환기를 위해서 교실 창문을 활짝 열었다.
③ 왕건은 고구려를 계승한 새 왕조를 열었다.
④ 아이는 꽉꽉 닫혀 있는 문을 콩콩 두드려 열었다.
⑤ 학교에서 불우 이웃을 돕기 위한 바자회를 열었다.

어휘력 +

• **열다**
「1」 닫히거나 잠긴 것을 트거나 벗기다.
「2」 모임이나 회의 따위를 시작하다.
「3」 새로운 기틀을 마련하다.
「4」 다른 사람에게 어떤 일에 대하여 터놓거나 이야기를 시작하다.

예술 05 우리 전통 건축의 특징

• 지문 해설

• 지문 난이도: 상

• 글자 수: 1183자 (900 ~ 1300)

우리나라의 전통 건축물은 자연을 닮았다. 이는 자연과 조화를 이루는 삶을 추구했던 우리 조상들의 바람이 건축물에 반영된 결과이다. 인공적인 건축물이 자연과 조화를 이루려면 배경이 되는 자연을 닮는 것이 가장 좋은 방법이다. 이 때문에 초가집이나 기와집의 지붕 선은 야트막한 야산이나 멀리 떨어져 있는 산의 모습을 닮은 곡선을 지닌다. 자연스러운 곡선을 이루는 지붕 선으로 인해, 배경이 되는 산의 모습이 일부 잘려 나가거나 중첩되어도 어색하지 않다.

건축물에서 인공적인 흔적을 가능한 한 없애려 한 것도 자연과 조화를 이루려는 생각에서 나왔다. 분명히 사람이 만들었는데도 사람이 만든 것처럼 보이지 않도록 하려고 인공적인 요소를 최소화한 것이다. 이는 건축물을 짓는 장소에서 나오는 재료를 사용하고, 그 재료 또한 자연에서 채취한 그대로 쓰거나 ㉠ 가공을 최소한으로 하는 방식으로 이루어진다. 그 때문에 주춧돌, 기둥, 보, 서까래, 댓돌 등 건축 재료는 마치 가공을 하지 않은 것처럼 보인다. 돌을 이용하여 담이나 기단을 쌓을 때에도 자연 상태 그대로 사용하는 경우가 많았다.

▲ 개심사 심검당. 나무를 가공하지 않은 채 그대로 사용함. (출처: 문화재청)

주춧돌은 왕이 지내는 궁궐을 제외하면 거의 대부분의 건축물에서 채취한 그대로 쓰거나 일부만 다듬어서 사용했다. 이 때문에 땅 위에서 기둥을 받치고 있는 주춧돌은 마치 땅속에 있는 바위의 일부처럼 보인다. 사람이 의도적으로 그곳에 놓은 것으로 보이지 않고 원래부터 그 땅 그 자리에 있던 자연의 일부처럼 보이는 것이다. 주춧돌 위의 기둥과 보는 건축물의 안정성을 위해 어느 정도는 다듬을 수밖에 없지만 가능한 한 자연스러운 형태를 살리려 했다.

이런 점은 전통 건축물의 담이나 기단에서도 나타난다. 한국 전통 건축에서 돌을 이용하여 담과 기단을 쌓을 때는 가공을 억제하면서 자연 상태 그대로 사용하는 경우가 많았다. 돌을 섬세하게 가공하여 다보탑을 만들었던 우리 선조가 솜씨가 없어 그랬을 리는 없다. 자연 상태 그대로 쌓는 것이 더 아름다우니 굳이 손댈 이유가 없다고 생각했기 때문이다. 만약 어쩔 수 없이 가공을 해야 할 때는 불규칙적으로 쌓아 인공적인 요소를 줄였다.

우리나라 전통 건축물은 이처럼 인공적인 요소를 최소화하더라도 결코 불안하거나 무질서하게 보이지 않는다. 오히려 도구를 사용하여 자르고 재서 정교하게 쌓은 건축물에서는 찾아볼 수 없는 조화로운 구성미를 느낄 수 있다. 이런 자연스러운 조화가 바로 전통 건축의 미학이다.

• **인공적인** 사람의 힘으로 된.

• **야산** 들 근처에 있는 나지막한 산.

• **중첩되어도** 거듭 겹쳐지거나 포개어져도.

• **채취한** 풀·나무 등을 찾아서, 캐거나 뜯거나 따서 거두어들인.

• **가공** 원료나 재료에 손을 더 대어 새로운 물건을 만듦.

• **주춧돌** 기둥 밑에 괴어 놓은 돌.

• **보** 칸과 칸 사이의 두 기둥을 건너질러 도리와 'ㄴ' 자 모양을 이루는 나무.

• **서까래** 마룻대에서 도리 또는 보에 걸쳐 지른 나무.

• **기단** 건축물의 터를 반듯하게 다듬은 다음에 터보다 한 층 높게 쌓은 단.

• **미학** 자연이나 인생 및 예술 따위에 담긴 미의 본질과 구조를 해명하는 학문.

정답 및 풀이 30쪽

글의 구조 문단 내용 정리하기

1 이 글의 문단별 주요 내용을 정리한 것입니다. 빈칸에 적절한 말을 쓰시오.

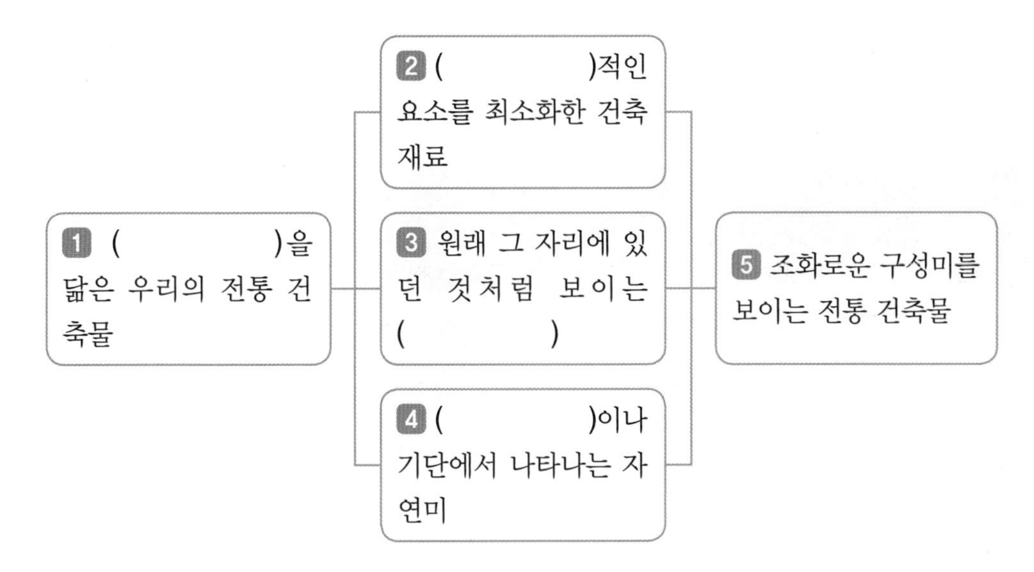

글의 구조 TIP

이 글은 총 다섯 개의 문단으로 이루어져 있습니다. 1문단에서는 자연을 닮은 우리 전통 건축물을 설명했고, 2~4문단에서는 건축 재료와 주춧돌, 담이나 기단 등에서 보이는 자연과의 조화로운 모습을 설명하였습니다. 5문단에서는 우리 전통 건축의 조화로운 구성미를 말하였습니다.

내용 이해 중심 내용 파악하기

2 이 글의 제목 및 부제목을 새로 정할 때 가장 적절한 것은 무엇입니까? (   )

① 한국 전통 건축의 돌쌓기
 – 가공 없이 본모습 그대로 쌓아

② 자연을 닮은 한국 전통 건축
 – 인공미를 최소화하여 조화를 추구해

③ 한국 건축과 서양 건축의 비교
 – 건축 재료에서 드러나는 차이점

④ 조화를 추구한 전통 건축의 미학
 – 섬세한 가공을 통해 구성미를 완성해

⑤ 전통 건축물의 담과 기단의 아름다움
 – 인공적인 건축물에 담긴 자연스러움

내용 이해 세부 정보 파악하기

3 이 글의 내용과 일치하지 않는 것은 무엇입니까? (   )

① 초가집이나 기와집의 지붕 선은 배경이 되는 산의 모습을 해치지 않는다.
② 우리 선조들은 인공적인 건축물에서 인공적인 흔적을 없애려고 노력하였다.
③ 주춧돌은 건물의 기둥을 받쳐야 하므로 어쩔 수 없이 자르고 재서 다듬었다.
④ 건축물의 기둥과 보는 건축물의 안전성을 위해 어느 정도 다듬어 사용하였다.
⑤ 우리 선조는 돌을 다듬는 솜씨가 뛰어나지만 가능한 한 가공 없이 사용하였다.

수능형

4

적용하기 시각 자료에 적용하기

이 글을 참고할 때, 보기 의 '경주 양동마을의 기단'에 대한 감상으로 적절하지 않은 것은 무엇입니까? (　　　　)

보기

다음은 세계 문화 유산으로 등재된 '경주 양동마을'의 기단이다.

(출처: 문화재청)

① 자연과 조화를 이루려는 우리 조상들의 생각이 반영되었겠군.

② 건물을 짓는 장소에서 나오는 돌을 이용하여 기단을 쌓았겠군.

③ 큰 돌은 큰 돌대로 작은 돌은 작은 돌대로 각각에 맞게 쌓았군.

④ 돌을 거의 가공하지 않은 채로 기단을 쌓아 자연미가 느껴지는군.

⑤ 정교하게 쌓았지만 전체적으로 무질서하다는 느낌이 강하게 드는군.

5

어휘·어법 어휘의 사전적 의미 파악하기

다음 밑줄 친 낱말이 ㉠'가공'과 같은 뜻으로 쓰이지 않은 것은 무엇입니까? (　　　　)

① 그 이야기는 실제가 아니고 가공한 것이다.

② 바다에서 양식한 진주는 보석으로 가공된다.

③ 그 회사는 수입 농산물을 가공하여 재수출한다.

④ 목재를 가공할 때는 여러 가지 공구가 필요하다.

⑤ 가공식품을 살 때는 제조 날짜를 확인해야 한다.

어휘 · 어법 TIP

- **가공**(架 더할 가, 空 장인 공) 「1」 원료나 재료에 손을 더 대어 새로운 물건을 만듦.
- **가공**(架 시렁 가, 空 빌 공) 「1」 이유나 근거가 없이 꾸며 냄. 또는 사실이 아니고 거짓이나 상상으로 꾸며냄.

낱말 이해 | 낱말 관계 | 낱말 적용 | 관용 표현

1 ㉠과 ㉡의 뜻으로 알맞은 것을 찾아 선으로 이으시오.

(1) 이 근처 바닷가에서는 허락을 받지 않은 조개 ㉠채취를 금지하고 있다. •

(2) 음악 선생님은 방학 때마다 전국을 돌아다니며 우리 민요를 ㉡채록한다. •

• ㉮ 필요한 자료를 찾아 모아서 적거나 녹음함. 또는 그런 기록이나 녹음.

• ㉯ 풀·나무 등을 찾아서, 캐거나 뜯거나 따서 거두어들임.

낱말 이해 | 낱말 관계 | 낱말 적용 | 관용 표현

2 다음 ㉠~㉣에 들어갈 낱말을 보기 에서 각각 찾아 쓰시오.

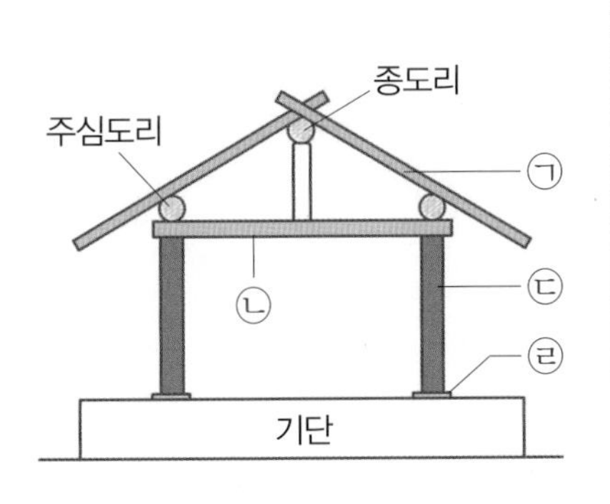

보기
- 주춧돌: 기둥 밑에 기초로 받쳐 놓은 돌.
- 기둥: 주춧돌 위에 세워 보·도리 따위를 받치는 나무.
- 보: 두 기둥을 건너질러 도리와 'ㄴ' 자 모양을 이루는 나무.
- 서까래: 종도리에서 주심도리 또는 보에 걸쳐 지른 나무. 지붕의 구조가 됨.

(1) ㉠: (　　　　　　)　(2) ㉡: (　　　　　　)

(3) ㉢: (　　　　　　)　(4) ㉣: (　　　　　　)

낱말 이해 | 낱말 관계 | 낱말 적용 | 관용 표현

3 다음 밑줄 친 부분과 뜻이 반대인 낱말은 무엇입니까? (　　　)

우리나라 전통 건축물은 인공적인 요소를 최소화하더라도 결코 불안하거나 무질서하게 보이지 않는다. 오히려 도구를 사용하여 <u>정교하게</u> 쌓은 건축물에서는 찾아볼 수 없는 조화로운 구성미를 느낄 수 있다.

① 견고하게　② 세밀하게　③ 정밀하게

④ 조악하게　⑤ 절실하게

어휘력 +
- **견고하다** 굳고 단단하다.
- **세밀하다** 자세하고 꼼꼼하다.
- **정밀하다** 아주 정교하고 치밀하여 빈틈이 없고 자세하다.
- **조악하다** 거칠고 나쁘다.
- **절실하다** 아주 절박하거나 몹시 필요하다.

미래의 식량 자원, 식용 곤충

곤충이 미래의 대체 식량 자원으로 떠오르고 있습니다. 이 글은 곤충의 영양 성분과 친환경적 요소 등에서 곤충이 미래 식량 자원으로서 가치가 있음을 설명하고, 곤충에 대한 거부감을 없앨 방안을 마련해야 함을 말하고 있습니다.

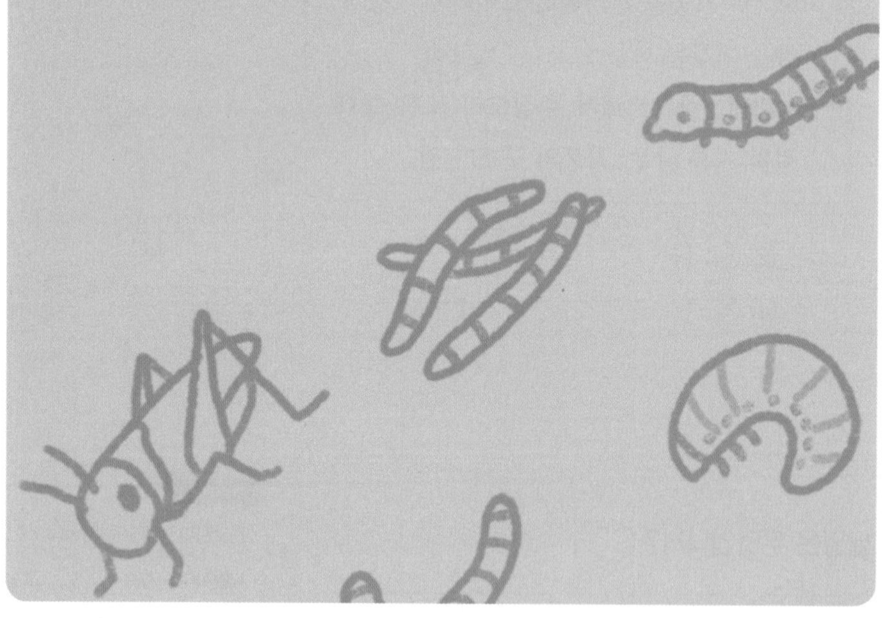

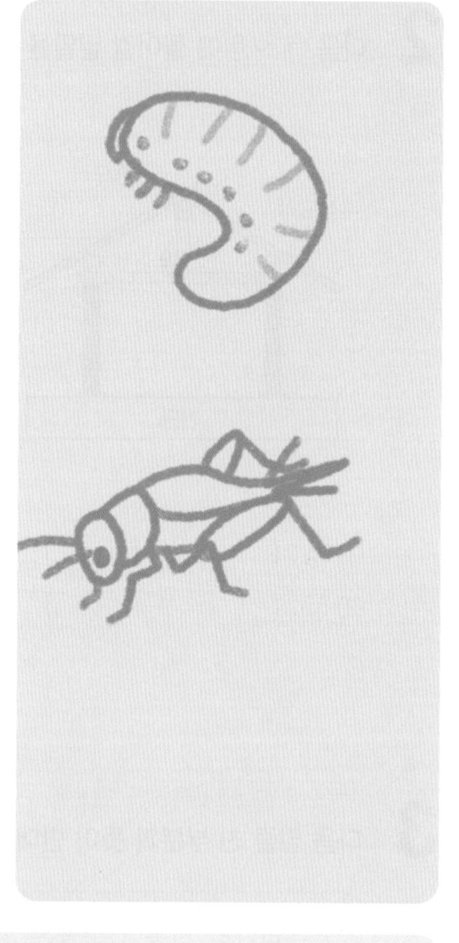

융합

'융합' 영역의 글은 인문·과학의 융합, 예술·기술의 융합과 같이 두 가지 영역이 혼합된 내용을 바탕으로 창의적으로 사고할 수 있는 방법을 알려 줍니다.

혈액형으로 성격을 안다?

A형, B형, O형, AB형 같은 혈액형이 어떻게 정해지는지 알기 쉽게 소개하고, 혈액형으로 성격을 판단하는 것은 과학적 근거가 없음을 설명하는 글입니다. 우리가 평소에 혈액형별 성격이 자신의 성격과 잘 맞는다고 생각하는 원인은 '바넘 효과' 때문인데, 이는 사람이면 누구나 가지고 있는 성격을 마치 자기만 그런 것처럼 생각하는 심리임을 알려 줍니다.

융합 01 미래의 식량 자원, 식용 곤충

• 지문 해설

• 지문 난이도: 하

• 글자 수: 1206자

900 1300

가 곤충이 미래의 대체 식량으로 ㉠ 떠오르고 있다. 세계 인구는 2050년에 96억 명으로 증가할 전망이다. 따라서 식량 생산량을 지속적으로 늘려야 하지만 여기에 필요한 땅과 물 등이 크게 부족하다. 이런 상황을 해결하기에 적절한 대안이 식용 곤충이다. 유엔 산하 식량농업기구도 인류의 식량 부족 문제를 해결하면서 환경 파괴를 최소화할 수 있는 대체 식량으로 곤충에 관심을 가져야 한다고 밝혔다.

나 사실 인류는 오래 전부터 곤충을 먹어 왔다. 1세기 로마의 학자 플리니는 "로마 귀족은 밀가루와 포도주로 기른 딱정벌레 애벌레를 즐겨 먹었다."라고 적었다. 중국에서 곤충을 먹은 역사는 3000년이 넘으며, 지금도 개미 알, 말벌 유충, 여치 등 180여 종의 곤충을 먹는다. 우리나라도 벼메뚜기나 누에 번데기를 간식으로 먹기도 한다.

다 곤충이 오랫동안 인류의 먹을거리가 된 이유는 영양소가 많아서이다. 곤충은 식물을 단백질로 변환하는 효율이 높아 가축의 고기보다 단백질 함량이 높고, 식이섬유와 지방, 각종 미네랄이 풍부하다. 게다가 맛도 비교적 좋은 편이다.

라 풍부한 영양소 외에도 곤충은 여러 측면에서 미래 식량 자원이 될 요소를 갖추고 있다. 우선 환경에 미치는 영향이 가축이나 곡물보다 훨씬 적다. 곤충은 물을 거의 소비하지 않는다. 쇠고기 1kg을 생산하는 데 2만 리터의 물이 필요하지만, 같은 양의 곤충을 키우기 위해서는 약 1000분의 1 정도면 된다. 온실가스도 가축의 100분의 1밖에 배출하지 않는다. 게다가 좁은 공간에서 빨리 기를 수 있고, 필요한 사료도 소가 먹는 양의 12분의 1 정도면 된다.

마 현재 우리나라에서는 벼메뚜기, 백강잠, 갈색거저리 애벌레, 쌍별귀뚜라미, 누에 번데기, 흰점박이꽃무지 애벌레, 장수풍뎅이 애벌레 등 7종을 식용 곤충으로 지정하고 있다. 곤충은 우리나라에서만 먹는 것이 아니다. 많은 나라에서 곤충을 식용으로 하고 있다. 이를테면 벨기에 같은 나라는 집 귀뚜라미, 풀무치, 갈색거저리, 벌집 나방 등 10종의 곤충을 식품 원료로 인정하고 있다.

바 그러나 곤충에 대한 혐오감으로 인한 거부감이 강한 것도 사실이다. 따라서 식용 곤충의 활성화를 위해서는 이를 없앨 방안을 마련해야 한다. 곤충 모양이 남지 않도록 가루나 액체로 만들어 이용하는 방법이 대표적이다. 하지만 무엇보다도 식용 곤충과 그것을 이용해 만든 음식을 자주 접할 수 있는 기회를 만들어야 한다. 이를 위해서는 정부나 사회단체의 적극적인 노력과 지원이 이루어져야 한다.

• **대체**(代 대신할 대, 替 바꿀 체) 다른 것으로 대신함.

• **전망**(展 펼 전, 望 바랄 망) 앞날을 헤아려 내다봄. 또는 내다보이는 장래의 상황.

• **대안** 어떤 일에 대처할 방안.

• **식용**(食 밥 식, 用 쓸 용) 먹을 것으로 씀. 또는 그런 물건.

• **유충** 알에서 나온 후 아직 다 자라지 아니한 벌레.

• **변환하는** 달라져서 바뀌는.

• **효율** 들인 노력에 대하여 얻은 결과의 비율이 높은 특성.

• **미네랄** 생체의 생리 기능에 필요한 광물성 영양소. 칼륨, 나트륨, 칼슘, 인, 철 등.

• **온실가스** 온실 효과를 일으키는 가스를 통틀어 이르는 말. 이산화 탄소, 메탄 따위의 가스.

• **배출** 불필요한 물질을 밀어서 밖으로 내보냄.

• **혐오감** 병적으로 싫어하고 미워하는 감정.

• **활성화** 사회나 조직 등의 기능이 활발함. 또는 그러한 기능을 활발하게 함.

정답 및 풀이 31쪽

글의 구조 문단 내용 정리하기

1 이 글의 문단별 주요 내용을 정리한 것입니다. 빈칸에 적절한 말을 쓰시오.

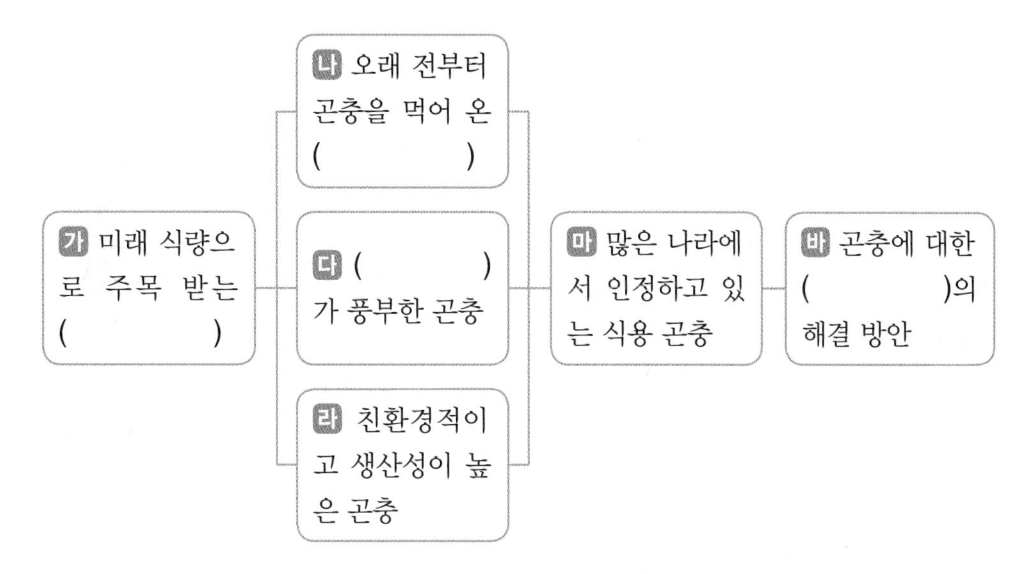

글의 구조 TIP

이 글은 총 여섯 개의 문단으로 이루어져 있습니다. 가문단에서는 미래 대체 식량으로 곤충을 소개하였고, 나문단에서는 곤충을 먹은 역사를, 다, 라문단에서는 식용 곤충의 장점을 소개하였습니다. 마문단에서는 세계에서 인정한 식용 곤충을 소개하였고, 바문단에서는 식용 곤충 활성화를 위한 방안을 말하였습니다.

내용 이해 세부 정보 파악하기

2 이 글의 내용과 일치하지 않는 것은 무엇입니까? ( )

① 인류는 오래 전부터 영양소가 풍부한 곤충을 식용으로 이용해 왔다.
② 곤충은 사료는 적게 들지만 사육 공간이 넓어야 하는 문제점이 있다.
③ 현재 우리나라의 식용 곤충에는 우리가 옛날부터 먹어 온 곤충도 있다.
④ 곤충은 성장 과정에서 가축에 비해 물을 거의 소비하지 않아 친환경적이다.
⑤ 유엔 산하 식량농업기구는 곤충을 식량 부족을 해결할 대안으로 제시하였다.

전개 방식 내용 전개 방식 파악하기

3 가~마문단의 서술 방식으로 적절하지 않은 것은 무엇입니까? ( )

① 가: 예상되는 문제를 언급하며 곤충을 해결 방안으로 제시하고 있다.
② 나: 기록을 **인용**하여 곤충을 먹은 역사가 길다는 것을 제시하고 있다.
③ 다: 곤충의 영양소를 분석하여 식량 자원으로서의 가치를 제시하고 있다.
④ 라: 곤충과 가축을 비교하면서 곤충이 지닌 장점들을 강조하고 있다.
⑤ 마: **비유적 표현**으로 많은 나라에서 곤충을 먹고 있음을 강조하고 있다

어휘

- **인용** 남의 말이나 글을 자신의 말이나 글 속에 끌어 씀.
- **비유적 표현** 어떤 대상을 다른 사물에 빗대어 표현하는 방법. 예 쟁반같이 둥근 달

수능형 4

적용하기 구체적인 상황에 적용하기

바 문단을 참고할 때, 보기 에 대한 이해로 가장 적절한 것은 무엇입니까? (　　　)

문제 풀이

보기

정부는 식용 곤충인 갈색거저리 애벌레의 새로운 이름을 공개적으로 모집해 '고소애'로 부르기로 했다. 흰점박이꽃무지 애벌레는 '꽃벵이', 쌍별귀뚜라미는 '쌍별이', 장수풍뎅이 애벌레는 '장수애'라는 새 이름을 갖게 되었다. 하지만 새 이름은 애칭으로만 사용하고, 공식 명칭은 원래대로 쓴다. 한편 벼메뚜기, 누에 번데기, 백강잠(말린 누에고치)은 예로부터 식용으로 사용된 터라 이름을 바꾸지 않았다.

– 〈○○신문〉 기사 중에서

① 더 많은 곤충이 식용으로 지정되도록 하려고 애칭을 만들었군.
② 식용 곤충에 대한 사람들의 거부감을 줄이려고 애칭을 만들었군.
③ 각 식용 곤충이 지닌 영양 성분을 널리 알리려고 애칭을 만들었군.
④ 정부나 사회단체의 적극적인 지원을 이끌어 내려고 애칭을 만들었군.
⑤ 많은 나라에서 곤충을 식용으로 한다는 것을 알리려고 애칭을 만들었군.

5

어휘·어법 어휘의 사전적 의미 파악하기

다음 밑줄 친 낱말 중 ㉠ '떠오르고'와 같은 뜻으로 쓰인 것은 무엇입니까? (　　　)

① 동생을 보는 그의 얼굴에는 미소가 떠올랐다.
② 곤란한 상황에서 좋은 생각이 머리에 떠올랐다.
③ 밤이 지나면 붉은 해가 동쪽 바다에서 떠오른다.
④ 아무리 생각해도 그 사람의 이름이 떠오르지 않는다.
⑤ 인도가 중국에 이어 거대한 시장으로 떠오르고 있다.

어휘 · 어법 TIP

• 떠오르다
「1」 솟아서 위로 오르다.
「2」 기억이 되살아나거나 잘 구상되지 않던 생각이 나다.
「3」 얼굴에 어떠한 표정이 나타나다.
「4」 관심의 대상이 되어 나타나다.

어휘력 완성

정답 및 풀이 31쪽

1 낱말 이해 | 낱말 관계 | 낱말 적용 | 관용 표현

㉠~㉢의 뜻으로 알맞은 것을 찾아 선으로 이으시오.

(1) 그는 매우 착해 보이는 인상이어서 누구에게나 ㉠친근감을 준다. •

(2) 빈부 격차가 커지면서 계층 간의 ㉡이질감이 점차 심화되고 있다. •

(3) 공공장소에서 남에게 ㉢혐오감을 주는 행위는 하지 말아야 한다. •

• ㉮ 병적으로 싫어하고 미워하는 감정.

• ㉯ 성질이 서로 달라 낯설거나 잘 맞지 않는 느낌.

• ㉰ 사귀어 지내는 사이가 아주 가까운 느낌.

2 낱말 이해 | 낱말 관계 | 낱말 적용 | 관용 표현

보기 속 두 낱말의 관계와 다르게 짝 지은 것은 무엇입니까? (　　　)

> **보기**
>
> 유충 – 애벌레

① 꽃 – 장미　② 땅 – 토지　③ 궁핍 – 빈곤
④ 이름 – 성함　⑤ 책방 – 서점

3 낱말 이해 | 낱말 관계 | 낱말 적용 | 관용 표현

다음 내용을 나타내기에 가장 알맞은 한자성어는 무엇입니까? (　　　)

> 풍부한 영양소 외에도 곤충은 여러 측면에서 미래 식량 자원이 될 요소를 갖추고 있다. 우선 환경에 미치는 영향이 가축이나 곡물보다 훨씬 적다. 곤충은 물을 거의 소비하지 않는다. 게다가 좁은 공간에서 빨리 기를 수 있고, 필요한 사료도 소가 먹는 양의 12분의 1 정도면 된다. 온실가스도 가축의 100분의 1밖에 배출하지 않는다.

① 금상첨화(錦上添花)　② 용두사미(龍頭蛇尾)
③ 전화위복(轉禍爲福)　④ 허장성세(虛張聲勢)
⑤ 횡설수설(橫說竪說)

어휘력 +

- **금상첨화** 좋은 일 위에 또 좋은 일이 더하여짐.
- **용두사미** 용의 머리와 뱀의 꼬리라는 뜻으로, 처음은 왕성하나 끝이 부진한 현상.
- **전화위복** 재앙과 근심, 걱정이 바뀌어 오히려 복이 됨.
- **허장성세** 실속은 없으면서 큰소리치거나 허세를 부림.
- **횡설수설** 조리가 없이 말을 이러쿵저러쿵 지껄임.

융합 02 혈액형으로 성격을 안다?

• 지문 해설

• 지문 난이도: 상

• 글자 수: 1206자

900 1300

혈액형은 어떻게 정할까? 핏줄 속에서 산소를 운반하는 적혈구에는 당분 물질이 사슬처럼 붙어 있는데 이것이 어떻게 생겼느냐에 따라 혈액형이 결정된다. A사슬을 가진 사람은 A형, B사슬을 가진 사람은 B형, A와 B사슬을 모두 가진 사람은 AB형, 아무것도 없는 사람은 O형이다. O형을 제외한 다른 혈액형끼리는 응고되기 때문에 수혈을 할 수 없다. O형은 다른 혈액과 섞여도 응고되지 않기에 다른 혈액형을 지닌 사람에게 수혈할 수 있지만, 다른 혈액형을 수혈 받을 수는 없다. 따라서 혹시라도 일어날 수 있는 위험에 대비하기 위해서 자신의 혈액형을 알고 있는 것이 좋다.

그런데 우리나라에서는 혈액형을 다른 용도로 사용하기도 한다. 사람의 성격을 파악하는 데 혈액형을 사용하는 것이다. 예를 들어, A형은 꼼꼼하고, B형은 자유분방하며, AB형은 주관이 뚜렷하고, O형은 리더십이 강하다고 판단하는 것이다.

하지만 이런 혈액형별 성격은 과학적 근거가 전혀 없다. 그런데도 왜 혈액형별 성격이 자신의 성격과 잘 맞는 것 같다고 ㉠ 간주하는 사람이 많을까? 이는 사람들이 사람이면 누구나 가지고 있는 성격을 마치 자기만 그런 것처럼 생각하는 심리 때문이다. 이를 '바넘 효과'라고 한다. 예를 들면 다음과 같다. 누군가 "당신은 엄격한 구속과 제약을 잘 견디지 못하는군요."라고 말하면, 자신의 성격을 정확하게 맞힌 것으로 착각한다. 대부분의 사람들은 자신에게 가해지는 엄격한 구속이나 제약을 싫어하기 때문이다. 혈액형별 성격 판단도 대개는 이와 같다. 심지어 'A형 같은 B형'이라는 말로 네 가지밖에 안 되는 혈액형을 모호하게 섞어 버리기까지 한다.

사실 혈액형으로 성격을 판단하는 나라는 우리나라와 일본뿐이다. 이는 두 나라에서 유독 A형, B형, O형, AB형이 골고루 분포하고 있기 때문이다. 한국인은 A형이 34%, B형이 28%, O형이 27%, AB형이 11%이다. 일본인은 A형이 38%, B형이 29%, O형이 22%, AB형이 11%이다. 선천적으로 나타나기 어려운 AB형을 제외하면 비교적 고른 편이다. 이와 달리 다른 나라는 특정 혈액형의 비중이 높은 경우가 많다. 영국인은 O형이 47%, 프랑스인은 A형이 47%이며, 이탈리아인과 미국인도 O형의 비중이 45%를 넘는다. 대부분이 O형이나 A형인 이런 나라에서는 혈액형을 구분하는 것이 큰 의미가 없기에 혈액형별 성격이 파고들 틈이 없는 것이다.

- **적혈구** 혈구의 한 가지. 산소를 운반하는 헤모글로빈이 들어 있고, 이것 때문에 붉게 보임.
- **당분** 단맛이 있는 성분.
- **응고되기** 엉겨서 굳어지기.
- **수혈** 피가 모자라는 환자의 혈관에 건강한 사람의 피를 넣음.
- **자유분방** 무엇에도 얽매이지 않고 마음대로임.
- **주관**(主 주인 주, 觀 볼 관) 자기 나름의 생각이나 관점.
- **간주**(看 볼 간, 做 지을 주)**하는** 그렇게 여기는.
- **구속** 자기 마음대로 못 하게 얽어맴.
- **제약** 어떤 조건을 붙여 내용을 제한함.
- **모호하게** 말이나 태도가 분명하지 않게.
- **분포** 여기저기 흩어져 널리 퍼져 있음.
- **선천적** 태어날 때부터 가지고 있는 것.

정답 및 풀이 32쪽

1

글의 구조 문단 내용 정리하기

이 글의 문단별 주요 내용을 정리한 것입니다. 빈칸에 적절한 말을 쓰시오.

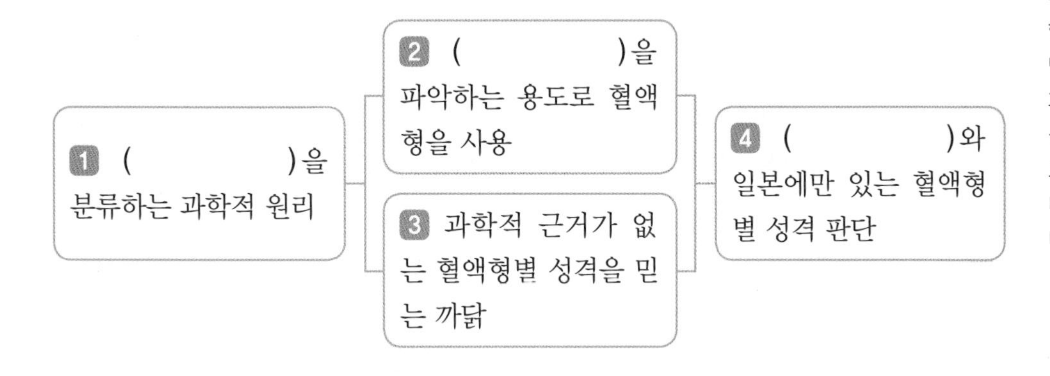

글의 구조 TIP

이 글은 총 네 개의 문단으로 이루어져 있습니다. 1문단에서는 혈액형의 결정 원리를, 2, 3문단에서는 혈액형별 성격 파악이 과학적 근거가 없음을 설명하였습니다. 4문단에서는 혈액형으로 성격을 판단하는 나라가 우리나라와 일본뿐임을 설명하였습니다.

2

내용 이해 세부 정보 파악하기

이 글의 내용과 일치하지 않는 것은 무엇입니까? (　　　　)

① 일본과 우리나라는 비교적 혈액형이 골고루 분포하고 있다.
② 몸속의 적혈구에 붙어 있는 당분 물질의 모양에 따라 혈액형을 구분한다.
③ 혈액형별 성격 판단은 과학적인 근거를 찾을 수 없는 심리적인 현상이다.
④ 혈액형별 성격은 누구나 보편적으로 지니고 있는 일반적인 성격일 뿐이다.
⑤ O형은 다른 혈액형과 응고되지 않으므로 모든 혈액형을 수혈 받을 수 있다.

3

적용하기 구체적인 상황에 적용하기

이 글에서 설명한 '바넘 효과'의 사례로 적절하지 않은 것은 무엇입니까? (　　　　)

① 당신은 가끔 비현실적인 상상을 하기도 하는군요.
② 당신은 시금치나 당근 같은 채소를 매우 싫어하는군요.
③ 당신은 낯선 사람을 친절하게 대하지만 경계하기도 하는군요.
④ 당신은 친구가 자신의 마음을 몰라 준다고 속상해하기도 하는군요
⑤ 당신은 칭찬을 받으면 쑥스러워하면서도 더 열심히 하는 성격이군요.

수능형

4

문제 풀이

비판하기 외부 자료를 바탕으로 비판하기

보기 의 자료를 활용하여 '혈액형별 성격 판단'을 비판하는 내용으로 가장 적절한 것은 무엇입니까? (　　　　)

보기

소는 12가지, 말은 7가지, 양은 8가지, 닭은 13가지의 혈액형이 있다. 그리고 돼지는 무려 15가지의 혈액형을 가지고 있다. 원숭이의 경우 사람과 유사한 A, B, AB, O형이 있으며, 침팬지는 A형과 O형뿐이다. 고릴라는 B형만 있으며, 오랑우탄은 A, B, AB형 3가지가 있다. 사람과 친숙한 개의 경우에는 7개의 혈액형이 국제적으로 인정되었고 인정받지 못한 혈액형을 포함해 모두 13가지 종류가 있다.

① 한국인의 75%가 혈액형과 성격 간에 **밀접한** 관계가 있다고 생각한다.
② 혈액형별 성격은 일본이 자신들의 **우월성**을 드러내기 위해 만든 것이다.
③ 혈액형에 따라 사람을 **임의로** 구별하는 것은 구별이 아니라 차별일 뿐이다.
④ 혈액형은 어떤 기준을 잡느냐에 따라 엄청나게 많은 유형으로 나뉠 수 있다.
⑤ 혈액형에 따라 성격이 결정된다면 사람이 동물보다 단순하다는 의미가 된다.

어휘
- **밀접한** 사이가 아주 가까운.
- **우월성** 다른 것에 비하여 뛰어난 성질이나 특성.
- **임의로** 자기 뜻대로.

5

어휘·어법 어휘의 문맥적 의미 파악하기

다음 중 ㉠ '간주하는'과 바꿔 쓰기에 가장 적절한 낱말은 무엇입니까? (　　　　)

① 가리는
② 따지는
③ 바라는
④ 살피는
⑤ 여기는

어휘 · 어법 TIP
- **가리다** 여럿 가운데서 하나를 구별하여 고르다.
- **따지다** 옳고 그른 것을 밝혀 가리다.
- **바라다** 생각이나 바람대로 어떤 일이나 상태가 이루어지거나 그렇게 되었으면 하고 생각하다.
- **살피다** 두루두루 주의하여 자세히 보다.
- **여기다** 마음속으로 그러하다고 인정하거나 생각하다.

어휘력 완성

정답 및 풀이 32쪽

낱말 이해 | 낱말 관계 | 낱말 적용 | 관용 표현

1 **보기**를 참고하여 ㉠과 ㉡의 뜻으로 알맞은 것을 찾아 선으로 이으시오.

보기

혈액형으로 판단한 성격이 그 사람의 성격을 정확하게 ㉠맞히는지 확인하기 위해서 혈액형이 같은 두 사람의 성격과 각각 ㉡맞추어 보았다.

(1) 맞히다 •

(2) 맞추다 •

• ㉮ 물체를 쏘거나 던져서 어떤 물체에 닿게 하다. 또는 문제에 대한 답을 틀리지 않게 하다.

• ㉯ 둘 이상의 일정한 대상들을 나란히 놓고 비교하여 살피다.

낱말 이해 | 낱말 관계 | 낱말 적용 | 관용 표현

2 다음 빈칸에 들어갈 알맞은 말은 무엇입니까? ( )

(　　　)은
사랑입니다.

① 수혈
② 출혈
③ 채혈
④ 헌혈
⑤ 흡혈

어휘력 +

- **수혈** 피가 모자라는 환자의 혈관에 건강한 사람의 피를 넣음.
- **출혈** 피가 혈관 밖으로 나옴.
- **채혈** 병의 진단이나 수혈 따위를 위하여 피를 뽑는 일.
- **헌혈** 피가 필요한 환자를 위하여 피를 뽑아 줌.
- **흡혈** 피를 빨아들임.

낱말 이해 | 낱말 관계 | 낱말 적용 | 관용 표현

3 다음 밑줄 친 부분과 뜻이 가장 비슷한 낱말은 무엇입니까? ( )

사람들이 혈액형별 성격이 자신의 성격과 잘 맞아떨어진다고 생각하는 이유는 '바넘 효과' 때문이다.

① 비교하다　② 상이하다　③ 일정하다
④ 일치하다　⑤ 판이하다

예측하기

내용을 예측하며 읽기

모든 글은 하나의 주제를 중심으로 일정하게 짜인 구조를 지니고 있습니다. 그리고 문장과 문장, 문단과 문단은 서로 밀접한 관련을 맺고 있습니다. 따라서 이미 제시된 정보를 바탕으로 이어질 내용을 예측할 수 있습니다.

우선 글을 읽기 전에 글의 제목이나 소제목 등을 보며 글의 주제나 내용을 예측할 수 있으며, 글을 읽을 때에도 접속어나 지시어, 이어질 내용을 암시하는 표지 문장 등을 통해 예측할 수 있습니다. 그림, 사진, 도표 같은 시각 매체 자료가 있을 경우에도 그것을 바탕으로 글의 내용이나 글쓴이의 궁극적인 의도 등을 예측하며 읽을 수 있습니다.

이렇게 글을 예측하며 읽으면 글의 내용에 더 집중하면서 글을 능동적으로 읽을 수 있습니다. 또한 글의 주제도 그냥 읽을 때보다 더 쉽게 파악할 수 있습니다.

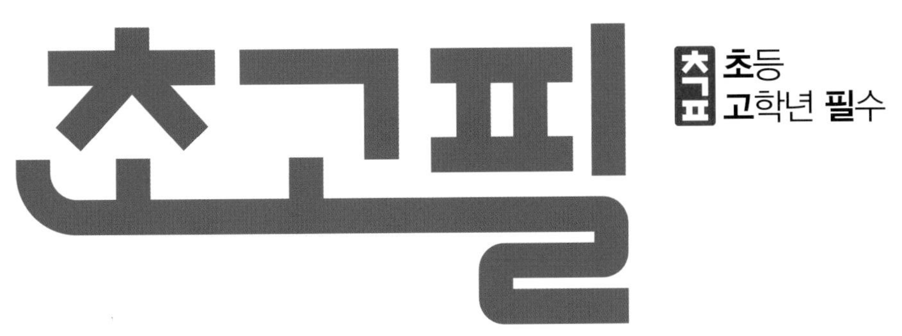

비문학 독해 1

정답 및 풀이

동아출판

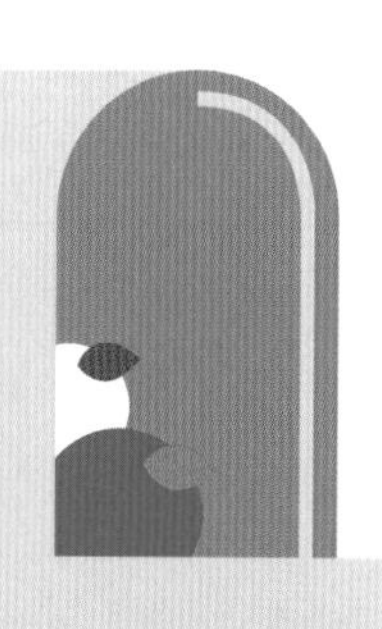

인문 01 자이가르닉 효과

012~014쪽

1 기억, 자이가르닉 효과, 광고, 학습 효과 **2** ③ **3** ④ **4** ④ **5** ②

해제 '자이가르닉 효과'의 개념과 발견 계기, 활용 방법 등을 설명하는 글입니다.

문단별 중심 내용

1문단	기억과 관련해서 우리의 뇌가 지닌 특징
2문단	자이가르닉 효과의 개념 및 발생 이유
3문단	자이가르닉 효과의 발견 계기
4문단	광고에서 많이 활용되는 자이가르닉 효과
5문단	학습 효과를 높일 수 있는 자이가르닉 효과

주제 자이가르닉 효과의 개념 및 활용 방법

1 글의 구조_문단 내용 정리하기

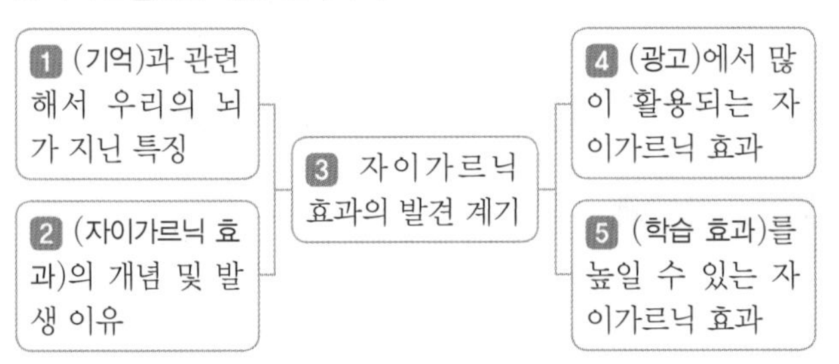

2 내용 이해_세부 정보 파악하기

5문단에 따르면, 특정 과목을 집중적으로 공부하여 끝내 버리는 것보다 매일 조금씩 나누어서 하는 것이 내용을 더 오랫동안 기억할 수 있다고 했습니다.

3 전개 방식_내용 전개 방식 파악하기

이 글은 '자이가르닉 효과'에 대해 뜻풀이를 하고, 자이가르닉 효과가 활용된 분야를 예를 들어 설명하였습니다. 또한 1, 5문단에 묻고 답하는 방식이 사용되었습니다. 그러나 다른 사물에 빗대어 표현하는 비유의 방식은 사용되지 않았습니다.

4 추론하기_세부 내용 추론하기

자이가르닉 효과에 따르면 사람들은 미완성인 채로 끝난 일을 오랫동안 기억합니다. 텔레비전 드라마는 중요한 장면에서 마무리를 하지 않은 채 끝내는 경향이 있는데, 이 또한 시청자들이 완성되지 않은 내용을 완결시켜야 한다는 생각 때문에 다음 편도 관심을 가지고 계속해서 보게 되기 때문입니다.

문제 돋보기

4 이 글과 보기 를 읽은 학생이 추론한 내용으로 적절한 것은 무엇입니까? (④)

보기

텔레비전 드라마를 보면 시청자가 어떻게 될지 궁금해하며 집중해서 보고 있는 부분이나 주인공들이 출생의 비밀을 확인하려는 중요한 순간에 '다음 이 시간에……'라는 자막과 함께 드라마가 끝나는 경우가 많다. 그런데 신기하게도 시간이 지나 다음 편 드라마를 볼 때 지난 편 드라마의 상황이 선명하게 기억나면서 그때 느꼈던 궁금함이 다시 살아나곤 한다.

자이가르닉 효과

① 이야기를 중간에서 끝내는 것은 이야기를 조금씩 전개하여 드라마를 더 오랫동안 방송하기 위해서이다. ×

② 사람들이 한창 집중할 때 이야기를 끝내는 것은 드라마 작가가 글을 쓸 시간을 충분히 갖기 위해서이다. ×

③ '다음 이 시간에……'라는 자막은 드라마 뒤에 이어지는 광고에 대한 시청자의 관심을 불러일으키기 위한 방법이다. ×

④ 하나의 이야기가 끝나지 않은 채로 끝을 내는 것은 시청자들이 드라마 내용을 더 잘 기억하여 이어서 보도록 하기 위해서이다. ㄴ○, 자이가르닉 효과 활용

⑤ 시청자가 궁금해할 줄 알면서도 그냥 드라마를 끝내는 것은 정해진 시간이 다 되었기 때문에 어쩔 수 없이 중간에서 끝내는 것이다. ×

5 어휘·어법_속담으로 표현하기

'시작한 일은 끝을 보라'는 한번 시작한 일은 끝까지 하여야 한다는 말로, ㉠에 어울리는 속담입니다.

어휘력 완성

015쪽

1 ② **2** (1) ㉰ (2) ㉯ (3) ㉮ **3** ⑤

1 문맥상 '마음을 가다듬어 정신을 바짝 차림.'이라는 의미의 '긴장'이 알맞습니다.

3 '여겨서'는 문맥상 그러하다고 생각하는 것이므로 '판단하다(판단해서)'와 뜻이 가장 비슷합니다.

오답 피하기

① '각오하다'는 '앞으로 해야 할 일이나 겪을 일에 대한 마음의 준비를 하다.'라는 뜻입니다.
② '관찰하다'는 '사물이나 현상을 주의하여 자세히 살펴보다.'라는 뜻입니다.
③ '검사하다'는 '사실이나 일의 상태를 조사하여 옳고 그름과 낫고 못함을 판단하다.'라는 뜻입니다.
④ '상상하다'는 '실제로 경험하지 않은 현상이나 사물에 대하여 마음속으로 그려 보다.'라는 뜻입니다.

인문 02 경주 최 부잣집의 노블레스 오블리주 016~018쪽

1 갑질, 노블레스 오블리주, 가훈 2 ⑤ 3 ⑤ 4 ①
5 ④

해제 '노블레스 오블리주'의 개념과 필요성, 우리나라의 실천 사례 등을 설명하는 글입니다.

1문단	우리 사회에 만연한 갑질의 의미
2문단	'갑질'과 반대되는 '노블레스 오블리주'
3문단	노블레스 오블리주를 실천한 사례들
4문단	경주 최 부잣집의 가훈

주제 노블레스 오블리주의 개념 및 실천 사례

1 글의 구조_문단 내용 정리하기

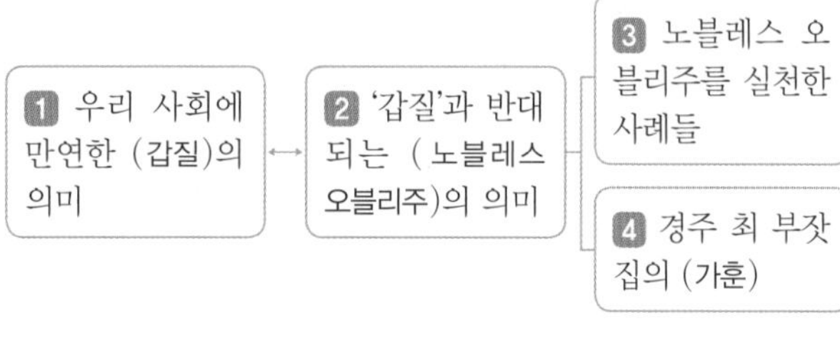

2 내용 이해_세부 정보 파악하기
1문단에 따르면, '갑질'은 본래 사회적 지위가 높은 계층에서 일어나지만 현실적으로는 우리 사회 전 계층에서 나타나고 있다고 했습니다. ①은 3문단에서, ②는 3문단과 4문단에서, ③은 2문단에서, ④는 2문단에서 파악할 수 있습니다.

3 전개 방식_내용 전개 방식 파악하기
ㄱ은 3문단에서, ㄴ과 ㄹ은 1문단과 2문단에서 확인할 수 있습니다. ㄷ은 쓰이지 않았는데, '갑질'이라는 문제 현상이 일어난 원인을 분석하고 있지는 않습니다.

4 적용하기_구체적인 상황에 적용하기
높은 벼슬을 하지 말라는 첫째 항목은 부와 지위를 모두 가지려고 해서는 안 된다는 의미로, 사회 지도층의 도덕적 의무 혹은 사회적 책임과는 거리가 먼 항목입니다. 이와 달리 나머지 항목은 모두 노블레스 오블리주 정신과 맞닿아 있습니다.

문제 돋보기

4 보기 의 ㉠~㉤ 중에서, 지역 공동체에 대한 도덕적·사회적 책임을 져야 한다는 '노블레스 오블리주' 정신과 가장 거리가 먼 것은 무엇입니까? (①)

보기

높은 벼슬에 욕심내지 ×, '노블레스 오블리주' 정신과 가장 거리가 멂.

경주 최 부잣집에는 대대로 내려오는 여섯 가지 항목의 가훈이 있다. 첫째, ㉠과거를 보되 진사 이상은 하지 마라. 이 항목은 부와 재산을 모두 가지려고 욕심내지 말라는 뜻이다. 둘째, ㉡만석 이상의 재산은 사회에 환원하라. 이 항목은 재산이 일정 규모를 넘으면 나머지는 지역 공동체에 환원하라는 뜻이다. 셋째, ㉢과객을 후하게 대접하라. 이 항목은 먹고 잘 곳이 마땅치 않은 나그네들이 집을 찾아오면 먹을 것과 잘 곳을 마련해 주어야 한다는 뜻이다. 넷째, ㉣흉년에는 남의 논밭을 사지 마라. 이 항목은 남의 불행을 이용하여 재산을 늘리지 말라는 뜻이다. 다섯째, 며느리들은 시집온 후 3년 동안 무명옷을 입어라. 이 항목은 항상 검소하게 지내야 한다는 뜻이다. 여섯째, ㉤사방 백 리 안에 굶어 죽는 사람이 없게 하라. 이 항목은 지역 공동체가 어려움에 처했을 때 적극적으로 나서서 도와야 한다는 뜻이다.

① ㉠ ② ㉡ ③ ㉢ ④ ㉣ ⑤ ㉤

5 어휘·어법_어휘의 사전적 의미 파악하기
㉠과 ④에서 '털다'는 모두 '자기가 가지고 있는 것을 남김없이 내다.'라는 뜻으로 사용되었습니다.

어휘력 완성 019쪽

1 (1) ㉯ (2) ㉮ 2 ⑤ 3 ②

1 '표기'는 적어서 나타내거나 문자나 기호를 써서 말을 표시한다는 뜻입니다. 그리고 '지표'는 방향이나 목표 따위를 나타내는 표지(어떤 사물을 다른 것과 구별하게 함. 또는 그 표시나 특징)를 뜻합니다. 문장의 내용을 통해 각각의 뜻을 짐작할 수 있습니다.

2 '만연하다'는 '전염병이나 나쁜 현상이 널리 퍼지다.'라는 뜻입니다. 따라서 '널리 퍼져 있다.'와 바꿔 쓸 수 있습니다.

오답 피하기
① '구성하다'는 '몇 개의 부분을 얽어서 하나로 만든다.'는 뜻입니다.
② '생성하다'는 '사물이 생겨나다.'를 뜻합니다.
③ '소집하다'는 '불러서 모으다.'를 뜻합니다.
④ '집합하다'는 '한군데로 모이다.'를 뜻합니다.

3 제시된 가훈은 자신의 이익보다 이웃의 고통을 먼저 생각해야 한다는 것입니다. 따라서 선우후락으로 설명할 수 있습니다. '선우후락'은 세상의 근심할 일은 남보다 먼저 근심하고 즐거워할 일은 남보다 나중에 즐거워한다는 뜻으로, 어진 사람의 마음씨를 이르는 한자성어입니다.

인문 03 신라에만 여왕이 존재한 까닭 020~022쪽

1 여왕, 신라, 김유신, 진성 여왕 **2** ⑤ **3** ② **4** ⑤
5 ③

해제 신라에만 여왕이 존재했던 까닭을 여러 측면에서 설명하는 글입니다.

문단별 중심 내용

1문단	여왕이었던 신라 선덕왕, 진덕왕, 진성왕
2문단	신라에만 여왕이 존재한 까닭
3문단	여왕을 지지한 김춘추와 김유신
4문단	김춘추와 김유신이 여왕을 지지한 까닭
5문단	진성 여왕 이후 1000여 년간 나오지 않은 여왕

주제 신라에만 여왕이 존재했던 까닭

1 글의 구조_문단 내용 정리하기

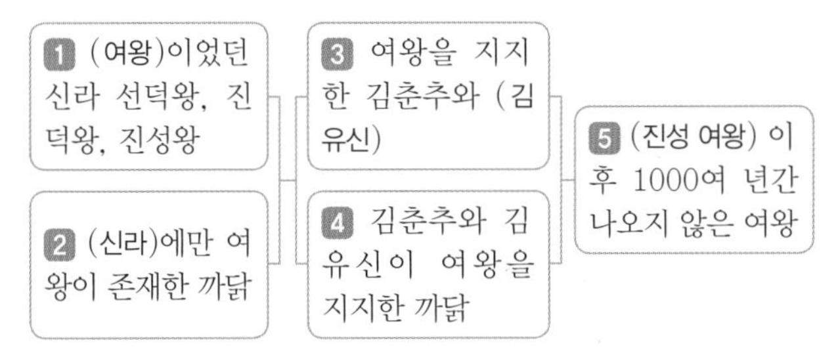

2 내용 이해_세부 정보 파악하기

❹문단에 따르면 선조가 금관가야의 왕족이었다가 신라의 진골이 된 사람은 김춘추가 아니라 김유신입니다. 김춘추의 선조는 25대 왕이었으나 폐위되었습니다.

3 전개 방식_내용 전개 방식 파악하기

❶~❹문단에서 각각 묻고 답하는 방식을 활용함으로써 내용을 효과적으로 전달하고 있습니다.

4 추론하기_세부 내용 추론하기

당시 신라에서는 여성의 사회적 지위가 높았지만 여성이 왕위에 오르는 데 대한 귀족들의 반대가 극심하였다고 했습니다. 따라서 여성이 왕위에 오르는 데 거부감이 없었다고 보는 것은 적절하지 않습니다.

오답 피하기

① [보기]에서 선덕 여왕은 신라의 외교력과 군사력의 기반을 닦은 통치자로 평가받는다고 하였습니다. 따라서 왕으로서 역할에 충실했다고 볼 수 있습니다.

② [보기]에서 선덕 여왕이 자식을 두지 못한 채로 죽었다고 하였고, ❺문단에서 선덕 여왕의 사촌 동생인 승만공주가 선덕 여왕을 이어 진덕 여왕이 되었다고 하였습니다.

③ ❸문단과 ❹문단에 따르면, 선덕 여왕이 왕위에 오를 때 김춘추와 김유신의 지지가 큰 도움이 되었습니다. 그러므로 그들을 중요한 자리에 임용했을 것으로 볼 수 있습니다.

④ ❷문단에서 여왕이 탄생할 수 있었던 것은 당시 신라에 왕위를 계승할 성골 남자가 없었기 때문이라고 설명하였습니다. 따라서 진평왕에게 아들이 있었다면 선덕 여왕은 왕위에 오를 수 없었을 것입니다.

5 어휘·어법_어휘의 사전적 의미 파악하기

㉠과 ③의 '나오다'는 모두 '상품이나 인물 따위가 나타나다.'라는 뜻으로 쓰였습니다.

오답 피하기

① '책, 신문 따위에 글, 그림이 실리다.'의 뜻입니다.
② '속에서 바깥으로 솟아나다.'의 뜻입니다.
④ '어떠한 물건이 발견되다.'의 뜻입니다.
⑤ '안에서 밖으로 오다.'의 뜻입니다.

어휘력 완성 023쪽

1 ② **2** (1) ㉰ (2) ㉯ (3) ㉮ **3** ③

1 문맥상 후대로 이어 준다는 뜻의 말이 들어가야 하므로, '조상이나 앞사람의 뒤를 이어받음.'이라는 뜻의 '계승'이 적절합니다.

2 '재위(在位)'는 '임금의 자리에 있음.'을 뜻하고 '후대(後代)'는 '뒤에 오는 세대나 시대.'를 뜻합니다. '극심(極甚)'은 '매우 심함.'을 뜻합니다.

3 제시된 문장에서 '지지(支 지탱할 지, 持 가질 지)'는 '남의 생각을 옳다고 여겨 도와서 힘을 씀.'의 뜻으로 사용되었습니다. 쉽게 말해 뜻을 같이해서 돕는다는 뜻입니다. 그런데 '간섭(干 방패 간, 涉 건널 섭)'은 '직접 관계가 없는 남의 일에 부당하게 참견함.'이라는 뜻이므로, '지지'와 바꿔 쓰기에 적절하지 않습니다.

오답 피하기

① '도움'은 '남을 돕는 일'이라는 뜻이므로 '지지'와 바꿔 쓸 수 있습니다.
② '지원'은 '지지하여 도움'이라는 뜻이므로 '지지'와 바꿔 쓸 수 있습니다.
④ '후원'은 '뒤에서 도와줌.'이라는 뜻이므로 '지지'와 바꿔 쓸 수 있습니다.
⑤ '뒷받침'은 '뒤에서 지지하고 도와주는 일.'이라는 뜻이므로 '지지'와 바꿔 쓸 수 있습니다.

인문 04 인간과 닮은 도깨비

024~026쪽

1 도깨비, 오니, 오니, 생김새 **2** ⑤ **3** ③ **4** ⑤
5 ②

해제 우리 고유의 귀신인 도깨비의 특성과 생김새를 일본 요괴인 오니와 비교하여 설명하는 글입니다.

문단별 중심 내용

문단	중심 내용
가문단	인간다운 모습이 많은 도깨비
나문단	도깨비와 관련된 옛날이야기들
다문단	오니의 생김새로 잘못 알려진 도깨비
라문단	도깨비의 원래 모습과 도깨비가 오니의 모습으로 그려지는 까닭
마문단	본래 생김새와 특성을 되찾아야 할 도깨비

주제 오니의 생김새로 왜곡된 도깨비

1 글의 구조_문단 내용 정리하기

2 내용 이해_세부 정보 파악하기

라문단에서 도깨비는 보통 뿔이 없지만 가끔 뿔이 있는 도깨비도 있다고 설명하였으므로 뿔의 유무만으로는 도깨비와 오니를 구분할 수 없습니다. ①은 가문단에서, ②는 다문단에서, ③은 마문단에서, ④는 가문단에서 확인할 수 있습니다.

3 전개 방식_문단별 설명 방법 파악하기

다문단에서는 오니로 바뀌어 그려지는 도깨비의 생김새를 묘사하였으며 도깨비와 오니의 공통점은 설명하지 않았습니다.

4 적용하기_시각 자료에 적용하기

㈎는 우리 고유의 귀신인 도깨비이고, ㈏는 일본의 요괴인 오니입니다. 가문단에서 도깨비는 인간에게 잘 속는 인간다운 모습이 많다고 하였지만, 다문단에서 오니는 인간적인 면을 찾을 수 없다고 하였습니다. 따라서 ㈎와 ㈏ 모두 사람에게 잘 속는 어리숙한 면이 있다고 이해하는 것은 적절하지 않습니다.

문제 돋보기

4 이 글을 참고할 때, 보기 의 ㈎와 ㈏에 대한 이해로 적절하지 않은 것은 무엇입니까? (⑤)

보기

① ㈏는 ㈎와 달리 사람을 해치는 잔인한 성격이겠군.
② ㈎가 일제 강점기를 거치며 ㈏처럼 잘못 알려졌겠군.
③ ㈎는 ㈏와 달리 사람에게 장난치는 것을 좋아하겠군.
④ ㈏는 ㈎와 달리 대개 머리에 뾰족한 뿔이 달려 있겠군.
⑤ ㈎와 ㈏ 모두 사람에게 잘 속는 어리숙한 면이 있겠군.
×, 도깨비만 해당

5 어휘·어법_한자성어로 표현하기

㉠에서 착한 사람에게는 복을 내리고, 악한 사람에게는 벌을 내린다고 하였으므로 이를 나타내는 한자성어에는 '권선징악'이 있습니다.

어휘력 완성

027쪽

1 ㉠ 창작 ㉡ 각색 **2** ⑤ **3** ④

1 문맥상 ㉠에는 예술 작품을 독창적으로 지어냈다는 의미를 지닌 '창작'이, ㉡에는 원작 작품을 다른 갈래로 고쳐 쓴다는 말인 '각색'이 들어가는 것이 알맞습니다.

오답 피하기

- 각본: 영화·연극 등의 무대 장치, 배우의 움직임, 대사 등을 적은 글입니다.

2 '벼락부자'는 '갑자기 된 부자.'라는 뜻입니다. 그리고 '졸부'도 '갑자기 된 부자.'라는 뜻입니다.

3 욕심쟁이 혹부리 영감이 꾀를 내어 남을 속이려다 도리어 자기가 그 꾀에 당하게 됨을 이르는 '제 꾀에 제가 넘어간다'가 알맞습니다.

오답 피하기

① 일이 잘못되어도 손해 볼 것은 없다는 말입니다.
② 실속 없는 사람이 겉으로 더 떠들어 댐을 비유적으로 이르는 말입니다
③ 잊어버리기를 잘하는 사람을 놀리거나 나무라는 말입니다.
⑤ 잘될 사람은 어려서부터 남다른 뛰어남이 엿보인다는 말입니다.

인문 05 역사란 무엇인가 028~030쪽

1 역사, 역사가, 역사적 해석, 현실(현실 상황) **2** ⑤
3 ⑤ **4** ③ **5** ④

해제 역사는 과거의 사건인 역사적 사실과 그것에 대한 역사적 해석으로 이루어진다는 것을 설명하는 글입니다.

문단별 중심 내용

1문단	역사에 기록되는 사건의 특징
2문단	역사적 사실을 선택하고 평가하는 역사가
3문단	역사가에 따라 달라지는 역사적 해석
4문단	현실에 바탕을 두는 역사적 해석
5문단	시대에 따라 재해석되는 역사적 사실

주제 역사의 구성 요소 및 역사적 해석의 주관성

1 글의 구조_문단 내용 정리하기

2 내용 이해_세부 정보 파악하기
5문단에 따르면 역사에 기록된 사건이라도 그 평가에 따라 역사에서 빠지기도 합니다. 동시에 같은 이유에서 새로운 사건이 역사에 추가되기도 합니다. ①은 3문단에서, ②는 2문단에서, ③은 3문단에서, ④는 2문단을 통해 알 수 있습니다.

3 내용 이해_세부 정보 파악하기
'과거와 현재의 끊임없는 대화'에서 '과거'는 역사적 사실을 뜻하고, '현재'는 현대의 가치관 혹은 요구를 뜻합니다. 그리고 '끊임없는 대화'는 역사적 사실이 계속 다시 평가된다는 뜻입니다. 따라서 '과거와 현재의 끊임없는 대화'는 과거의 역사적 사건은 시대의 변화에 따라 그 평가가 달라질 수 있다는 뜻입니다.

4 적용하기_구체적인 상황에 적용하기
5문단에 따르면 역사적 사건에 대한 평가는 역사가들에 따라 다르게 나타날 수 있습니다. 따라서 한글이 창제된 당시의 평가 또한 역사가들마다 다르게 이루어졌을 것입니다.

문제 돋보기

4 이 글을 읽은 학생이 보기 에 대해 보인 반응으로 적절하지 않은 것은 무엇입니까? (③)

> **보기**
> 역사책인 『세종실록』에 따르면, 세종대왕은 1443년에 '훈민정음', 즉 지금의 한글을 창제하고, 약 3년간의 검토 과정을 거쳐 1446년에 공식적으로 반포하였다고 한다. 창제 당시에는 중국을 숭상하며 한자를 사용하던 사대부들의 반대가 매우 심하였다. 하지만 시간이 흐르면서 한글의 우수성이 점차 드러나고, 오늘날에는 전 세계에서 가장 과학적인 문자라는 평가를 받고 있다.
>
> └ 역사적 사실
> └ 역사적 해석이 달라짐.

① 한글 창제는 과거에 일어난 수많은 사건 중의 하나라고 할 수 있겠군. ○, 1문단 내용 확인
② 한글 창제는 역사가가 매우 중요하다고 판단하여 역사에 기록하였겠군. ○, 『세종실록』에 기록
③ 한글 창제는 객관적 사실이므로 당시 역사가들의 평가도 모두 같았겠군. ×, 3문단 내용 확인
④ 한글 창제에 대한 평가는 시대가 바뀜에 따라 지금과 달라질 수도 있겠군. ○, 5문단 내용 확인
⑤ 한글 창제에 대한 역사적 평가는 시간이 지나면서 점점 가치가 더해졌겠군. ○, '우수성이 점차 ~ 받고 있다.'

5 어휘·어법_속담으로 표현하기
'구슬이 서 말이라도 꿰어야 보배'는 아무리 훌륭하고 좋은 것이라도 다듬고 정리하여 쓸모 있게 만들어 놓아야 값어치가 있음을 비유적으로 이르는 말입니다. 역사 또한 역사가가 역사적 사건 중에서 중요한 것을 적절하게 선택하고 평가를 해야만 그 가치가 생긴다고 할 수 있습니다.

어휘력 완성 031쪽

1 ㉠ 부인 ㉡ 반영 **2** ④ **3** ①

1 ㉠은 범죄 사실을 인정하지 않았다는 내용이므로 '부인'이 알맞고, ㉡은 유행어가 사회상을 나타낸다는 내용이므로 '반영'이 알맞습니다.

2 ㉠은 '인류 사회의 변천과 흥망의 과정 또는 그 기록.'이라는 뜻으로 사용되었습니다. ㉯는 '역으로 쓰는 건물.'이라는 뜻의 '역사(驛舍)'이고, ㉱는 '뛰어나게 힘이 센 사람.'이라는 뜻의 '역사(力士)'입니다.

3 문맥상 '덧붙이다(덧붙이는)'는 역사적 사실에 추가하다는 뜻입니다. 따라서 '주된 것에 덧붙이다.'라는 뜻의 '부가하다(부가하는)'와 바꿔 쓸 수 있습니다.

인문 06 존엄사 허용 문제

032~034쪽

1 존엄사, 조건, 딜레마 **2** ② **3** ③ **4** ② **5** ⑤

해제 존엄사의 개념과 존엄사를 확대 허용할 때의 문제점 등을 설명하는 글입니다.

문단별 중심 내용

1문단	존엄사를 폭넓게 허용해야 한다는 주장 증가
2문단	존엄사의 개념 및 목적
3문단	존엄사를 시행하기 위한 조건
4문단	우리나라와 세계의 존엄사 허용 여부
5문단	존엄사 허용의 딜레마

주제 존엄사를 확대 허용할 필요성 및 문제점

1 글의 구조_문단 내용 정리하기

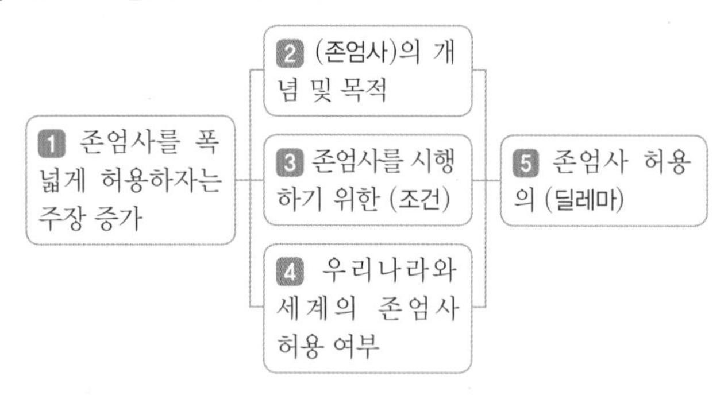

2 내용 이해_세부 정보 파악하기

3문단에 따르면 연명 치료를 중단하기 위해서는 환자의 치료 중단 의사와 가족의 동의, 의사의 판단 등이 모두 있어야 합니다.

3 전개 방식_글쓰기 계획 파악하기

1문단에서 무의미하게 생명만 유지하는 환자들이 늘어나고 있는 문제 상황을 제시하고, 2~5문단에서 이와 관련된 내용인 존엄사를 상세하게 설명하고 있습니다.

4 적용하기_구체적인 상황에 적용하기

김○○ 할머니의 가족들은 할머니가 평소 무의미한 생명 연장을 거부하고 자연스런 사망을 원했음을 근거로 들며 존엄사를 요구하였으므로, 할머니가 다시 회복될 수 있다고 생각하지는 않았을 것입니다.

오답 피하기

① 3문단에 따르면 존엄사는 환자의 요구나 사전 의사 표명이 있을 때만 시행할 수 있습니다. 따라서 김○○ 할머니가 평소에 연명 치료를 거부한다는 의사를 드러내지 않았다면 인공호흡기를 떼는 것이 매우 어려웠을 것입니다.

③ 4문단에 따르면 우리나라는 법적으로 존엄사가 가능합니다. 하지만 회복 가능성에 대한 정확한 판단을 내릴 수 없으므로 존엄사의 허용 폭을 늘리는 일은 신중해야 합니다.

④ 5문단에 따르면 현대 의학이 환자가 회복할 수 있는 가능성을 정확하게 판단할 수 없습니다. 김○○ 할머니가 인공호흡기를 뗀 뒤에도 스스로 자가 호흡을 했다는 것은 이런 점을 보여 줍니다.

⑤ 2문단에 따르면 존엄사는 자연적 죽음을 받아들이고 인간으로서 최소한의 품위를 지키며 죽을 수 있도록 하는 것을 목적으로 합니다. 따라서 김○○ 할머니의 가족들도 이런 점을 위해서 김○○ 할머니의 존엄사를 요구했을 것입니다.

5 어휘·어법_한자성어로 표현하기

㉠ 뒤의 내용을 고려할 때, 딜레마는 존엄사를 시행할 수도 시행하지 않을 수도 없는 상황임을 짐작할 수 있습니다. 따라서 이를 나타내는 말은 '이러지도 저러지도 못하는 어려운 처지'라는 뜻을 지닌 '진퇴양난'이 적절합니다.

어휘력 완성

035쪽

1 ④ **2** ② **3** ⑤

1 문맥상 빈칸에는 '존엄'이 들어가는 것이 가장 알맞습니다. '존엄'은 '인물이나 지위 따위가 감히 범할 수 없을 정도로 높고 엄숙함.'이라는 뜻입니다. '품질'은 '물건의 좋고 나쁜 성질과 바탕.'이라는 뜻입니다.

2 '행복'과 '불행'은 서로 뜻이 반대되는 반의 관계입니다. 그러나 '신중(매우 조심스러움.)'과 '조심(실수가 없도록 마음을 씀.)'은 서로 뜻이 비슷한 유의 관계입니다.

오답 피하기

① '죽음'과 '삶'은 반의 관계입니다.

③ '허용(허락하여 너그럽게 받아들임.)'과 '금지(어떤 행위를 하지 못하도록 함.)'는 반의 관계입니다.

④ '가능'과 '불가능'은 반의 관계입니다.

⑤ '자연적(사람의 손길이 가지 않은 자연 그대로의 모습을 지닌 것.)'과 '인위적(자연의 힘이 아닌 사람의 힘으로 이루어지는 것.)'은 반의 관계입니다.

3 존엄사의 허용 폭을 넓히는 일은 매우 조심스럽게 결정해야 한다는 것이므로 잘 아는 일이라도 세심하게 주의를 하라는 뜻을 지닌 '돌다리도 두들겨 보고 건너라'로 표현할 수 있습니다.

인문 07 인간에 관한 순자의 생각

036~038쪽

1 하늘, 순자, 악하다고, 예 **2** ③ **3** ⑤ **4** ⑤ **5** ⑤

해제 하늘과 인간의 관계를 새롭게 규정한 순자가 인간의 본성을 악하다고 보는 관점을 설명하는 글입니다.

문단별 중심 내용

1문단	하늘에 대한 옛날 사람들의 생각
2문단	하늘의 절대성을 부정한 순자
3문단	인간을 주체적인 존재로 본 순자
4문단	인간의 본성이 악하다고 생각한 순자
5문단	'예'로 악한 본성을 바르게 만들 수 있다고 본 순자

주제 순자의 인간관

1 글의 구조_문단 내용 정리하기

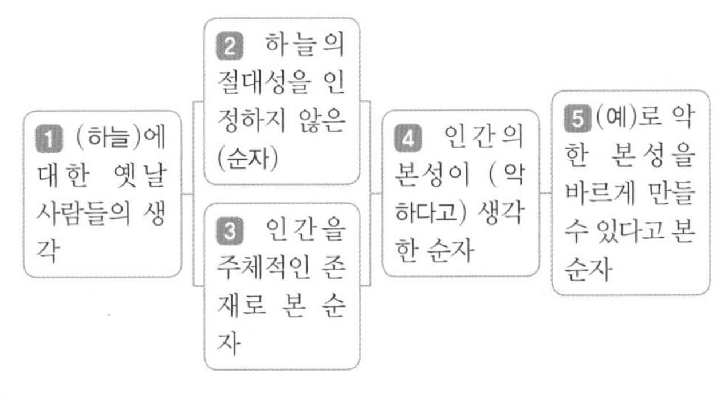

2 내용 이해_세부 정보 파악하기

순자는 사람들의 본성을 바르게 할 수 있는 방법을 고민하였지, 풍족하게 먹고살 수 있는 방법을 고민하지는 않았습니다. ①은 5문단에서, ②는 3문단에서, ④는 1문단에서, ⑤는 4문단에서 알 수 있습니다.

3 내용 이해_원인과 결과 파악하기

1~3문단의 내용을 바탕으로 답을 찾을 수 있습니다. 하늘이 인간의 모든 것을 다스린다고 여기면 자신이 처한 모든 상황을 하늘이 내린 운명으로만 생각하고 자신의 삶을 보다 좋게 만들려는 노력을 하지 않게 됩니다. ①~④는 절대적인 지배자로서의 하늘을 부정하였을 경우의 결과입니다.

4 비판하기_외부 자료를 바탕으로 비판하기

[보기]에 따르면 법가는 강제적인 법을 이용하여 사람들의 이기적인 본성을 억제해야 한다고 주장했습니다. 따라서 순자가 주장한 '예'는 강제력이 없으므로 사람들이 따르지 않을 경우 이기적인 본성을 고치기 어렵다고 비판할 수 있습니다.

문제 돋보기

4 보기 속 '법가'의 입장에서 ㉮에 나타난 순자의 생각을 비판하는 내용으로 가장 적절한 것은 무엇입니까? (⑤)

> 보기
>
> 순자가 활동했던 시대에는 많은 사상가들이 나타났다. 그 중에는 법가(法家)도 있었다. 법가는 예를 중시한 순자와 달리 형벌로써 사람들을 엄하게 다스려야 한다고 주장했다. 도덕이나 예는 억지로 시킬 수 없는 것이므로 강제력이 있는 법을 만들어 개인의 행위를 엄격하게 평가하고 그것에 맞는 상이나 벌을 내려야만 사람들의 이기적인 욕망을 억제하고 바로잡아 사회의 질서를 유지할 수 있다고 하였다.

① 인간의 이기적인 본성은 결코 바꿀 수 없으니 그냥 내버려 두어야 한다. └ ×, 순자, 법가 모두 바꿀 수 있다고 봄.

② 사람의 이기적인 본성은 타고나는 것이므로 노력하면 바로잡을 수 있다. └ ×, 순자도 바로잡을 수 있다고 봄.

③ 모든 것은 하늘의 뜻이므로 이를 바꾸려는 것은 하늘의 뜻을 어기는 것이다. └ ×

④ 악한 사람에게는 하늘이 벌을 내릴 것이니 사람이 그것을 바로잡으려 할 필요가 없다. └ ×

⑤ 예는 강제력이 없어서 사람들이 따르지 않을 경우 이기적인 본성을 바로잡을 수 없다. └ ○, 법가는 그래서 법으로 바로잡자고 함.

5 어휘·어법_어휘의 문맥적 의미 파악하기

㉡은 문맥상 예를 가르쳐서 악한 본성을 바르게 만들 수 있다고 여겼다는 의미이므로 '앞뒤의 옳고 그름을 종합하여 어떤 일에 대한 자신의 생각을 마음속으로 정하다.'의 뜻을 지닌 '판단하다'로 바꿔 쓸 수 있습니다.

어휘력 완성

039쪽

1 ㉠ 천민 ㉡ 귀족 **2** ③ **3** ④

1 그림에서 노비들은 일을 하고 양반은 그런 노비들을 감시하고 있습니다. 따라서 ㉠에는 '지체가 낮고 천한 백성.'이라는 뜻의 '천민'이, ㉡에는 '가문이나 신분 따위가 좋아 정치적·사회적 특권을 가진 계층. 또는 그런 사람.'이라는 뜻의 '귀족'이 들어가는 것이 알맞습니다.

2 ①, ②, ④, ⑤는 문맥상 '땅과 바다 위로 끝없이 펼쳐져 있는 높고 너른 공간.'이라는 뜻으로 쓰였지만, ③은 '하느님'의 뜻으로 쓰였습니다.

3 선한 사람이 되기 위해서 끊임없이 배워야 한다는 말은 '절차탁마'라는 말과 뜻이 통합니다. '절차탁마'는 부지런히 학문과 덕행을 닦음을 이르는 말입니다.

인문 08 귀납법의 원리

040~042쪽

1 귀납법, 원리, 과학적, 예측 **2** ④ **3** ① **4** ③ **5** ⑤

해제 귀납법의 개념 및 원리와 의의, 한계 등을 구체적인 사례를 활용하여 설명하는 글입니다.

문단별 중심 내용

1문단	귀납법의 뜻
2문단	귀납법으로 일반적인 법칙을 세우는 원리
3문단	귀납법을 활용하는 과학적 지식
4문단	논리적으로 완전하지 않은 귀납법
5문단	미래를 예측하는 데 도움이 되는 귀납법

주제 귀납법의 원리 및 의의

1 글의 구조_문단 내용 정리하기

2 내용 이해_세부 정보 파악하기

4문단의 '현재까지 관찰한 것에는 예외가 없었다 해도 앞으로 어떤 사례가 나타날지는 알 수 없다.'에서 수많은 관찰을 거듭하더라도 귀납법으로는 완전한 진리를 찾을 수 없다는 것을 알 수 있습니다. ①은 3문단에서, ②는 2문단에서, ③은 2문단에서, ⑤는 3문단에서 확인할 수 있습니다.

3 적용하기_구체적인 상황에 적용하기

②~⑤는 모두 개별적인 관찰과 경험 등을 근거로 일반적인 결론을 이끌어 내는 귀납법(귀납 추리)인데, ①은 일반적인 법칙을 바탕으로 그것과 관련된 구체적인 사실을 끌어내는 연역법입니다.

4 적용하기_구체적인 상황에 적용하기

[보기]에서 철수는 귀납 추리를 사용하여 나름의 법칙을 이끌어 내었습니다. 그리고 5문단에서 귀납법으로 얻은 지식이 비록 논리적으로 문제가 있더라도 그것이 아무런 가치가 없는 것은 아니라고 설명하였습니다.

문제 돋보기

4 이 글을 읽은 학생이 보기에 대해 보인 반응으로 적절하지 않은 것은 무엇입니까? (③)

보기

관찰─「어느 날 철수가 계란프라이를 하려고 계란을 깼더니 노른자가 하나 나왔다. 다음 날 또 계란프라이를 하려고 계란을 깼는데 노른자가 하나 나왔다. 그 다음 날도 그랬다.」 그것을 본 철수는 계란에는 노른자가 한 개 들어 있다는 생각을 했다(└가설). 그리고 자신의 생각을 확인하기 위해 계란 10개를 깨 보았다(└실험). 모두 노른자는 한 개였다(└검증). 그것을 본 철수는 모든 계란에는 노른자가 하나씩 들어 있다는 결론을 내렸다(└일반적인 법칙).

① 철수는 관찰을 통해 떠올린 가설을 실험을 통해 검증하였군. (○)
② 철수가 내린 최종 결론을 100% 완전한 진리로 볼 수는 없어. (○)
③ 철수가 찾아낸 지식은 오류가 있으므로 아무런 가치가 없겠군. (×)
④ 철수가 계란을 더 깨 보았을 때 노른자가 한 개가 아닐 수도 있어. (○, 앞으로 다른 사례가 나타날 수 있음.)
⑤ 철수는 앞으로도 계란에는 노른자가 한 개 있을 것이라고 생각하고 결론을 내렸겠네. (○, 미래도 지금과 같을 것이라고 여김.)

5 어휘·어법_이어 주는 말 파악하기

㉠의 앞부분은 귀납법의 긍정적인 면을 설명하고 있는 반면, ㉠의 뒷부분은 귀납법의 한계를 설명하고 있습니다. 따라서 ㉠에는 '그러나', '하지만'과 같은 이어 주는 말이 들어가야 합니다. 그리고 ㉡ 뒤에 이어지는 내용이 ㉡ 앞부분의 내용을 근거로 정리하고 있으므로 '따라서', '그러므로'와 같은 이어 주는 말이 들어가야 합니다.

어휘력 완성

043쪽

1 (1) ㉮ (2) ㉰ (3) ㉯ **2** ② **3** ①

2 ㉠'어렵다'는 문맥상 '가능성이 거의 없다.'라는 뜻으로 쓰였습니다. ②의 '어렵다'도 이와 같은 뜻으로 쓰였습니다.

오답 피하기

① '말이나 글이 이해하기에 까다롭다.'의 뜻으로 쓰입니다.
③ '가난하여 살아가기가 고생스럽다.'의 뜻으로 쓰입니다.
④ '말이나 글이 이해하기에 까다롭다.'의 뜻으로 쓰입니다.
⑤ '하기가 까다로워 힘에 겹다.'의 뜻으로 쓰입니다.

3 '설사'는 '가정하여 말해서'라는 뜻으로 주로 부정적인 뜻을 가진 문장에 쓰입니다. '혹시'는 '그러할 리는 없지만 만일에.'라는 뜻이므로 서로 바꿔 쓸 수 있습니다. ②~⑤는 뜻이 다르므로 바꿔 쓸 수 없습니다.

사회 01 스몸비

048~050쪽

1 스몸비, 청소년, 일상생활, 보행 **2** ⑤ **3** ⑤ **4** ②
5 ⑤

해제 스마트폰 과의존 상태의 실태와 그로 인한 문제점, 예방 방안을 설명하고 있습니다.

문단별 중심 내용

1문단	스몸비의 개념
2문단	청소년의 심각한 스마트폰 과의존 실태
3문단	일상생활을 방해하고 신체 이상이 생기기도 하는 스마트폰 과의존 상태
4문단	보행 중 사고 위험을 높이는 스마트폰 과의존 상태
5문단	스마트폰 과의존 상태를 예방하는 방법

주제 스마트폰 과의존 상태의 문제점과 예방법

1 글의 구조_문단 내용 정리하기

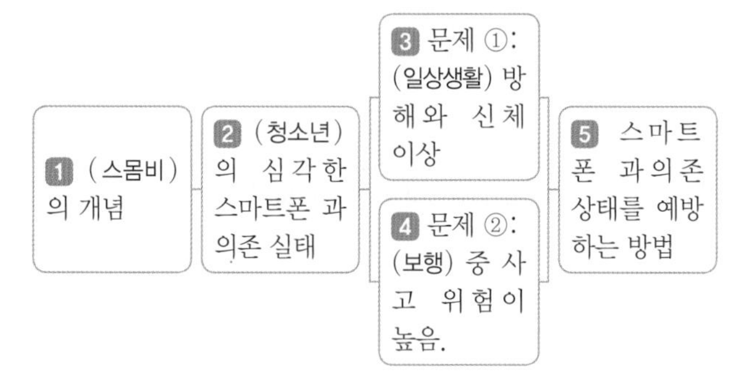

2 내용 이해_세부 정보 파악하기

5문단에 따르면 스마트폰 과의존 상태를 예방하기 위해서는 가능한 스마트폰을 자신이 있는 곳에서 멀리 두고, 자기 전에는 스마트폰을 사용하지 않는 습관을 들이며, 스마트폰을 대체할 다른 취미를 찾는 것이 좋다고 하였습니다. 그러나 스마트폰을 아예 사용하지 말라고는 하지 않았습니다.

3 전개 방식_내용 전개 방식 파악하기

스마트폰 과의존의 심각성을 강조하고 있지만 청소년 면담 자료를 제시하지는 않았습니다. ①은 1문단에서, ②는 2문단과 4문단에서, ③은 3문단과 4문단에서, ④는 2문단과 4문단에서 확인할 수 있습니다.

4 적용하기_구체적인 상황에 적용하기

㉮는 보행 중에 스마트폰을 보는 '스몸비'와 관련한 교통사고가 매년 증가하고 있음을 보여 주는 자료입니다. 따라서 실제로 보행 중 스마트폰 사용으로 인한 교통사고가 증가하고 있다는 내용을 4문단에 추가하여 문제의 심각성을 보여 줄 수 있습니다.

오답 피하기

① 자료 ㉮는 '스몸비' 관련 교통사고 도표로 이를 활용하여 스마트폰 과의존 상태의 청소년들이 해마다 늘고 있다는 내용 추가는 적절하지 않습니다.
③ 자료 ㉯에서 사회적 차원에서 스마트폰 사용을 금지해야 한다는 내용을 끌어내는 것은 적절하지 않습니다.
④ 자료 ㉯에 따르면 보행 중 스마트폰을 사용하면 외부 자극에 대한 인지 능력이 떨어집니다.
⑤ ㉮와 ㉯에서 '스몸비'가 지속적으로 증가하고 있다는 내용을 끌어내는 것은 적절하지 않습니다. 그리고 이러한 내용은 이미 2문단에 제시되어 있습니다.

5 어휘·어법_한자성어로 표현하기

스마트폰 과의존 상태는 스마트폰을 절제하지 못하여 너무 많이 빠져들어 버린 상태입니다. 따라서 어떤 것이든 너무 지나친 것은 좋지 않다는 의미를 지닌 과유불급이 스마트폰 과의존 상태의 청소년에게 충고하는 말로 적절합니다.

어휘력 완성

051쪽

1 (1) ㉯ (2) ㉰ (3) ㉮ **2** ③ **3** ④

1 '예방'은 '질병이나 재해 따위가 일어나기 전에 미리 막는 일.'이고, '예정'은 '앞으로 일어날 일이나 해야 할 일을 미리 정하거나 생각함.'을 뜻합니다. '예비'는 '필요할 때 쓰기 위하여 미리 마련하거나 갖추어 놓음.'이란 뜻입니다.

2 ㉠ '이상'은 '정상적인 상태와 다름.'이라는 뜻을 지닌 '異常(이상)'입니다. ③ 또한 같은 의미로 쓰였습니다.

3 스마트폰이 긍정적인 면과 부정적인 면을 모두 지니고 있음을 지적하는 내용이므로, '한 가지 사물에 속하여 있는 서로 맞서는 두 가지의 성질'을 뜻하는 말인 '양면성'이 들어가는 것이 적절합니다.

오답 피하기

① 가능성: 앞으로 실현될 수 있는 성질이나 정도를 뜻합니다.
② 공공성: 한 개인이나 단체가 아닌 일반 사회 구성원 전체에 두루 관련되는 성질을 뜻합니다.
③ 보편성: 모든 것에 두루 미치거나 통하는 성질을 뜻합니다.
⑤ 주체성: 인간이 어떤 일을 실천할 때 나타내는 자유롭고 자주적인 성질을 뜻합니다 .

사회 02 착한 사마리아인 법을 반대한다 052~054쪽

1 착한 사마리아인 법, 성경, 침해, 윤리 **2** ① **3** ④
4 ② **5** ②

해제 '착한 사마리아인 법'의 개념과 필요성을 설명한 뒤에 이 법의 제정을 반대하는 주장을 제시하고 있습니다.

문단별 중심 내용

1문단	착한 사마리아인 법의 개념
2문단	성경에서 유래한 '착한 사마리아인 법' 이름
3문단	착한 사마리아인 법은 개인의 자율성 침해
4문단	착한 사마리아인 법은 개인의 자유 의지 무시
5문단	법 강제보다는 공동체 생활에 대한 윤리 교육 강화

주제 착한 사마리아인 법 제정에 대한 반대

1 글의 구조_문단 내용 정리하기

2 내용 이해_세부 정보 파악하기
1문단에 따르면 위험에 처한 사람을 본다고 해서 무조건 도와주어야 하는 것이 아니라 자신에게 특별한 위험이 발생하지 않는다는 조건에서 도와주어야 하는 것입니다. ②는 1문단에서, ③은 2문단에서, ④는 4문단에서, ⑤는 1문단에서 확인할 수 있습니다.

3 내용 이해_세부 정보 파악하기
법은 개인의 자율성을 침해한다는 내용을 고려할 때, '법은 최소한의 도덕'이라는 말은 개인의 자율성에 맡겨야 할 도덕 중에서 반드시 지켜야 할 최소한의 것만을 강제하는 것이 법이라는 뜻임을 알 수 있습니다.

4 비판하기_외부 자료를 바탕으로 비판하기
[보기]는 법으로 강제하여 점점 더 냉혹해지는 세상을 바로잡는다는 내용입니다. 그런데 이 글은 개인의 자유 의지와 윤리에 맡겨야 한다고 주장하고 있습니다. 따라서 윤리적 비난만으로는 사람들의 이기적인 행동을 바로잡을 수 없다는 비판이 가장 적절합니다.

문제 돋보기

4 보기 의 관점에서 이 글을 비판하는 말로 가장 적절한 것은 무엇입니까? (②)

> 보기
> 프랑스와 독일 등 유럽 14개국과 미국의 30여 개 주에서 착한 사마리아인 법을 실시하고 있다. 예를 들면, 프랑스에서는 자기가 위험하지 않은데도 불구하고 타인을 구조하지 않으면 5년 이하의 징역 혹은 7만 5000유로 이하의 벌금에 처하도록 하고 있다. 이들 나라에서 이런 조항을 둔 이유는 이기적이고 비인간적인 사람들이 늘면서 점점 더 냉혹해지는 세상을 법으로라도 바로잡고자 하려는 것이다.

① 손해를 보면서 착한 행동을 한 사람에게는 보상이 주어져야 한다. └착한 사마리아인 법과 관련 ×
② 윤리적 비난만으로는 사람들의 이기적인 행위를 바로잡을 수 없다.
③ 민주주의 사회에서 타인에게 피해를 입힌 사람은 책임을 져야 한다. └피해 ×, 구조하지 않은 것에 책임
④ 자신의 마음에서 우러난 행위가 아니라면 착한 행위라고 할 수 없다. └[보기] 관점 ×
⑤ 법으로 착한 행동을 하도록 강제하더라도 자율성을 침해하는 것은 아니다. └[보기] 관점 ×

5 어휘·어법_어휘의 문맥적 의미 파악하기
바르게 잡는다는 것은 이미 존재하는 것을 대상으로 하는 것인데, 착한 사마리아인 법은 아직 만들어지지 않았으므로 적절하지 않습니다. ⓒ은 문맥상 법으로 '정해야, 만들어야' 등으로 바꾸어 쓸 수 있습니다.

어휘력 완성 055쪽

1 (1) ⓛ (2) ㉮ **2** ③ **3** ④

1 '강화'는 '부족한 점을 보충하여 이제까지보다 더 강하게 함.'의 뜻이고, '심화'는 '사물의 정도가 깊어지거나 심각해짐.'을 뜻합니다.

2 제시한 '목소리'는 의견이나 주장을 비유적으로 이르는 말입니다. 따라서 '주장'과 바꿔 쓸 수 있습니다.

3 타인의 어려움을 외면하는 이기적인 세태가 심함을 나타낸 상황이므로, 남의 괴로움이 아무리 크다고 해도 자기의 작은 괴로움보다는 마음이 쓰이지 아니함을 비유적으로 이르는 속담인 '남의 염병이 내 고뿔만 못하다'라는 말로 표현할 수 있습니다.

사회 03 일상에서의 물 절약 방법 056~058쪽

1 물 스트레스 국가, 용도, 절약 **2** ③ **3** ④ **4** ④
5 ②

해제 우리나라가 물 스트레스 국가임을 제시하고, 일상에서 물을 절약할 수 있는 방법을 구체적으로 설명하고 있습니다.

문단별 중심 내용

가문단	'물 스트레스 국가'로 분류된 우리나라
나문단	일상생활에서 평균적으로 사용하는 물의 양과 용도
다문단	일상생활에서 물을 절약하는 방법
라문단	물 절약의 촉구

주제 일상에서의 물 절약 방법

1 글의 구조_문단 내용 정리하기

2 내용 이해_세부 정보 파악하기
가문단에 따르면 수자원을 제대로 활용하지 못해 우리나라의 물 스트레스 지수가 높은 것이 아니라, 수자원을 최대한 활용하기 때문에 우리가 평소에 물 부족을 느끼지 못한다고 했습니다.

3 추론하기_세부 내용 추론하기
일상에서 많은 양의 물을 사용하고 있다는 것은 다시 말하면 일상생활에서 조금만 노력하면 많은 양의 물을 아낄 수 있다는 것을 의미합니다. 이런 점은 다문단에서 확인할 수 있습니다.

4 적용하기_다른 상황에 적용하기
[보기]는 먹을거리를 수입할 때 물 수입도 간접적으로 이루어짐을 설명하고, 우리가 얼마나 많은 물을 소비하고 있는지 알려 주고 있습니다. 그러므로 다양한 곳에 쓰이는 물을 절약하는 마음을 가져야 한다는 반응이 가장 알맞습니다.

문제 돋보기

4 이 글을 읽은 학생이 보기에 대해 보인 반응으로 가장 적절한 것은 무엇입니까? (④)

보기
우리나라는 부족한 물을 수입한다. 흔히 생수라고 부르는 먹는 샘물도 일부 수입하지만 대개의 물 수입은 먹을거리의 수입을 통해 간접적으로 이루어진다. 예를 들어 커피 한 잔에는 140리터의 물이 필요하다. 커피콩을 재배하고 수확해서 최종 소비될 때까지 들어가는 모든 물의 양이 포함되기 때문이다. 이처럼 먹을거리를 생산하고 유통하는 과정에서 많은 물이 필요한데, 이것을 직접 생산하지 않고 수입을 하면 그만큼의 물을 수입하는 효과가 생긴다. 우리는 이처럼 알게 모르게 매우 많은 양의 물을 수입하고 있는 셈이다.

① 머지않아 우리나라 사람들은 수입한 물을 마시며 지내겠군. ([보기]와 상관 ×, 이미 마시고 있음.)
② 우리가 먹을거리를 절약해도 간접적인 물 수입 양은 줄지 않겠군. (×, 줄어듦.)
③ 물을 잘 이용하면 우리나라도 커피를 비싼 값에 수출할 수 있겠군. ([보기]와 상관 ×)
④ 물이 얼마나 다양한 곳에 쓰이는지 생각하며 절약하는 마음을 가져야겠군.
⑤ 먹을거리를 모두 우리나라에서 만들 수 있도록 많은 양의 물을 수입해야겠군. ([보기]와 상관 ×)

5 어휘·어법_속담으로 표현하기
마지막 부분의 '우리의 작은 실천이 모여 우리나라 전체에서 큰 성과를 거둘 수 있다.'는 문장을 볼 때 '티끌 모아 태산'이라는 속담이 글쓴이의 생각과 가장 잘 어울립니다.

어휘력 완성 059쪽

1 (1) ㉯ (2) ㉮ **2** ⑤ **3** ③

2 ㉠과 ⑤의 '보다'는 모두 '대상을 평가하다.'라는 뜻으로 사용되었습니다.
오답 피하기
① '눈으로 대상을 즐기거나 감상하다.'라는 뜻입니다.
② '눈으로 대상의 존재나 형태적 특징을 알다.'라는 뜻입니다.
③ '책이나 신문 따위를 읽다.'라는 뜻입니다.
④ '눈으로 대상을 즐기거나 감상하다.'라는 뜻입니다.

3 물 절약을 위한 작은 노력이 쌓이면 큰 효과를 낼 수 있다는 내용이므로 '적토성산'이라는 한자성어로 표현할 수 있습니다. '적토성산'은 흙이 쌓여 산이 된다는 뜻으로, 속담 '티끌 모아 태산'과 같은 뜻입니다.

사회 04 성(性) 고정 관념의 문제점 060~062쪽

1 성별, 잠재력, 성 역할, 고정 관념 **2** ① **3** ② **4** ③ **5** ③

해제 일상에서 무의식적으로 이루어지는 성별 구분이 아이들의 잠재력을 억압할 수 있다는 내용을 설명하고 있습니다.

문단별 중심 내용

1문단	일상에서 성별을 중심으로 이루어지는 가치 판단
2문단	아이의 잠재력을 죽이는 무분별한 성별 구분
3문단	주변의 어른을 모방하며 성 역할을 익히는 아이들
4문단	성 역할에 따른 그릇된 고정 관념의 문제점

주제 무분별한 성별 구분으로 인한 문제점

1 글의 구조_문단 내용 정리하기

1 일상에서 (성별)을 중심으로 이루어지는 가치 판단 – 2 아이의 (잠재력)을 죽이는 무분별한 성별 구분 – 3 주변의 어른을 모방하며 (성 역할)을 익히는 아이들 / 4 성 역할에 따른 그릇된 (고정 관념)의 문제점

2 내용 이해_세부 정보 파악하기

3문단의 '성 역할은 개인이 속한 사회 집단이나 문화권에서 성별에 따라 요구하는 역할을 말한다.'에서, 성 역할은 사회 집단이나 문화권마다 다를 수 있음을 알 수 있습니다. ⑤에서 성별을 기준으로 하는 칭찬도 반복적으로 들으면 무의식적으로 성별에 따른 행동의 한계를 정해 버립니다.

3 전개 방식_내용 전개 방식 파악하기

1문단에서 성별을 중심으로 가치 판단을 하는 경우가 많음을 설명하였습니다. 그리고 2~4문단에서 그런 현상이 계속되면 아이들이 성 역할에 대한 고정 관념을 지니게 되면서 자신의 무한한 잠재력을 발휘하지 못하게 된다는 부정적인 결과를 설명하였습니다.

4 추론하기_외부 자료를 바탕으로 추론하기

이 글은 일상에서 성 구분을 너무 남발하면 아이가 성 역할에 대한 그릇된 고정 관념을 지니게 되어 자신의 잠재력을 발휘하지 못하게 되는 결과를 초래할 수 있음을 지적하고 있습니다. 따라서 성 역할에 대한 고정 관념에서 벗어나 양성성을 지닐 수 있는 환경을 만들어야 한다는 주장이 알맞습니다.

문제 돋보기

4 보기를 참고할 때, 이 글을 쓴 글쓴이가 말하고자 하는 것은 무엇이겠습니까? (③)

보기

'양성성'은 여성성과 남성성을 모두 지닌 사람을 일컫는 용어이다. 과거에는 남성성과 여성성의 구분이 너무 엄격하여 남성의 특질을 보이는 여성이나 여성의 특질을 보이는 남성, 즉 양성성을 지닌 사람을 좋지 않게 보기도 하였다. 그러나 최근에는 양성성을 지닌 사람이 전형적인 남성성이나 여성성만을 지닌 사람보다 자신감이 있고, 업무 성취 능력이 있으며, 사회적으로 적응 능력이 높다고 본다. 즉 양성성은 성 역할에 대한 여성적 특성과 남성적 특성 중 바람직한 것들이 결합한 것으로, 성격과 행동이 독립적이면서도 부드러워 주변 사람들과 잘 지낼 수 있다. 남성성과 여성성은 한 개인의 내부에 공존해 있으므로 양성성은 특정 성 역할을 강요하지 않을 때 자연스럽게 나타나게 된다.

① 아이의 행위에 대한 가치 판단을 성별을 중심으로 해야 한다. ×
② 가정에서 어머니와 아버지가 성 역할을 바꾸어서 생활해야 한다. ×
③ 아이가 자연스럽게 양성성을 익힐 수 있는 환경을 만들어야 한다.
④ 텔레비전 프로그램에서 성 역할에 대한 고정 관념을 없애야 한다. → 텔레비전 프로그램만 해당하는 것 ×, 전체 환경 O
⑤ 아이가 양성성을 기르도록 가정과 학교에서 강제로 가르쳐야 한다. → ×, 자연스럽게 익히는 것

5 어휘·어법_속담으로 표현하기

'암탉이 울면 집안이 망한다'는 날이 샜다고 울어야 할 수탉이 제구실을 못하고 대신 암탉이 울면 집안이 망한다는 뜻으로, 성 역할에 대한 고정 관념과 관련이 있는 속담입니다.

어휘력 완성 063쪽

1 (1) ㉯ (2) ㉮ **2** ④ **3** ④

2 '매우'는 '보통보다 더'라는 뜻인데, '그다지'는 '그러한 정도로는. 또는 그렇게까지는.'이라는 뜻입니다. 따라서 서로 반대되는 뜻을 지녔습니다. 이와 달리 ①, ②, ③, ⑤는 모두 '매우'와 비슷한 뜻입니다.

3 아이들은 보는 대로 모방하므로 아이들이 볼 때는 함부로 행동하거나 말을 하여서는 안 됨을 비유적으로 이르는 속담인 '아이 보는 데는 찬물도 못 먹는다'가 어울립니다.

사회 05 세금이 필요한 까닭 064~066쪽

1 공공 서비스, 세금, 소득(누진세율), 부가가치세 **2** ③
3 ④ **4** ④ **5** ③

해제 세금이 공공 서비스를 가능하게 하는 재원이라는 점과 세금을 부과하는 방법을 설명하는 글입니다.

문단별 중심 내용

1문단	공공 서비스의 뜻과 예시
2문단	공공 서비스를 가능하게 하는 세금
3문단	국민들이 같은 금액의 세금을 내지 않는 이유
4문단	소득에 따라 다르게 내는 세금
5문단	사람마다 같은 금액을 내는 부가가치세

주제 세금의 필요성 및 부과 방법

1 글의 구조_문단 내용 정리하기

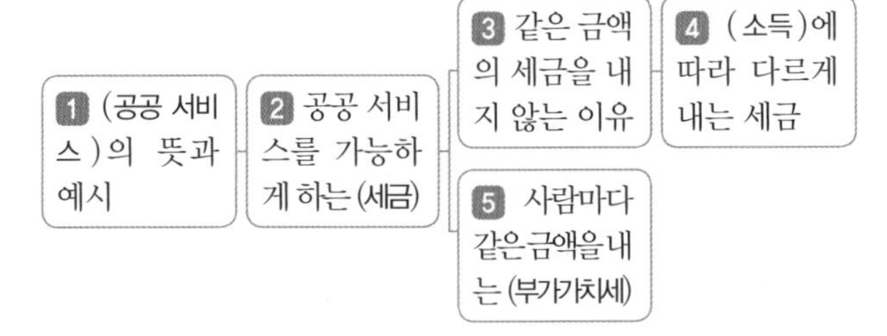

2 내용 이해_세부 정보 파악하기
5문단에 따르면 쌀, 채소 등 일부 기초 생활필수품이나 도서, 박물관 입장 요금 등 국민 복지와 관련된 일부 품목 등에 대해서는 부가가치세를 부과하지 않습니다. ①은 4문단에서, ②는 1문단과 2문단에서, ④는 4문단에서, ⑤는 4문단과 5문단에서 확인할 수 있습니다.

3 내용 이해_세부 정보 파악하기
부가가치세는 동일한 물건을 사는 사람들은 모두 같은 금액의 세금을 내는 것입니다. 따라서 물건을 소비하는 사람은 누구나 세금을 내게 되므로 소득이 전혀 없는 사람도 세금을 내게 됩니다. 또한 국가가 국민 개인들에게 직접 세금을 걷지 않고 국민들이 사는 물건이나 서비스 가격에 세금이 포함되어 있으므로 세금을 거두기가 상대적으로 쉽습니다.

4 적용하기_구체적인 상황에 적용하기
[보기]에서 거의 모든 국민이 창문세를 내야 했다고 설명했습니다. 따라서 가난한 사람은 세금을 내지 않는다는 이해는 적절하지 않습니다.

오답 피하기
① 세금은 국민들의 행복을 높이는 목적을 지녀야 하는데, 창문세는 결과적으로 영국 국민들의 삶을 힘들게 만들었습니다.
② [보기]에 따르면 부유한 사람들은 창문이 많은 큰 집에 살았고, 당시에는 창문이 사치품의 일종이었습니다. 따라서 창문 수에 따라 세금을 부과하는 창문세는 국민들의 경제력에 비례하여 세금을 부과하는 누진세율의 성격을 띤다고 볼 수 있습니다.
③ 창문을 막아 버리면 창문세를 더 적게 낼 수 있습니다. 따라서 이런 행위는 세금 납부를 거부하는 조세 저항의 일종으로 볼 수 있습니다.
⑤ 4문단에 따르면 세금을 더 많이 내야 하는 부유층은 억울한 면이 있다고 하였습니다. 창문세도 누진세의 일종이므로 창문이 많은 집에서 살던 사람은 억울함을 느낄 수 있었을 것입니다.

5 어휘·어법_한자성어로 표현하기
㉠은 어려운 살림이 세금 때문에 더 어려워지는 상황이므로 '설상가상'으로 표현할 수 있습니다. '설상가상'은 '눈 위에 서리가 덮인다는 뜻으로, 난처한 일이나 불행한 일이 잇따라 일어남.'을 이르는 한자성어입니다.

어휘력 완성 067쪽

1 (1) ㉮ (2) ㉯ **2** ⑤ **3** ⑤

1 '부담'은 '어떤 일이나 의무·책임 등을 떠맡음.'을 뜻하고 '부과'는 '세금이나 물림 돈을 매겨서 부담하게 함.'을 뜻합니다. 그래서 보통 '재산세 부과', '특별 소비세 부과' 등과 같이 쓰입니다.

2 '국가'와 '나라'는 낱말 뜻이 서로 비슷하거나 같은 유의 관계입니다. 그러나 '학교'와 '미술관'은 의미상 아무런 관계가 없는 낱말들입니다. 이와 달리 ①, ②, ③, ④는 모두 유의 관계입니다.

3 ㉠'걷는'의 기본형인 '걷다'는 '거두다'의 준말로, '물건·돈 등을 받아들이다.'라는 뜻으로 사용되었습니다. ⑤도 같은 뜻입니다.
오답 피하기
① '늘여 있는 것을 말아 올리거나 치우다.'의 뜻으로 쓰였습니다.
② '감아서 올리다.'라는 뜻으로 쓰였습니다.
③ '발을 번갈아 떼면서 나아가다.'라는 뜻으로 쓰였습니다.
④ '구름·안개 등이 흩어져서 없어지다.'의 뜻으로 쓰였습니다.

사회 06 채식주의자 068~070쪽

1 채식주의자, 베지테리언, 세미, 극단적 **2** ④ **3** ③
4 ⑤ **5** ②

해제 채식주의자들을 일정한 기준에 따라 구분하고, 차이점을 중심으로 각각을 설명하는 글입니다.

문단별 중심 내용

1문단	채식주의자의 뜻과 현재 상황
2문단	먹는 음식에 따른 채식주의자의 구분
3문단	베지테리언의 종류별 개념
4문단	세미 베지테리언의 종류별 개념
5문단	극단적 채식주의자와 간헐적 채식주의자

주제 채식주의자의 종류

1 글의 구조_문단 내용 정리하기

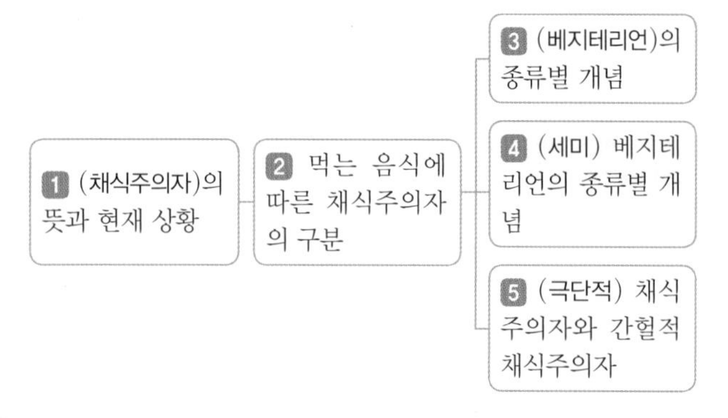

2 내용 이해_세부 정보 파악하기
3~5문단에 따르면 유제품과 알, 조류 등 동물성 식품을 먹는 채식주의자도 있습니다. ①은 1문단과 3문단에서, ②와 ③은 1문단에서, ⑤는 5문단에서 확인할 수 있습니다.

3 전개 방식_내용 전개 방식 파악하기
이 글은 1문단에서 채식주의자를 소개한 뒤, 2문단에서 그것을 베지테리언과 세미 베지테리언으로 나누고, 3~5문단에서 다시 각각을 세분화하여 설명하고 있습니다.

4 적용하기_시각 자료에 적용하기
㉤은 닭고기까지 섭취하므로 페스코 베지테리언이 아니라 폴로 베지테리언에 해당합니다. ㉠은 과일과 곡물만 먹는 프루테리언, ㉡은 우유를 먹고 알은 먹지 않으므로 락토 베지테리언, ㉢은 오보 베지테리언, ㉣은 어류까지 먹는 페스코 베지테리언입니다.

문제 돋보기

4 보기는 채식주의자의 유형과 섭취 음식을 정리한 것이다. 보기에 대한 반응으로 적절하지 않은 것은 무엇입니까? (⑤)

보기

유형	섭취 음식
㉠ 프루테리언	
비건	
㉡ 락토 베지테리언	
㉢ 오보 베지테리언	
락토-오보	
㉣ 페스코 베지테리언	(세미 베지테리언)
㉤ 폴로 베지테리언	(세미 베지테리언)
플렉시테리언	

① ㉠은 극단적인 채식주의자로 볼 수 있군. ○
② ㉡은 락토 베지테리언에 해당하는군. ○
③ ㉢은 알을 통해 동물성 단백질을 얻는군. ○
④ ㉣과 ㉤은 세미 베지테리언에 속하는군. ○
⑤ ㉤은 페스코 베지테리언에 해당하는군. └ ×, 폴로 베지테리언

5 어휘·어법_어휘의 사전적 의미 파악하기
㉠과 ②의 '손길'은 모두 '내밀거나 잡거나 닿거나 만지거나 할 때의 손.'의 뜻으로 쓰였습니다.

오답 피하기
①, ③, ⑤는 '도와주거나 해치는 일을 비유적으로 이르는 말.'의 뜻으로 쓰였습니다. ④는 '가꾸고 다듬는 솜씨.'의 뜻으로 쓰였습니다.

어휘력 완성 071쪽

1 (1) ㉯ (2) ㉰ (3) ㉮ **2** ⑤ **3** ③

1 '극단적'은 어느 한 쪽으로 크게 치우치는 것을 뜻하고 '간헐적'은 얼마 동안의 시간 간격을 두고 되풀이하여 일어나는 것을 뜻합니다. 또 '지속적'은 어떤 상태가 오래 계속되는 것을 뜻합니다.

2 '소고기'와 '육류'는 한 낱말의 의미가 다른 낱말에 포함되는 상하 관계입니다. 구체적으로는 '소고기'가 '육류'에 포함됩니다. 이와 달리 '달걀 – 계란', '서점 – 책방', '채소 – 야채', '물고기 – 생선'은 모두 유의 관계입니다.

3 빈칸에는 편식을 한다는 뜻을 지닌 말이 들어가야 합니다. 따라서 '음식을 심하게 가리거나 적게 먹다.'라는 뜻의 '입이 짧다(입이 짧아서)'가 들어가는 것이 알맞습니다.

사회 07 기본 소득 제도의 필요성과 문제점 072~074쪽

1 기본 소득 제도, 재원, 근로 의욕 **2** ② **3** ① **4** ② **5** ⑤

해제 기본 소득 제도를 도입해야 할 필요성과 이 제도를 도입할 경우에 발생할 수 있는 문제점을 설명하는 글입니다.

문단별 중심 내용

1문단	기본 소득 제도의 개념 및 효과
2문단	기본 소득 제도 도입의 필요성
3문단	안정적인 재원 마련의 어려움.
4문단	근로 의욕 저하에 대한 우려

주제 기본 소득 제도의 필요성과 문제점

1 글의 구조_문단 내용 정리하기

1 (기본 소득 제도)의 개념 및 효과 – 2 기본 소득 제도 도입의 필요성 – 3 예상되는 문제 ①: (재원) 마련의 어려움 / 4 예상되는 문제 ②: (근로 의욕) 저하에 대한 우려

2 내용 이해_세부 정보 파악하기

2문단에 따르면 프랑스와 네덜란드, 캐나다 등 일부 국가에서 기본 소득 제도를 도입하기 위한 준비를 하고 있을 뿐이지 아직 도입하지는 않았습니다. ①은 4문단에서, ③은 3문단에서, ④는 2문단에서, ⑤는 1문단에서 확인할 수 있습니다.

3 내용 이해_원인과 결과 파악하기

'고용 없는 성장'은 국가의 경제 성장은 계속되지만 일자리는 늘어나지 않고 오히려 줄어드는 상황을 일컫습니다. 2문단에 따르면 고용 없는 성장 시대에는 일자리가 줄어들어 국민들의 구매력이 감소함으로써 국가의 경제가 흔들릴 수 있다고 했습니다.

4 적용하기_구체적인 상황에 적용하기

기본 소득 제도는 재산이나 소득 수준을 따지지 않고 모든 국민을 대상으로 삼는다는 점에서 보편적 복지에 해당합니다. [보기]에 따르면 선별적 복지와 보편적 복지 모두 최소 생계를 보장하고 경제 불황을 예방하는 효과가 있습니다.

문제 돋보기

4 보기를 참고하여 기본 소득 제도를 바르게 이해한 것은 무엇입니까? (②)
(기본 소득 제도 → 모든 국민에게 제공)

보기

복지 제도는 국민들이 최소한의 인간다운 생활을 할 수 있도록 최소 생계를 국가가 보장하는 제도로, 선별적 복지와 보편적 복지로 나눌 수 있다. 선별적 복지는 재산과 소득을 조사해 가난한 사람들에게만 복지 서비스를 제공하는 것이고, 보편적 복지는 모든 국민에게 복지 서비스를 제공하는 것이다. 이러한 복지 제도는 실업으로 인한 위험 부담을 줄여 경제 불황을 예방할 수 있다.

① 경제 불황을 예방하는 점에서 선별적 복지에 해당하는군. (선별, 보편 모두 해당 ×)
② 모든 국민을 대상으로 하는 점에서 보편적 복지에 해당하는군.
③ 국민의 최소 생계를 보장하는 점에서 보편적 복지에 해당하는군. (선별, 보편 모두 해당 ×)
④ 국가가 제공하는 복지 서비스라는 점에서 선별적 복지에 해당하는군. (선별, 보편 모두 해당 ×)
⑤ 국민들에게 차등적인 금액을 주는 점에서 선별적 복지에 해당하는군. (×, 모든 국민에게 일정한 금액 제공 / ×, 보편적 복지)

5 어휘·어법_어휘의 문맥적 의미 파악하기

'부담해야(부담하다)'는 '어떠한 의무나 책임을 지다.'라는 뜻인데, '누려야(누리다)'는 '생활 속에서 마음껏 즐기거나 맛보다.'라는 뜻이므로 바꿔 쓰기에 적절하지 않습니다. '부담해야'는 '맡아야'나 '내야' 등으로 바꾸어 쓸 수 있습니다.

오답 피하기

① '도입하다'는 '기술, 방법, 물자 따위를 끌어 들이다.'라는 뜻이므로 문맥상 '들여야'와 바꾸어 쓸 수 있습니다.
④ '충당해야(충당하다)'는 '모자라는 것을 채워 메우다.'라는 뜻이므로 문맥상 '채워야'와 바꾸어 쓸 수 있습니다.

어휘력 완성 075쪽

1 (1) ㉮ (2) ㉰ (3) ㉯ **2** ⑤ **3** 탐, 실

2 '불황'은 '경제 활동이 일반적으로 침체되는 상태.'를 뜻합니다. 이 말과 반대되는 말은 '경기가 좋음.' 또는 '경제 활동이 활발하게 잘 이루어지는 상태.'를 뜻하는 '호황'입니다.

3 국민의 최소 생계를 보장하려는 기본 소득이 오히려 국가 경제 전체를 어렵게 만들 수도 있다는 내용이므로 '작은 것을 탐하다가 큰 것을 잃음.'이라는 뜻의 '소탐대실'로 표현할 수 있습니다.

사회 08 저작권을 지키자

076~078쪽

1 저작권, 저작권법, 다운로드, 출처, 제한 **2** ③ **3** ④ **4** ④ **5** ⑤

해제 저작권의 개념을 소개한 뒤, 이를 잘 알지 못하는 청소년들이 흔히 저지르는 저작권 위반 사례를 설명하는 글입니다.

문단별 중심 내용

1문단	저작권의 개념
2문단	흔히 일어나는 저작권법 위반 행위
3문단	위반 사례 (1): 불법 다운로드 사이트 및 공유 프로그램 이용 경우
4문단	위반 사례 (2): 출처만 밝히고 허락 없이 사용하는 경우
5문단	저작권이 예외적으로 제한되는 경우

주제 흔히 저지르는 저작권 위반 사례 및 주의 촉구

1 글의 구조_문단 내용 정리하기

2 내용 이해_세부 정보 파악하기

1문단에 따르면 나이와 상관없이 사람이 독자적인 감정이나 생각을 표현한 결과물은 모두 저작권이 발생합니다.

3 내용 이해_원인과 결과 파악하기

'온라인으로 물건을 구매하면서 배송료만 내고 물건값은 내지 않은 것과 같기 때문이다.'라는 말에서 '배송료'는 불법 다운로드 사이트에서 현금으로 구입한 포인트이고, '물건값'은 다운로드 받은 음원이나 영상, 컴퓨터 프로그램의 정당한 이용 요금으로 볼 수 있습니다. 따라서 저작물을 이용하는 대가를 저작자에게 지불하지 않았기 때문에 저작권을 위반한 것이 됩니다.

4 추론하기_세부 내용 추론하기

[보기]의 자료는 자신의 행위가 불법인 줄 모르고 저작권을 침해한 청소년이 많다는 내용입니다. 따라서 청소년들에게 학교나 사회에서 저작권에 대한 교육을 충분하게 시행해야 한다는 내용을 이끌어 내기에 적절합니다.

문제 돋보기

4 이 글과 관련하여 보기 를 읽고 주장할 수 있는 내용으로 가장 적절한 것은 무엇입니까? (④)

> 보기
>
> 음원이나 영화 등을 개인 블로그나 SNS에 올려 저작권 침해로 소송을 당하는 청소년이 늘고 있다. 청소년의 경우 1회에 한해서 처벌을 면제해 주고 있지만, 저작권을 침해한 건수가 많을 경우에는 벌금이나 합의금을 내기도 한다. 저작권법 위반으로 고소를 당한 청소년들을 대상으로 조사를 해 보았더니, 62명의 학생들 중에서 5명만이 자신의 행위가 불법인 줄 알고 있었다고 대답했다. 그리고 실질적으로 도움이 되는 저작권 교육을 받아 본 적이 있는 학생도 10명에 불과했다. "다른 사람들이 다 하니까 불법이 아닌 줄 알았어요."라고 대답한 학생들이 대부분이었다.

① 경제적 이익을 꾀하지 않은 경우에는 저작권을 제한해야 한다. → ×, 5문단에 있는 내용임.

② 과도한 합의금을 요구하는 소송업자들을 법적으로 막아야 한다. └ ×, [보기]에 없는 내용

③ 청소년은 저작권을 침해하더라도 법적으로 처벌하지 말아야 한다. → ×, [보기]를 읽고 이끌어 낼 수 없는 주장임.

④ 학교나 시민 단체에서 청소년에 대한 저작권 교육을 강화해야 한다.

⑤ 저작물의 이용 요금을 누구나 이용할 수 있을 정도로 낮추어야 한다. └ ×, [보기]에 없는 내용

5 어휘·어법_어휘의 문맥적 의미 파악하기

㉠은 문맥상 '사물을 헤아리고 판단하다.'라는 뜻으로 쓰였습니다. 그리고 앞뒤의 내용을 볼 때, 이는 정상적이지 못한 거래를 정상적인 것으로 판단한다는 뜻이므로 '착각한다'는 말과 바꿔 쓸 수 있습니다.

어휘력 완성

079쪽

1 (1) ㉯ (2) ㉰ (3) ㉮ **2** ③ **3** ③

2 '유의하다'는 '마음에 두어 조심하거나 관심을 가지다.'라는 뜻이므로 ㉠과 바꿔 쓸 수 있습니다.

3 '부지불식'은 '생각하지도 못하고 알지도 못함.'이라는 뜻이므로 밑줄 친 부분과 뜻이 통합니다.

과학 01 황사와 미세 먼지

084~086쪽

1 황사, 발생 원인, 입자 크기, 호흡기 **2** ④ **3** ③
4 ⑤ **5** ③

해제 황사와 미세 먼지의 공통점과 차이점, 건강에 미치는 영향 등을 구체적인 수치를 활용하여 설명한 뒤 대처법을 제시하는 글입니다.

문단별 중심 내용

1문단	우리를 괴롭히는 황사와 미세 먼지
2문단	발생 원인과 주성분이 다른 황사와 미세 먼지
3문단	입자 크기가 비슷한 황사와 미세 먼지
4문단	호흡기 건강을 해치는 미세 먼지
5문단	미세 먼지에 대처하는 방법

주제 황사와 미세 먼지의 비교

1 글의 구조_문단 내용 정리하기

2 내용 이해_세부 정보 파악하기

2문단에 따르면 황사는 대부분 중국과 몽골에서 발생하지만 미세먼지의 절반 이상은 국내에서 발생합니다. ①은 2문단에서, ②는 2문단에서, ③은 4문단에서, ⑤는 3문단에서 확인할 수 있습니다.

3 전개 방식_내용 전개 방식 파악하기

이 글에서 전문가의 의견을 제시하는 내용은 나타나지 않았습니다. ①은 1문단, 3문단, 5문단에서, ②는 2문단과 3문단에서, ④는 3문단에서, ⑤는 4문단에서 확인할 수 있습니다.

4 추론하기_세부 내용 추론하기

초미세 먼지를 차단하는 정전식 필터의 정전기는 물이 닿으면 사라집니다. 따라서 보건용 마스크를 빨면 그 효과가 사라지므로 적절하지 않은 반응입니다.

오답 피하기

① 정전식 필터가 초미세 먼지를 차단하는 역할을 하므로 이것이 없는 마스크는 초미세 먼지를 차단하기 어렵습니다.
② 3문단에 따르면 황사 입자도 미세 먼지의 일종이므로 황사가 심한 날에도 보건용 마스크를 쓰고 외출하는 것이 좋습니다.
③ [보기]에서 보건용 마스크는 재사용하면 미세 먼지 차단 효과가 떨어진다고 하였으므로 여러 번 사용하지 않는 것이 좋습니다.
④ [보기]에서 보건용 마스크의 정전식 필터에 있는 정전기는 시간이 지나면 점점 사라진다고 하였으므로 포장지를 개봉한 보건용 마스크는 가급적 빨리 사용하는 것이 좋습니다.

5 어휘·어법_어휘의 사전적 의미 파악하기

㉠과 ③은 모두 문맥상 '얼굴에 어떤 물건을 걸거나 덮어 쓰다.'라는 뜻으로 사용되었습니다.

오답 피하기

① '어떤 말이나 언어를 사용하다.'의 뜻입니다.
② '어떤 일을 하는 데에 재료 등을 이용하다.'의 뜻입니다.
④ '맛이 한약이나 씀바귀의 맛과 같다.'의 뜻입니다.
⑤ '붓이나 연필 등으로 획을 그어 글자를 이루다.'의 뜻입니다.

어휘력 완성

087쪽

1 연소 **2** ① **3** ②

1 '연소'는 '물체가 빛과 열을 내면서 탐. 또는 그런 현상.'이라는 뜻이므로 빈칸에 들어갈 말로 적절합니다.

오답 피하기

- 발생: 일이나 사물이 일어나거나 생겨남을 뜻합니다.
- 오염: 공기·물 등이 더러워짐을 뜻합니다.
- 입자: 물질을 이루는 아주 작은 알갱이라는 뜻입니다.
- 조기: 이른 시기라는 뜻입니다.

2 '미세 먼지'가 '초미세 먼지'를 포함하는 상하 관계임을 알 수 있습니다. '상하 관계'는 어떤 단어의 의미가 다른 단어의 의미를 포함하는 의미 관계를 말합니다. '계절'과 '봄'도 계절이 봄을 포함하는 상하 관계입니다. ② '주택 – 집', ③ '폐 – 허파', ④ '몸속 – 체내'는 유의 관계이고, ⑤ '발생 – 소멸'은 반의 관계입니다.

3 황사가 우리를 괴롭히는 데 미세 먼지까지 발생하여 더 어렵게 된 상황이므로 '설상가상'으로 표현할 수 있습니다. '설상가상'은 눈 위에 서리가 덮인다는 뜻으로, 난처한 일이나 불행한 일이 잇따라 일어남을 이르는 말입니다.

과학 02 우리나라 전통 발효 식품 088~090쪽

1 발효, 김치, 콩, 어패류 **2** ⑤ **3** ② **4** ① **5** ③

해제 우리나라의 전통적인 발효 식품이 지닌 우수성과 과학성을 다양한 예시를 통해 설명하는 글입니다.

문단별 중심 내용

1문단	발효 식품이 발달한 우리나라
2문단	대표적인 발효 식품인 김치
3문단	콩으로 만든 다양한 장류
4문단	어패류를 발효시킨 젓갈
5문단	생선을 발효시킨 식품들
6문단	발효 식품의 특징과 의의

주제 전통 발효 식품의 우수성과 과학적 원리

1 글의 구조_문단 내용 정리하기

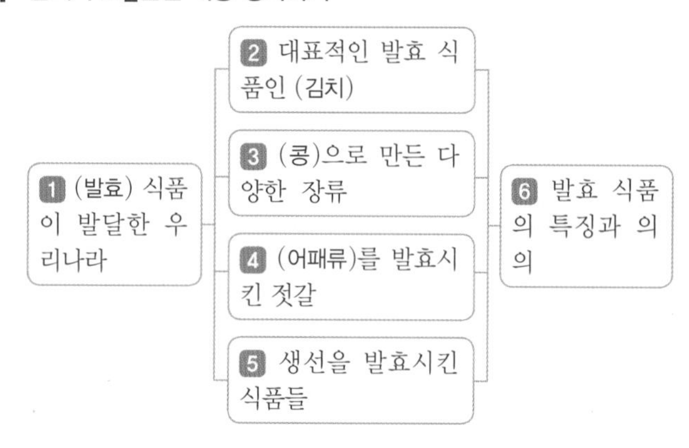

2 내용이해_세부 정보 파악하기

6문단에 따르면, 발효 식품은 오랜 시간 정성으로 기다려야 합니다. ①은 3문단에서, ②는 2문단에서, ③은 1문단에서, ④는 4문단에서 확인할 수 있습니다.

3 전개 방식_내용 전개 방식 파악하기

2~5문단에서 발효 식품의 구체적인 사례들을 나란히(병렬적으로) 제시하면서 발효 식품에 대한 독자의 이해를 돕고 있습니다.

4 추론하기_외부 자료를 바탕으로 추론하기

2문단에서 유산균은 식품을 발효시키는 균임을 알 수 있습니다. 그리고 [보기]에서 부패와 발효는 각각 그것을 유발하는 균이 다르다고 하였습니다. 따라서 발효를 일으키는 유산균이 많아진다고 해서 식품을 부패시키는 균으로 바뀌지는 않습니다.

문제 돋보기

4 이 글을 읽은 학생이 보기 에 대해 보일 반응으로 적절하지 않은 것은 무엇입니까? (①)

> **보기**
>
> 우유가 상해서 먹지 못하게 되는 것은 부패이고, 요구르트로 변해 새로운 맛을 내는 것은 발효이다. 발효와 부패는 둘 다 균의 증식으로 일어나기 때문에 얼핏 비슷해 보이지만 둘은 전혀 다른 현상이다. 발효는 발효균에 의한 것인데, 발효균은 식품이 특정한 조건과 환경을 갖추었을 때에만 나타나서 식품의 맛과 향, 저장성을 높인다. 이와 달리 부패는 부패균에 의한 것으로, 어떤 식품이라도 자연 상태 그대로 방치하면 거의 예외 없이 나타나며 부패 과정에서 악취가 난다. 부패한 음식을 먹으면 식중독을 일으키거나 심하면 죽음에 이르게 되므로 조심해야 한다. 부패균은 몸에 해로움.

① 유산균이 너무 많아지면 식품을 부패시키고 식중독을 일으키는군. (발효균 / 부패균 ×)

② 발효가 된 식품은 건강에 도움이 되지만 부패가 된 식품은 건강을 해치는군. ○

③ 발효 식품이 원래 재료와 다른 맛을 내는 것은 발효균이 생겼기 때문이겠군. (새로운 맛을 냄.)

④ 젓갈 재료를 소금과 함께 항아리에 넣는 것은 발효가 될 환경을 만드는 것이군.

⑤ 이미 발효가 끝난 식품이라도 자연 상태 그대로 오랫동안 방치하면 부패할 수 있겠군. ○

5 어휘·어법_어휘의 문맥적 의미 파악하기

'숙성되면'은 '발효가 잘되어 충분히 익게 되면.'이라는 뜻입니다. 문맥적으로 보더라도 유산균이 크게 자란다는 표현은 어색합니다.

어휘력 완성 091쪽

1 (1) ㉯ (2) ㉮ **2** ⑤ **3** ⑤

2 '게, 새우, 바닷가재, 따개비'는 모두 갑각류에 속합니다.

3 [보기]의 '이르다'는 문맥상 '어떤 정도나 범위에 미치다.'라는 뜻입니다. ⑤ 또한 같은 뜻으로 사용되었습니다.

오답 피하기

① '무엇이라고 말하다.'라는 뜻으로 쓰였습니다.

②, ③ '기준을 잡은 때보다 앞서거나 빠르다.'라는 뜻으로 쓰였습니다.

④ '어떤 사람의 잘못을 윗사람에게 말하여 알게 하다.'라는 뜻으로 쓰였습니다.

과학 03 외래 동식물에 주의를 기울이자 092~094쪽

1 외래 동식물, 생태계, 황소개구리, 가시박 **2** ② **3** ② **4** ④ **5** ③

해제 황소개구리와 가시박의 예를 들어 외래 동식물이 생태계를 파괴하면서 인간에게도 피해를 준다는 점을 제시하고, 이를 막아야 한다고 주장하는 글입니다.

문단별 중심 내용

1문단	외래 동식물 수입을 가볍게 보면 안 됨.
2문단	생태계가 파괴될 수 있음.
3문단	인간에게도 피해를 줄 수 있음.
4문단	황소개구리는 우리나라 하천 생태계를 훼손함.
5문단	가시박은 우리나라 토종 식물을 죽임.
6문단	외래 동식물 수입에 주의를 기울여야 함.

주제 외래 동식물로 인한 문제점 및 해결 방안

1 글의 구조_문단 내용 정리하기

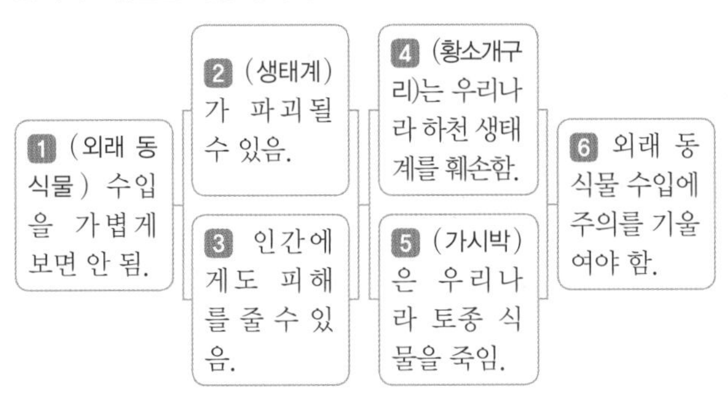

2 내용 이해_세부 정보 파악하기

6문단에 따르면 요즘은 외래종이더라도 개인이 키울 수 있도록 허가된 동물들이 많습니다.

3 전개 방식_글쓰기 전략 파악하기

ㄱ–황소개구리와 가시박의 사례를 들어 외래 동식물이 미치는 부정적 영향을 구체적으로 보여 주고 있습니다. ㄹ–외래 동식물이 우리나라의 생태계를 위협하고 있다는 문제점을 설명한 뒤 마지막 문단에서 이에 대한 해결 방안을 제시하고 있습니다.

4 적용하기_구체적인 상황에 적용하기

6문단에 따르면 외래 동식물로 인해 파괴된 생태계는 복구하는 데 많은 시간과 노력이 걸리는 것이지, 복구가 불가능한 것은 아닙니다.

문제 돋보기

4 이 글을 참고할 때, 보기에 대한 반응으로 적절하지 않은 것은 무엇입니까? (④)

보기

1876년 미국의 한 업체가 아시아의 칡을 관상용으로 수입하여 전시하였다. 당시 미국에는 칡이 없었다. 이후 많은 미국인들이 칡을 자신의 집 울타리나 뜰에 심었다. 그런데 유달리 강한 칡의 생명력과 빠른 성장 속도 때문에 수입된 지 50년 만에 미국 남부를 완전히 점령한 후 점점 북상하여 미국 전 지역의 숲을 점령하고 있다. 이 때문에 현지의 토종 나무를 죽이고, 낡은 하수관에 구멍을 내는 등 매년 수백만 달러의 피해를 내고 있다. 그러나 사람의 힘으로는 뽑을 수 없을 정도로 줄기가 굵고 초식동물마저 먹이로 삼지 않아 칡의 분포는 더욱 늘어가고 있다. 칡 이외에 지난 2000년대 초 우리나라에서 북미 지역에 관상어로 수출되었던 가물치도 현지의 하천 생태계를 교란하는 생물로 취급받고 있다.

(천적이 없었을 것) (생태계 훼손, 경제 피해)

① 칡은 미국인들에게 경제적 피해를 끼치는 외래 동식물이 되었군. (○, 매년 수백만 달러 피해)

② 미국의 입장에서는 외래 동식물이 현지 생태계를 훼손한 것이군. (○)

③ 전 세계 어디라도 외래 동식물을 수입할 때는 매우 조심해야겠군. (○)

④ 칡과 가물치 때문에 파괴된 현지 생태계는 다시 복구할 수 없겠군. (×, 6문단: 복구하는 데 시간과 노력이 필요함.)

⑤ 칡이나 가물치를 수입할 당시의 미국에는 이들의 천적이 없었겠군. (○, 2문단 설명 참조)

5 어휘·어법_어휘의 사전적 의미 파악하기

㉠과 ③의 '깨어지다'는 문맥상 '지속되던 분위기 따위가 일순간에 바뀌어 새로운 상태가 되다.'의 뜻입니다.

어휘력 완성 095쪽

1 (1) ㉯ (2) ㉮ **2** ③ **3** ②

1 '교란하다'는 '뒤흔들어 어지럽게 하거나 혼란하게 하다.'의 뜻이고 '방치하다'는 '내버려 두다.'의 뜻입니다.

2 '늘어나다(늘어나면서)'는 '부피나 분량 따위가 본디보다 커지거나 길어지거나 많아지다.'라는 뜻입니다. 그리고 '불어나다(불어나면서)'는 '수량 따위가 본디보다 커지거나 많아지다.'라는 뜻이므로 ㉠과 바꿔 쓸 수 있습니다. ⑤의 '흥건하다(흥건해지면서)'는 '물 따위가 푹 잠기거나 고일 정도로 많다.'라는 뜻입니다.

과학 04 세균과 바이러스는 어떻게 다를까? 096~098쪽

1 미생물, 조직 구조, 증식, 크기, 세균 **2** ③ **3** ④
4 ③ **5** ④

해제 세균과 바이러스는 조직 구조와 증식 방법, 크기 등에서 차이점이 있지만, 둘 다 인간에게 질병을 일으킨다는 것을 과학적으로 설명하고 있습니다.

문단별 중심 내용

1문단	미생물인 세균과 바이러스
2문단	조직 구조가 다른 세균과 바이러스
3문단	증식 방법이 다른 세균과 바이러스
4문단	크기가 다른 세균과 바이러스
5문단	세균이 인간에게 일으키는 전염병
6문단	바이러스가 인간에게 일으키는 전염병
7문단	세균과 바이러스로 인한 질병의 예방법

주제 세균과 바이러스의 공통점과 차이점

1 글의 구조_문단 내용 정리하기

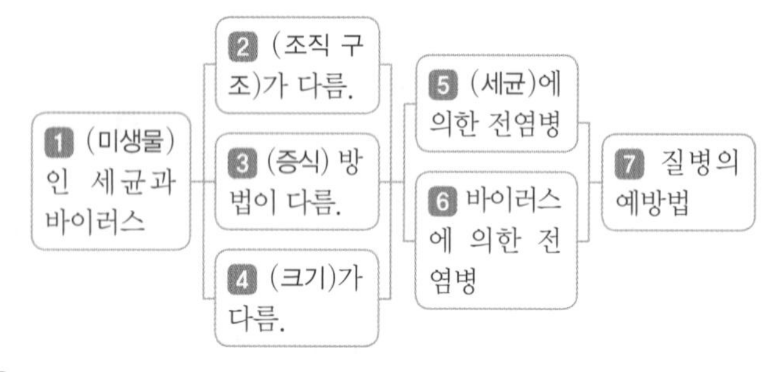

2 내용 이해_세부 정보 파악하기

2문단에 따르면 세균은 생물에 해당하지만 바이러스는 생물과 무생물의 중간 단계쯤에 해당합니다. 따라서 생물로 볼 수 없습니다. ①은 4문단에서, ②는 5문단에서, ④는 3문단에서, ⑤는 6문단에서 확인할 수 있습니다.

3 전개 방식_설명 방법 파악하기

이 글은 세균과 바이러스를 비교하면서 공통점과 차이점을 설명하고 있습니다.

4 추론하기_세부 내용 추론하기

2, 3문단에 따르면 바이러스는 조직 구조로 인해 스스로 먹이 활동을 할 수 없고, 살아 있는 생물체의 세포를 숙주로 삼아야만 증식할 수 있습니다. 따라서 바이러스가 숙주를 죽이지 않을 정도의 질병만 일으키는 이유는 스스로 먹이 활동을 할 수 없어서 반드시 숙주와 공생해야만 하기 때문입니다.

문제 돋보기

4 이 글을 참고할 때, 보기의 밑줄 친 부분의 까닭을 추론한 내용으로 가장 적절한 것은 무엇입니까? (③) — 추론: 이미 알려진 정보를 근거로 판단할 것

> **보기**
> 바이러스를 통해 발생하는 전염병은 전염성이 높으면 독성이 낮고, 독성이 높으면 전염성이 낮은 경향이 있다. 이는 바이러스가 널리 퍼지려면 숙주가 오랜 기간 살아 있어야 하는데, 바이러스의 독성이 강하면 숙주가 빨리 죽어 버리기 때문이다. 따라서 숙주가 죽지 않고, 활동할 수 있을 정도의 질병을 일으키는 경우가 많다. (까닭)

① 바이러스가 생물이 되기 위해서는 숙주가 계속 살아 있어야 하기 때문에 — ×, 바이러스는 생물로 안 바뀜.
② 바이러스는 크기가 작아서 살아가려면 숙주의 도움을 받아야 하기 때문에 — ×, 크기는 작지만 숙주 도움과 관련없음.
③ 바이러스는 스스로 먹이 활동을 할 수 없어서 숙주와 공생해야 하기 때문에 — O, 3문단 설명 참조
④ 바이러스는 수명이 짧아서 증식을 하려면 반드시 숙주가 있어야 하기 때문에 — ×, 알 수 없음.
⑤ 바이러스가 세균을 이겨 숙주를 차지하려면 더 강한 질병을 일으켜야 하기 때문에 — ×, 알 수 없음.

5 어휘·어법_어휘의 사전적 의미 파악하기

㉠과 ④에서 '키우다'는 모두 '수준이나 능력 따위를 높이다.'라는 뜻으로 사용되었습니다.

오답 피하기

① '동식물을 돌보아 기르다.'의 뜻으로 쓰였습니다.
② '상태나 상황 따위를 나빠지거나 심해지게 하다.'라는 뜻으로 쓰였습니다.
③ '사람을 돌보아 몸과 마음을 자라게 하다.'의 뜻으로 쓰였습니다.
⑤ '규모, 범위 따위를 늘리다.'의 뜻으로 쓰였습니다.

어휘력 완성 099쪽

1 (1) ㉯ (2) ㉮ **2** ⑤ **3** ①

1 '다르다'의 반대말은 '같다'이고, '틀리다'의 반대말은 '맞다'입니다.

2 '생물'과 '무생물'은 서로 뜻이 반대되는 반의 관계입니다. ⑤의 '최근(얼마 되지 않은 지나간 날부터 현재 또는 바로 직전까지의 기간.)'과 '근래(가까운 요즈음.)'는 서로 뜻이 비슷한 유의 관계입니다.

3 코로나19 때문에 힘들었다는 내용이므로 '학을 떼다'가 들어가는 것이 가장 적절합니다.

과학 05 방사선이 위험한 이유 100~102쪽

1 방사선, 이상 증세, 내부 피폭 **2** ④ **3** ⑤ **4** ④
5 ④

해제 우리 몸이 다량의 방사선에 노출될 경우 신체 이상이나 후대에 나쁜 영향을 미치게 된다는 점을 과학적으로 설명하는 글입니다.

문단별 중심 내용

1문단	후쿠시마 원자력 발전소의 붕괴로 인한 염려
2문단	방사선이 우리 몸에 미치는 영향
3문단	강력한 방사선으로 인해 우리 몸에 나타나는 이상 증세
4문단	방사성 물질로 인한 내부 피폭

주제 방사선 피폭의 위험성

1 글의 구조_문단 내용 정리하기

1 후쿠시마 원자력 발전소 붕괴로 인한 염려
2 (방사선)이 우리 몸에 미치는 영향
3 강력한 방사선으로 인해 우리 몸에 나타나는 (이상 증세)
4 방사성 물질로 인한 (내부 피폭) 가능성

2 내용 이해_세부 정보 파악하기

3문단의 '방사선으로 인한 세포의 손상 정도가 가벼우면 자연스럽게 회복되지만'이라는 설명에서 방사선에 의한 손상이 가벼울 때는 자연스럽게 회복될 수 있음을 알 수 있습니다. ①은 1문단에서, ②와 ③은 3문단에서, ⑤는 4문단에서 확인할 수 있습니다.

3 내용 이해_원인과 결과 파악하기

1문단에서 후쿠시마 원자력 발전소에서 유출된 방사성 물질이 인근 바다로 흘러 나갔다고 하였습니다. 그리고 4문단에서 방사성 물질이 음식물 등을 매개로 하여 우리 몸에 들어오면 내부 피폭을 일으킬 수 있다고 하였습니다. 따라서 우리나라를 비롯한 인접 국가가 내부 피폭을 걱정하는 것은 일본 후쿠시마에서 유출된 방사성 물질이 물고기 같은 해산물을 통해 우리 몸속으로 들어와서 방사선 피해를 줄 수 있기 때문입니다.

4 적용하기_다른 상황에 적용하기

방사선으로 인해 병에 걸린 사람들 몸에서 방사성 물질이 모두 배출되어 나아진다는 것은 본문 내용과 관련이 없습니다.

문제 돋보기

4 이 글을 참고할 때, 보기에 대한 반응으로 적절하지 않은 것은 무엇입니까? (④)

보기

1986년 4월 26일 우크라이나 체르노빌의 원자력 발전소에서 제4호 원자로가 폭발하였다. 이 폭발은 원자로에 큰 구멍을 내었고, 치명적인 방사성 물질이 대기 중으로 흘러나왔다. 이 사건으로 인해 공식적으로 4365명이 죽었고, 수십 년이 지난 지금까지도 수백만 명의 사람들이 고통을 받고 있다. 특히 체르노빌과 방사성 물질의 낙진이 떨어진 인근 국가에서는 몇 년 뒤부터 암을 비롯하여 방사성 질환을 지닌 환자의 발생이 수십 배 이상 늘었고, 기형이나 선천적 질환을 지니고 태어나는 아이들의 수도 이전보다 크게 늘었다. 그리고 30여 년이 지난 지금까지도 체르노빌 지역에서는 사람이 살 수 없다.
└ 방사성 물질 아직 존재

① 방사선 관련 사고는 인근 국가에까지 매우 큰 영향을 끼치는군.
② 체르노빌 지역에는 아직 방사성 물질이 존재하기 때문에 사람이 살 수 없는 것이겠군. ○
③ 방사성 물질에 노출되어 생식 세포가 손상된 사람들이 많아서 기형아 출생이 늘어났겠군. ○
④ 방사선으로 인해 병에 걸린 사람들도 곧 몸속의 방사성 물질이 모두 배출되어 나아졌겠군. → ×, 일정한 수치 넘으면 암·생식세포 손상됨.
⑤ 원자력 발전소 폭발 뒤 체르노빌에서 나온 음식 재료에는 방사성 물질이 존재할 수 있겠군. ○, 내부 피폭으로 이어질 수 있음.

5 어휘·어법_어휘의 문맥적 의미 파악하기

'유출되다'는 '밖으로 흘러 나가다.'라는 뜻이므로 ㉠과 바꿔 쓰기에 적절합니다.

어휘력 완성 103쪽

1 (1) ㉯ (2) ㉮ **2** ④ **3** ④

2 '이상'은 '정상적인 상태와 다름.'의 뜻으로 쓰였습니다. '이상'과 반대 뜻의 낱말은 '특별한 변동이나 탈이 없이 제대로인 상태.'를 뜻하는 '정상'입니다.

오답 피하기

① 괴상: 괴이하거나 이상한 모양을 뜻합니다.
② 기형: 생물의 생김새 등이 정상이 아닌 이상한 모양을 뜻합니다.
⑤ 현실: 현재 실제로 존재하는 사실이나 상태를 뜻합니다.

3 '전전긍긍'은 '몹시 두려워서 벌벌 떨며 조심함.'이라는 뜻이므로 많은 사람들이 방사선 노출을 두려워하며 걱정하는 상황을 나타내기에 적절합니다.

과학 06 얼마나 뚱뚱해야 비만일까 104~106쪽

1 비만, 체지방률, 체질량 지수 **2** ① **3** ⑤ **4** ② **5** ③

해제 비만 정도를 측정하는 정확한 방법인 체지방률, 개인이 쉽게 측정할 수 있는 방법인 체질량 지수, 그리고 비만과 저체중의 위험성을 설명하는 글입니다.

문단별 중심 내용

1문단	만병의 근원인 비만
2문단	체지방률을 활용한 비만 측정
3문단	체질량 지수를 활용한 비만 측정
4문단	체질량 지수의 한계와 의의
5문단	초등학교 6학년의 비만 실태
6문단	과체중만큼 위험한 저체중

주제 비만 정도의 측정 방법

1 글의 구조_문단 내용 정리하기

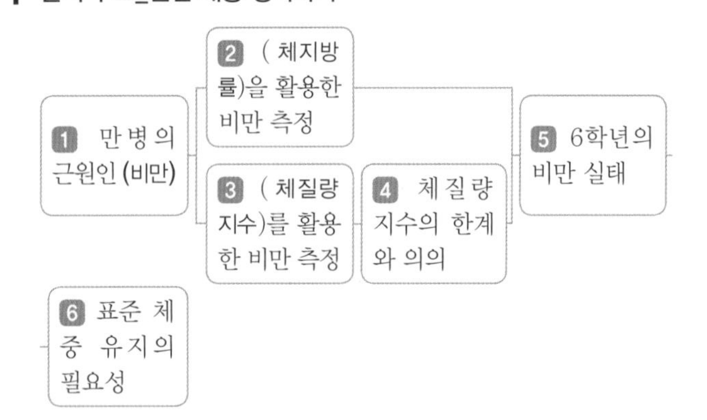

2 내용 이해_세부 정보 파악하기

체지방률은 체중에서 체지방이 차지하는 비율이므로 '체지방량÷체중×100'입니다. ②는 2문단에서, ③은 1문단에서, ④는 4문단에서, ⑤는 6문단에서 확인할 수 있습니다.

3 전개 방식_내용 전개 방식 파악하기

이 글에서 비만의 원인을 분석하고 있지는 않습니다. ①과 ②는 각각 2문단과 4문단에서, ③은 5문단에서, ④는 1문단에서 확인할 수 있습니다.

4 적용하기_구체적인 상황에 적용하기

2문단에 따르면 의학적으로 남성의 경우는 체지방률이 15~20%를 정상, 25% 이상을 비만으로 판정합니다. 그런데 A는 체지방량이 12㎏이므로 체지방률은 '12÷50×100', 24%가 되고, B는 체지방량이 10㎏이므로 체지방률은 '10÷50×100', 20%가 됩니다. 따라서 A의 경우 정상보다는 높지만 비만의 기준보다는 낮으므로 비만이라고 볼 수 없고, B의 경우도 정상입니다.

오답 피하기

① 3문단에 따르면 BMI는 몸무게(㎏)를, 미터로 계산한 키를 두 번 곱한 값으로 나눈 수치입니다. 그런데 A와 B는 몸무게가 같으므로 BMI가 더 높은 A의 키가 B보다 더 작을 것입니다. 분자에 해당하는 몸무게가 같을 경우에는 분모에 해당하는 키가 작을수록 BMI가 더 높게 나오기 때문입니다.

③ 체지방률은 체중에서 체지방이 차지하는 비율이므로 B의 체지방률은 '10÷50×100'으로 계산합니다.

④ A는 체지방량이 12㎏이므로 체지방률은 24%가 되고, B는 체지방량이 10㎏이므로 체지방률은 20%가 됩니다. 그러므로 A의 체지방률이 B보다 높습니다.

⑤ 3문단에 따르면 BMI 18.5~23.0 미만은 표준 체중, 18.5 미만은 저체중, 23.0 이상은 과체중, 25.0 이상은 비만입니다. 따라서 BMI만 볼 때 A는 BMI가 24.0이므로 과체중에 해당하고, B는 BMI가 20.0이므로 표준에 해당합니다.

5 어휘·어법_낱말 관계 파악하기

㉠'마른'과 ㉡'뚱뚱한'은 서로 반대말이지만 ③'결점'(잘못되거나 부족하여 완전하지 못한 점.)과 '단점'(모자라거나 흠이 되는 점.)은 서로 비슷한말입니다. 반대말은 반의 관계, 비슷한말은 유의 관계라고도 합니다.

어휘력 완성 107쪽

1 (1) ㉯ (2) ㉮ **2** ① **3** ①

1 '골격'은 '동물 몸을 받쳐 주는 여러 가지 뼈의 조직.'을 뜻하고, '체형'은 '체격에 나타나는 특징으로 나눈 부류.'를 뜻합니다. '골격을 갖추다.', '골격이 크다.', '동생은 키가 크고 마른 체형이다.'와 같이 쓰입니다.

2 ㉠'배'는 '사람이나 동물의 몸에서 위·창자 같은 내장이 들어 있는 부분.'을 뜻하는 중심 의미로 쓰였고, ①의 '배'는 '길쭉한 물건의 가운데 부분.'이라는 뜻의 주변 의미로 쓰였으므로 다의어입니다. ②~⑤의 '배'는 각각 서로 동음이의어입니다.

3 너무 뚱뚱하거나 너무 마른 것은 모두 좋지 않다는 내용이므로 정도를 지나침은 미치지 못하는 것과 같다는 뜻을 지닌 '과유불급'으로 표현할 수 있습니다. '과유불급'은 지나침을 경계하는 한자성어입니다.

기술 01 우주 쓰레기의 위협 110~112쪽

1 우주 쓰레기, 인공위성, 지구 2 ⑤ 3 ③ 4 ③ 5 ②

해제 우주 쓰레기의 개념과 발생 원인, 현재 상황, 우주 쓰레기로 인한 문제점과 이를 해결하기 위한 국제적인 노력 등을 설명하는 글입니다.

문단별 중심 내용

1문단	지구 궤도를 돌고 있는 우주 쓰레기
2문단	인공위성이나 우주선 운용을 위협하는 우주 쓰레기
3문단	서로 충돌하면서 점점 늘어나는 우주 쓰레기
4문단	지구로 떨어지기도 하는 우주 쓰레기
5문단	우주 쓰레기를 해결하려는 노력

주제 우주 쓰레기의 실태와 문제점

2 내용 이해_중심 내용 파악하기
3문단에서 우주 쓰레기가 증가하고 있다고 했지만, 우주 쓰레기의 증가 속도에 대해서는 설명하지 않았습니다.

3 내용 이해_세부 정보 파악하기
우주 쓰레기의 크기는 1미터가 넘는 큰 것에서부터 1센티미터도 안 되는 작은 것까지 있으며, 크기가 작은 것의 개수가 훨씬 많습니다.

4 적용하기_구체적인 상황에 적용하기
3문단에 따르면 인공위성은 우리의 삶을 편리하게 해주는 기능을 합니다. 그러므로 국제적으로 인공위성을 금지하는 규약을 맺어야 한다는 반응은 적절하지 않습니다.

5 어휘·어법_어휘의 문맥적 의미 파악하기
'떨어지다'는 '위에서 아래로 내려지다.'라는 뜻입니다. 따라서 '높은 곳에서 떨어지다.'라는 뜻의 '추락하다'와 바꿔 쓸 수 있습니다.

어휘력 완성 113쪽

1 (1) ㉮ (2) ㉯ 2 ④ 3 ②

3 우주 쓰레기를 해결하지 못한 상황인데 우주 쓰레기끼리 충돌하여 더 많은 우주 쓰레기가 발생하는 상황이므로 '엎친 데 덮치다'라는 말로 표현할 수 있습니다.

기술 02 일상으로 들어온 3D 프린터 114~116쪽

1 3D 프린터, 활용, 악용 2 ④ 3 ⑤ 4 ④ 5 ①

해제 3D 프린터를 2D 프린터와 비교해서 소개하고, 3D 프린터의 장점 및 활용 분야, 오용이나 악용의 위험성 등을 설명하는 글입니다.

문단별 중심 내용

1문단	입체적인 물건을 만들어 내는 3D 프린터
2문단	3D 프린터의 다양한 활용 분야
3문단	3D 프린터의 오용 및 악용에 대한 경계
4문단	발전 가능성이 무한한 3D 프린터 기술

주제 3D 프린터의 여러 장점과 오용 및 악용의 위험성

2 내용 이해_중심 내용 파악하기
4문단에 따르면 3D 프린팅 기술의 오용과 악용을 막을 수 있는 규제 법안이 아직 만들어지지는 않았습니다.

3 전개 방식_문단의 설명 방법 파악하기
3문단에서는 미국에서 발생한 '3D 권총' 논란을 예로 들어 3D 프린터가 악용될 수 있음을 뒷받침하고 있습니다.

4 적용하기_구체적인 상황에 적용하기
2문단에 따르면 3D 프린터를 사용하면 물건을 만드는 시간이 단축되고 비용도 이전보다 절감된다고 하였습니다. 따라서 기존 제품보다 의수 제작 시간이 단축되었을 것입니다.

5 어휘·어법_문맥에 맞는 한자성어 찾기
문맥상 ㉠에는 발전 가능성이 매우 크다는 의미의 말이 들어가야 합니다. 따라서 '끝이 없고 다함이 없음.'이라는 뜻의 '무궁무진'이 가장 적절합니다.

어휘력 완성 117쪽

1 (1) ㉰ (2) ㉯ (3) ㉮ 2 ⑤ 3 ④

2 '얇다(얇게)'는 '두께가 두껍지 아니하다.'라는 뜻입니다. 따라서 '두껍다(두껍게)'가 반대되는 뜻의 낱말입니다. 참고로, '가늘다'와 '굵다'도 서로 반대되는 뜻입니다.

3 ㉠과 ④의 '같다'는 모두 앞에서 언급한 부류에 속한다는 뜻을 나타내는 말로 사용되었습니다.

기술 03 바코드(bar code)의 원리 118~120쪽

1 바코드, 장점, 2차원, 장점 **2** ② **3** ③ **4** ⑤
5 ②

해제 1차원 바코드가 정보를 담는 방법과 장단점을 소개한 뒤, 이를 보완한 2차원 바코드의 특징과 장점을 QR 코드를 예로 들어 설명하고 있습니다.

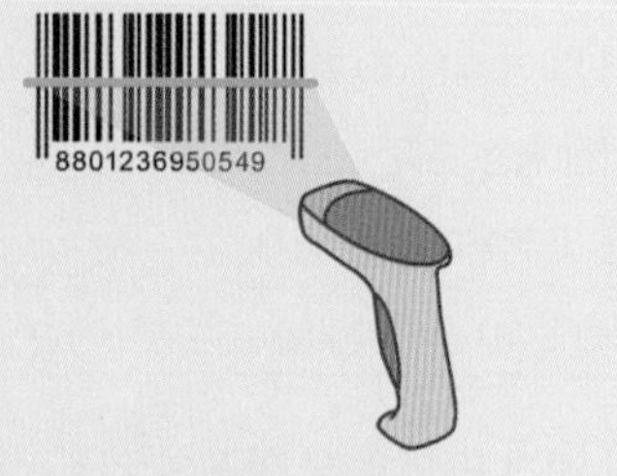

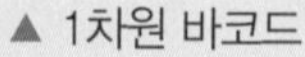

▲ 1차원 바코드 ▲ 2차원 바코드

문단별 중심 내용

1문단	1차원 바코드의 개념 및 원리
2문단	1차원 바코드의 13개의 숫자 체계
3문단	1차원 바코드의 장점 및 단점
4문단	1차원 바코드의 단점을 극복한 2차원 바코드
5문단	2차원 바코드의 장점

주제 바코드의 원리 및 종류

1 글의 구조_문단 내용 정리하기

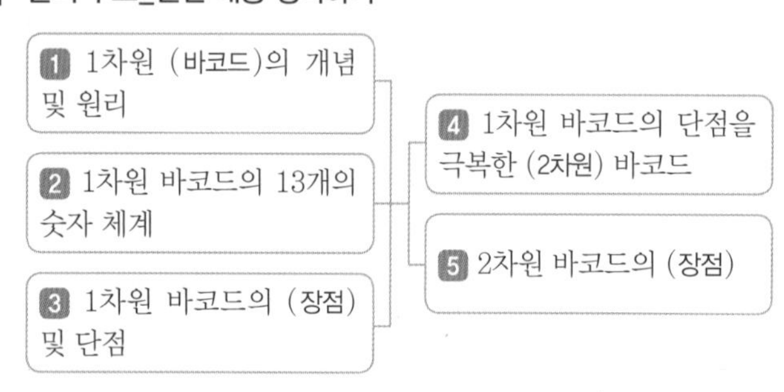

2 내용 이해_세부 정보 파악하기

4문단에서 2차원 바코드도 셀의 흑백에 따라 1차원 바코드처럼 0과 1로 구분한다고 설명하였습니다.

3 내용 이해_중심 내용 파악하기

1차원 바코드의 단점을 극복하기 위해 2차원 바코드를 개발하였다고 설명하였을 뿐이지, 어떤 과정을 거쳐 개발하였는지는 제시되지 않았습니다. ①은 3문단에서, ②는 2문단에서, ④는 3문단에서, ⑤는 4문단과 5문단에서 확인할 수 있습니다.

4 적용하기_시각 자료에 적용하기

2문단의 내용으로 볼 때, 1차원 바코드의 마지막 숫자는 앞 번호에 따라 0부터 9까지 달라진다는 것을 알 수 있습니다.

오답 피하기

① 1문단의 '컴퓨터는 바코드의 막대 선을 굵기에 따라 0 또는 1로 인식하는데, 이 이진법 원리를 사용하여 문자와 숫자 등의 정보를 담는다.'에서 각각의 막대 선은 컴퓨터에서 0과 1 중 하나로 인식될 것임을 알 수 있습니다.
② 1차원 바코드의 앞 세 자리의 숫자는 국가 번호인데, 우리나라의 국가 번호는 880입니다. [보기]의 바코드에 나온 국가 번호도 880이므로 우리나라에 있는 제조업체에서 만든 상품임을 알 수 있습니다.
③ 2문단에서 바코드를 스캔하면 바코드 아래에 적혀 있는 13개의 숫자로 변환된다고 하였습니다.
④ 3문단에서 1차원 바코드에는 영어와 숫자를 최대 20자리까지밖에 담을 수 없다고 설명하였습니다.

5 어휘·어법_속담으로 표현하기

2차원 바코드는 1차원 바코드를 이어서 만들어졌으며, 1차원 바코드보다 많은 장점이 있습니다. 따라서 나중에 생긴 것이 먼저 것보다 훨씬 나음을 비유적으로 이르는 '나중 난 뿔이 우뚝하다'라는 속담으로 평가하기에 적절합니다.

어휘력 완성 121쪽

1 ① **2** (1) ㉯ (2) ㉰ (3) ㉮ **3** ⑤

1 문맥상 빈칸에는 '검사하여 증명함.'이라는 뜻을 지닌 '검증'이 들어가는 것이 가장 알맞습니다.

오답 피하기

- 연동: 기계에서 한 부분을 움직이면 연결되어 있는 다른 부분도 함께 움직이는 것을 뜻합니다.
- 오류: 이치에 맞지 않는 잘못을 뜻합니다.

2 '자동'의 반대말은 '수동(다른 동력을 이용하지 않고 손의 힘만으로 움직임.)'이고, '구분'은 '일정한 기준에 따라 전체를 몇 개로 갈라 나눔.'이라는 뜻이므로 '여러 가지를 한데 모아서 합함.'이라는 뜻을 지닌 '종합'이 반대말이 됩니다. 그리고 '매출(물건 따위를 내다 파는 일.)'의 반대말은 '매입(물건 따위를 사들임.)'입니다.

3 2차원 바코드는 1차원 바코드의 원리를 바탕으로 만들었지만 1차원 바코드보다 많은 장점이 있습니다. 따라서 이를 사람에 비유한다면 '청출어람'이라는 말로 표현할 수 있습니다. '청출어람'은 쪽에서 뽑아낸 푸른 물감이 쪽보다 더 푸르다는 뜻으로, 제자나 후배가 스승이나 선배보다 나음을 비유적으로 이르는 말입니다.

기술 04 폴더블폰과 플렉서블 디스플레이 122~124쪽

1 플렉서블, 개발, 디스플레이, 폴더블폰 **2** ② **3** ⑤
4 ③ **5** ③

해제 플렉서블 디스플레이의 여러 가지 종류와 개발 현황, 이를 활용한 폴더블폰의 종류 및 각각의 특징, 발전 과정 등을 설명하는 글입니다.

문단별 중심 내용

1문단	플렉서블 디스플레이의 뜻과 종류
2문단	플렉서블 디스플레이의 장점 및 개발 현황
3문단	디스플레이를 접는 방식에 따른 폴더블폰의 분류
4문단	다양한 형태의 폴더블폰이나 롤러블폰 출시 예상

주제 폴더블폰의 종류 및 발전 방향

1 글의 구조_문단 내용 정리하기

1 (플렉서블) 디스플레이의 뜻과 종류 – 2 플렉서블 디스플레이의 장점 및 (개발) 현황 – 3 (디스플레이)를 접는 방식에 따른 폴더블폰의 분류 – 4 다양한 형태의 (폴더블폰)이나 롤러블폰 출시 예상

2 내용 이해_세부 정보 파악하기

2문단에 따르면 플렉서블 디스플레이는 얇고 가벼우며 잘 깨지지 않는다는 장점이 있습니다.

3 전개 방식_설명 방법 파악하기

이 글에서 인과(원인과 결과)의 설명 방법은 사용하지 않았습니다. ①은 1문단과 3문단에서, ②와 ③은 3문단에서, ④는 1문단에서 확인할 수 있습니다.

4 적용하기_시각 자료에 적용하기

3문단에 따르면 펼쳤을 때 인폴딩 방식은 화면을 평평하게 유지하는 데 유리하고, 아웃폴딩 방식은 화면이 접히는 부분에 주름이 생깁니다.

문제 돋보기

4 3문단을 참고하여 ㉮와 ㉯를 이해한 내용으로 적절하지 않은 것은 무엇입니까? (③)

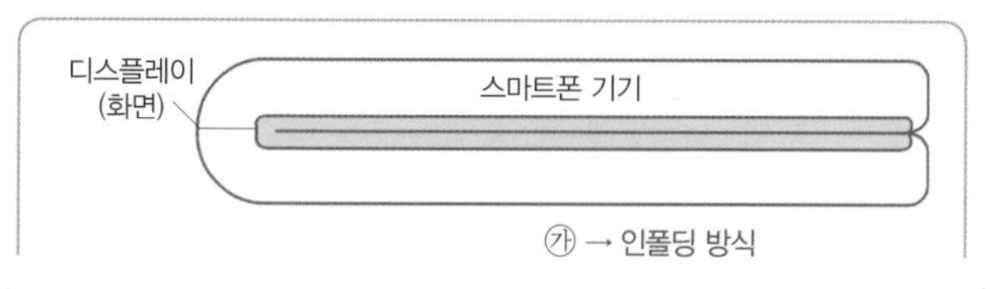

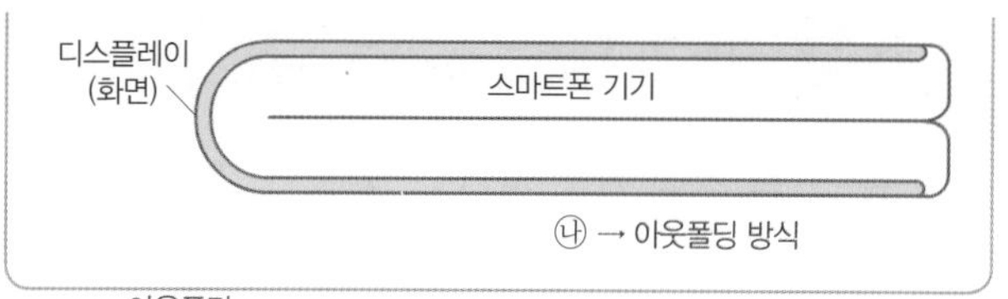

① ㉯는(아웃폴딩) 스마트폰을 펼치지 않아도 화면을 볼 수 있겠군. ○
② ㉮를 만들려면 ㉯에 비해서 기술 수준이 더 높아야겠군. ○, ㉮>㉯
③ ㉯는(인폴딩) 펼쳤을 때 ㉮와 달리 화면에 주름이 생기지 않겠군. → ×, 화면에 주름 생김.
④ ㉯는 ㉮에 비해서 접었을 때 화면이 파손될 위험이 크겠군. ○
⑤ ㉮는 ㉯에 비해서 펼쳤을 때 화면을 평평하게 유지하는 데 유리하겠군. ○

오답 피하기

① 3문단에 따르면 아웃폴딩 방식은 화면이 바깥쪽에 있어 접었을 때도 사용할 수 있습니다.
② 3문단에 따르면 아웃폴딩 방식이 인폴딩 방식보다 만들기가 쉽습니다. 따라서 인폴딩 방식의 제품을 만들려면 아웃폴딩 방식보다 높은 기술 수준이 필요합니다.
④ 3문단에 따르면 아웃폴딩 방식은 접었을 때 화면이 바깥으로 노출되기 때문에 상대적으로 화면이 파손될 위험이 큽니다.
⑤ 3문단에 따르면 인폴딩 방식은 아웃폴딩 방식보다 펼쳤을 때 화면이 평평한 상태를 유지하기에 유리합니다.

5 어휘·어법_어휘의 문맥적 의미 파악하기

문맥상 ㉠은 '없던 것이 새로 있게 되다.'라는 뜻입니다. 따라서 '어떤 일이나 사물이 생겨나다.'라는 뜻의 '발생할(발생하다)'로 바꿔 쓸 수 있습니다.

어휘력 완성 125쪽

1 (1) ㉯ (2) ㉮ **2** ② **3** ①

1 '출시'는 '상품이 시중에 나옴. 또는 상품을 시중에 내보냄.'을 뜻하며 보통 '신제품 출시'와 같이 사용됩니다. '상용화'는 '일상적으로 쓰이게 됨. 또는 그렇게 만듦.'의 뜻으로, '이 기술을 상용화하다.' 등과 같이 사용됩니다.

2 '예상'은 '어떤 일을 직접 당하기 전에 미리 생각하여 둠.'이라는 뜻입니다. 그런데 '예비'는 '필요할 때 쓰기 위하여 미리 마련하거나 갖추어 놓음.'이라는 뜻이므로 의미가 다릅니다. 이와 달리 '예견(앞으로 일어날 일을 미리 짐작함.)', '예측(미리 헤아려 짐작함.)', '전망(앞날을 헤아려 내다봄.)', '짐작(사정이나 형편 따위를 어림잡아 헤아림.)'은 모두 '예상'과 뜻이 유사한 유의어입니다.

3 디스플레이의 종류가 매우 다양함을 말하고 있으므로 '각양각색'으로 표현할 수 있습니다.

기술 05 사람과 자연을 살리는 적정 기술 126~128쪽

1 큐-드럼, 적정 기술, 자연 **2** ③ **3** ⑤ **4** ⑤
5 ④

해제 적정 기술의 개념을 여러 가지 사례를 활용하여 소개한 뒤, 적정 기술의 개발 조건과 적정 기술의 의의 등을 이어서 설명하는 글입니다.

문단별 중심 내용

1문단	물을 쉽게 옮길 수 있는 큐-드럼
2문단	적정 기술의 개념 및 제품 사례들
3문단	적정 기술이 갖추어야 할 요소
4문단	인간과 자연을 살리는 적정 기술

주제 적정 기술의 필요성 및 개발 조건

1 글의 구조_문단 내용 정리하기

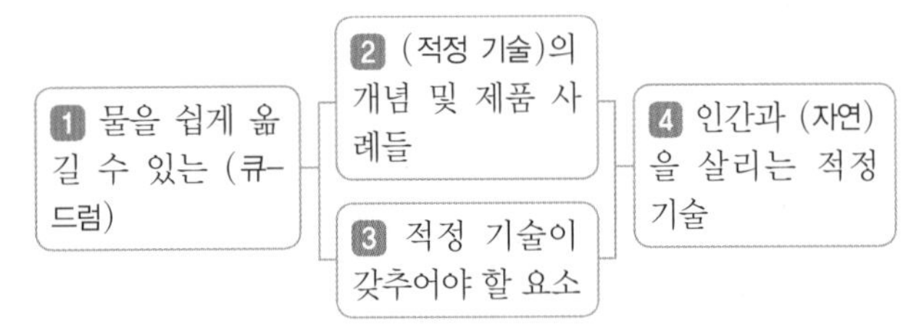

2 내용 이해_세부 정보 파악하기
3문단에 따르면 적정 기술은 최첨단 기술이 아니라 오래된 기술이라도 현지 실정에 맞게 사용하여 어려운 상황에 처해 있는 사람들에게 도움을 주는 것입니다. ①은 4문단에서, ②는 1문단에서, ④와 ⑤는 3문단에서 확인할 수 있습니다.

3 내용 이해_원인과 결과 파악하기
작정 기술을 적용한 제품들이 대개 친환경적인 이유는 전기를 제대로 쓸 수 없는 저개발 지역에서 사용하도록 만들어졌기 때문입니다. 이는 이어지는 '등산이나 캠핑을 할 때 사용하는 휴대용 정수기와 태양열로 작동하는 램프와 조리기 등이 대표적이다.'라는 문장을 통해 알 수 있습니다.

4 추론하기_외부 자료를 바탕으로 추론하기
[보기]는 저개발국 사람들이 공짜 원조에만 의지하지 않도록 도와야 한다는 내용입니다. 따라서 저개발국 주민들이 자립 의지를 기를 수 있는 방향으로 도와야 한다는 내용이 가장 적절합니다.

문제 돋보기

4 보기는 적정 기술과 관련된 자료입니다. 이 글과 보기를 통해 이끌어 낼 수 있는 주장으로 가장 적절한 것은 무엇입니까?
(⑤)

> 보기
> 일부 아프리카나 동남아시아 등 저개발국 주민을 돕기 위해 지난 40여 년 동안 세계적으로 1000조 원이 넘는 원조가 이루어졌다. 하지만 현지 주민들의 삶은 그리 나아지지 않았다. 계속되는 공짜 원조가 주민을 의존적으로 만들었기 때문이다. 그래서 적정 기술로 만든 물건도 공짜로 나누어 주지 않는다. 현지 주민들이 충분히 감당할 수 있을 정도의 돈을 받고 판매하는 것이다. 그래야만 자신의 힘으로 필요한 것을 샀다는 자긍심도 생기고, 자신의 돈이 들어간 만큼 물건도 더욱 소중하게 사용하게 된다.
>
> (공짜 원조를 하면 안 되는 이유 / 해결 방안)

① 저개발국 주민들이 물건을 아껴 쓸 수 있도록 물건 가격을 올려야 한다. ×
② 지금보다 훨씬 많은 지원을 하여 저개발국 주민들의 생계를 보장해야 한다. ×
③ 더 많은 적정 기술을 활용하여 저개발국 주민들을 지속적으로 도와야 한다. ×
④ 저개발국 주민들에게 물건이나 돈을 주기보다는 일자리를 마련해 주어야 한다. ×
⑤ 저개발국 주민들의 자립 의지를 심어 줄 수 있는 방향으로 그들을 도와야 한다. ○

오답 피하기
③ 더 많은 적정 기술을 활용해야 한다는 내용은 [보기]와 직접적인 관련이 없습니다.
④ 저개발국 주민들의 일자리에 대한 내용은 [보기]나 이 글과 직접적인 관련이 없습니다.

5 어휘·어법_속담으로 표현하기
㉠은 힘이 약한 아이나 여성도 쉽게 물을 옮길 수 있다는 내용이므로 '땅 짚고 헤엄치기'로 표현할 수 있습니다.

어휘력 완성 129쪽

1 (1) ㉰ (2) ㉮ (3) ㉯ **2** ③ **3** ②, ⑤

3 ㉠ '정수'와 ②, ⑤는 모두 '물을 깨끗하고 맑게 함.'이라는 뜻입니다.

오답 피하기
①, ③, ④는 사물의 중심이 되는 골자 또는 요점이라는 뜻으로 사용되었습니다.

기술 06 대동여지도와 기리고차 130~132쪽

1 대동여지도, 휴대, 기리고차 **2** ③ **3** ② **4** ④
5 ②

해제 대동여지도의 특징을 소개하고, 김정호가 대동여지도를 만들 때 사용한 기리고차의 거리 측정 원리를 설명하는 글입니다.

문단별 중심 내용

1문단	정밀도가 매우 높은 대동여지도
2문단	휴대하기 편하게 구성된 대동여지도
3문단	거리를 측정하는 데 사용된 기리고차
4문단	기리고차의 거리 측정 방법

주제 대동여지도의 특징 및 기리고차의 원리

1 글의 구조_문단 내용 정리하기

1 정밀도가 매우 높은 (대동여지도)
2 (휴대)하기 편하게 구성된 대동여지도
3 거리를 측정하는 데 사용된 (기리고차)
4 기리고차의 거리 측정 방법

2 내용 이해_중심 내용 파악하기

기리고차의 종류에 대한 설명은 찾아볼 수 없습니다. ①과 ②는 3문단에서, ④는 1문단에서, ⑤는 1, 2문단에서 확인할 수 있습니다.

3 적용하기_다른 상황에 적용하기

㉠은 톱니로 맞물려 있는 바퀴 중에서 하나의 바퀴가 일정한 횟수를 돌아가면 그것과 맞물려 있는 다른 바퀴가 한 바퀴 돌아가는 시스템입니다. 시계 또한 초침이 60눈금 움직일 때마다 분침이 한 눈금 움직이며, 분침이 60눈금 움직일 때마다 시침이 한 눈금 움직입니다. 따라서 ㉠과 동일한 원리로 움직인다고 볼 수 있습니다.

4 적용하기_시각 자료에 적용하기

종이 여러 번 울리면 1리를 간 것입니다. 그런데 북이 한 번 울리면 5리를 간 것이므로 종이 여러 번 울린 뒤에는 이어서 다시 종이 한 번 울리게 됩니다. '0.5리(종 한 번) → 1리(종 여러 번) → 1.5리(종 한 번) → 2리(종 여러 번) → 2.5리(종 한 번) … 4리(종 여러 번) → 4.5리(종 한 번) → 5리(북 한 번) → 5.5리(종 한 번) …'과 같은 과정을 거치게 됩니다.

문제 돋보기

4 보기 는 기리고차의 구조입니다. 이 글을 참고하여 보기 를 이해한 내용으로 적절하지 않은 것은 무엇입니까? (④)

보기

① ㉮가 15회 회전하면 종이 여러 번 울리겠군. (㉯가 1회 → 1리 → 종 여러 번)
② ㉯가 5회 회전하면 북이 한 번 울리겠군. (5리 → 북 1번)
③ ㉰가 한 바퀴 회전하면 북이 여러 번 울리겠군. (10리 → 북 여러 번)
④ 종이 여러 번 울린 뒤에는 바로 북이 한 번 울리겠군. (×)
⑤ 북이 한 번(5리) 울린 뒤에 종이 한 번(0.5리) 울리면 5.5리를 간 것이군. (○, 5+0.5=5.5)

오답 피하기

① ㉮가 15회 회전하면 ㉯가 1회 회전합니다. ㉯가 10회 회전한 것이 10리이므로, 1회 회전하면 1리가 됩니다. 그리고 1리가 되면 종이 여러 번 울립니다.
② ㉯가 10회 회전한 것이 10리이므로, 5회 회전하면 5리가 됩니다. 그리고 5리가 되면 북이 한 번 울립니다.
③ ㉰가 1회 회전하면 10리가 됩니다. 10리가 되면 북이 여러 번 울립니다.
⑤ 북이 한 번 울리면 5리를 간 것이고, 종이 한 번 울리면 0.5리를 간 것입니다. 따라서 북이 한 번 울린 뒤에 종이 한 번 울리면 5.5리를 간 것이 됩니다.

5 어휘·어법_어휘의 사전적 의미 파악하기

㉡과 ①, ③, ④, ⑤는 모두 '수를 헤아림.'의 뜻으로 쓰였습니다. ②의 '계산'은 '어떤 일이 자기에게 이해득실이 있는지 따짐.'의 뜻입니다.

어휘력 완성 133쪽

1 (1) ㉯ (2) ㉮ **2** ⑤ **3** ②

2 '나누다'가 우리나라의 남북을 22단으로 쪼개어서 나누었다는 뜻이므로 '분할하다'와 의미가 같습니다. '분할하다'는 '나누어 쪼개다.'라는 뜻입니다.

3 일본이 만든 우리나라 지도가 대동여지도와 비슷했다는 뜻이므로 '큰 차이 없이 거의 같음.'이라는 뜻의 '대동소이'로 표현할 수 있습니다.

예술 01 판소리

138~140쪽

1 판소리, 소리, 발림, 고수, 즉흥성, 해학성 **2** ④ **3** ① **4** ① **5** ③

해제 판소리의 개념을 정의한 뒤, 소리꾼과 고수가 하는 역할을 분석하고, 판소리의 내용적 특성인 즉흥성과 해학성을 설명하는 글입니다.

문단별 중심 내용

1문단	판소리의 뜻
2문단	소리와 아니리의 의미
3문단	발림의 의미와 도구
4문단	고수의 역할 및 중요성
5문단	판소리의 즉흥성
6문단	판소리의 해학성

주제 판소리의 구성 요소 및 특징

1 글의 구조_문단 내용 정리하기

2 내용 이해_세부 정보 파악하기

5문단에 따르면 소리꾼과 고수는 아무런 준비 없이 공연하는 것이 아니라, 여러 가지 상황을 예상하고 있다가 그때그때 적절하게 대처합니다. ①은 1문단에서, ②는 6문단에서, ③은 1문단에서, ⑤는 3문단에서 확인할 수 있습니다.

3 전개 방식_내용 전개 방식 파악하기

판소리를 하는 데 필요한 요소를 소리꾼, 고수, 소리, 아니리, 발림 등으로 분석한 뒤에, 각각을 하나씩 설명하고 있습니다.

4 적용하기_구체적인 상황에 적용하기

자신의 가난을 슬퍼하며 탄식하는 상황이므로 진양조 장단이 가장 적절합니다. 중모리는 상황을 담담하게 서술하는 대목에 주로 쓰이고, 중중모리는 흥겨운 장면이나 가벼운 느낌을 주는 대목에 쓰이므로 슬퍼하며 신세 한탄을 하는 대목에는 어울리지 않습니다.

문제 돋보기

4 다음 선생님의 질문에 대한 대답으로 가장 적절한 것은 무엇입니까? (①)

보기

선생님: 판소리의 장단에는 진양조, 중모리, 중중모리, 자진모리, 휘모리 등이 있습니다. 가장 느린 진양조는 슬픈 대목이나 한가한 풍경 묘사에 주로 쓰이고, 기본 장단인 중모리는 상황을 담담하게 서술하는 대목에 주로 쓰입니다. 중모리보다 빠른 중중모리는 흥겨게 노는 장면이나 가벼운 느낌을 주는 대목에, 중중모리보다 빠른 자진모리는 긴박한 장면에, 가장 빠른 장단인 휘모리는 극적인 상황이 빠르게 벌어지는 대목에 주로 쓰입니다. 잘 아셨나요? 다음은 「흥보가」에서 흥보 아내가 부르는 대목입니다. 이 대목에는 어떤 장단이 가장 잘 어울릴까요?

자신의 가난을 슬퍼함. → 진양조

"가난이야 가난이야 원수년의 가난이야. 몹쓸 년의 팔자로다 어떤 사람 팔자 좋아 고대광실 높은 집에 부귀영화로 잘 사는디 이 년의 신세는 어이허여 이 지경이 웬일이냐 아이고 아이고 내 신세야."

① 진양조 ② 중모리
③ 중중모리 ④ 자진모리
⑤ 휘모리

5 어휘·어법_어휘의 문맥적 의미 파악하기

'천대'는 '업신여기어 천하게 대우하거나 푸대접함.'이라는 뜻입니다. 그런데 '환대(歡待)'는 '반갑게 맞아 정성껏 후하게 대접함.'이라는 뜻이므로 천대와 반대되는 낱말입니다.

어휘력 완성

141쪽

1 (1) ㉮ (2) ㉯ **2** ③ **3** ②

1 '공연'은 여러 사람 앞에서 음악, 무용, 공연 등을 공개하여 보여 주는 것을 뜻하고, '상영'은 극장에서 영화를 보여 주는 것을 뜻합니다.

2 대화 내용에서 '소리'와 '노래'는 뜻이 같은 유의 관계입니다. 그리고 '책방'과 '서점'도 뜻이 같은 유의 관계입니다. ①과 ④는 상하 관계이고, ②와 ⑤는 반의 관계입니다.

3 '난형난제'는 누구를 형이라 하고 누구를 아우라 하기 어렵다는 뜻으로, 두 사물이 비슷하여 낫고 못함을 정하기 어려움을 이르는 한자성어입니다. 따라서 평범한 사람들과는 거리가 먼 말입니다.

예술 02 랩 음악의 특징 142~144쪽

1 랩, 언어적, 공격성, 1인칭 **2** ③ **3** ③ **4** ④ **5** ⑤

해제 랩 음악이 대중화된 과정과 랩 음악의 형식적 측면과 내용적 측면의 특성을 설명하는 글입니다.

문단별 중심 내용

1문단	랩의 개념과 시초
2문단	특징 ① 언어적 요소가 매우 강함.
3문단	특징 ② 공격성과 저항 의식
4문단	특징 ③ 1인칭의 음악

주제 랩 음악의 형성 과정과 특징

2 내용 이해_세부 정보 파악하기
3, 4문단에 따르면 랩은 사회에 대한 저항 의식과 강한 공격성을 드러내지만 해결 방안을 제시하지는 않습니다.

3 내용 이해_중요 내용 파악하기
4문단에 따르면 랩의 가사는 래퍼 자신이 직접 쓰는 경우가 많습니다.

4 추론하기_외부 자료를 바탕으로 추론하기
[보기]의 시조는 자신을 괴롭게 만드는 '무는 것'들을 나열하고 있지만 이것들에 대한 공격성은 드러나지 않습니다. 오히려 이러한 상황에서 웃음이 유발되고 있습니다.

오답 피하기
② 중장('피의 껍질 같은 작은 이 ~ 더 견디기 어렵구나.')에서 라임과 플로우 같은 리듬감이 느껴집니다. 구체적으로는 같은 말의 반복과 유사한 문장 구조의 반복을 통해서 리듬감이 형성되고 있습니다.

5 어휘·어법_어휘의 사전적 의미 파악하기
㉠은 '어떤 물질이나 현상 따위가 넓은 범위에 미치다.'의 뜻으로 쓰였고, ⑤의 '퍼져'도 같은 뜻으로 쓰였습니다.

어휘력 완성 145쪽

1 (1) ㉯ (2) ㉰ (3) ㉮ **2** ① **3** ⑤

2 '즉흥적'은 '준비나 계획 없이 그때그때의 기분이나 생각에 따라 하는 것.'이라는 뜻입니다. 그러나 '계획적'은 '미리 정해진 계획에 따르는 것.'이라는 뜻이므로 '즉흥적'과 반의 관계에 있습니다.

예술 03 가야금의 구조 146~148쪽

1 정악, 주재료, 현 **2** ⑤ **3** ④ **4** ⑤ **5** ①

해제 가야금의 종류를 소개한 뒤, 가야금의 구성 요소와 부분별 명칭, 현을 매는 방법을 순차적으로 설명하는 글입니다.

문단별 중심 내용

1문단	정악 가야금과 산조 가야금의 차이
2문단	가야금의 구성 요소 및 주재료
3문단	가야금의 부분별 명칭
4문단	가야금의 현을 매는 방법

주제 가야금의 구조 및 현을 매는 법

2 내용 이해_세부 정보 파악하기
이 글에서 가야금의 제작 과정에 해당하는 내용은 나오지 않습니다. 4문단은 제작 과정이 아니라 현을 묶는 방법에 대한 내용입니다.

3 추론하기_세부 내용 추론하기
2문단의 '소리가 부드럽고 우아해, 독주는 물론 다양한 악기와의 합주에도 어울린다.'에서 가야금은 금속성 재질을 포함한 다양한 악기와 어울리는 소리를 가졌음을 알 수 있습니다.

4 적용하기_시각 자료에 적용하기
4문단에 따르면 가야금의 현은 연주자와 가까운 쪽에서 바깥쪽으로 갈수록 점차 현의 굵기가 굵어집니다. 따라서 12현의 굵기가 똑같이 되도록 명주실을 꼰다는 이해는 적절하지 않습니다.

5 어휘·어법_어휘의 사전적 의미 파악하기
'전승'은 문화, 풍속, 제도 따위를 이어받아 계승하거나 그것을 물려주어 잇게 한다는 뜻입니다. 재산, 신분, 직업 따위를 대대로 물려준다는 뜻의 낱말은 '세습'입니다.

어휘력 완성 149쪽

1 (1) ㉯ (2) ㉮ **2** ① **3** ③

3 옛날의 가야금을 현대적으로 개량한 가야금이 다양하다는 내용이므로 '옛것을 본받아 새로운 것을 창조하다.'라는 뜻의 '법고창신'으로 표현할 수 있습니다.

예술 04 낙서와 예술 사이, 그라피티 150~152쪽

1 그라피티, 소외 계층, 예술, 범법 행위, 예술 **2** ④ **3** ③ **4** ② **5** ①

해제 대도시의 소외 계층에서 시작된 그라피티의 개념과 그라피티를 예술이라고 보는 입장과 치기 어린 범법 행위라고 보는 입장을 각각 설명하는 글입니다.

문단별 중심 내용

1문단	그라피티의 개념
2문단	소외 계층에서 시작된 그라피티
3문단	예술과 낙서의 중간으로 인식되는 그라피티
4문단	그라피티를 예술로 보는 입장
5문단	그라피티를 범법 행위로 보는 입장
6문단	예술로 인정받는 과정의 그라피티

주제 그라피티의 개념 및 그것을 보는 상반된 두 입장

2 내용 이해_세부 정보 파악하기
2문단에 따르면 유럽과 미국의 예술가들이 아니라 그라피티는 대도시에 살고 있는 소외 계층으로부터 시작되었습니다. 그리고 아직 예술로서 인정받지 못하였다는 점에서 예술가들이 그린 그림이 아님을 알 수 있습니다.

3 전개 방식_내용 전개 방식 파악하기
4문단과 5문단에서는 그라피티를 예술로 보는 입장과 예술로 보지 않는 입장을 각각 설명하고 있습니다.

4 추론하기_외부 자료를 바탕으로 추론하기
[보기]에 따르면 낙서로 공공시설을 훼손하는 행위도 반달리즘입니다. 그리고 5문단이나 6문단에서 그라피티는 공공시설이나 유적지를 대상으로 하는 경우도 있다고 했습니다. 따라서 공공시설이나 유적지에 그라피티를 하면 반달리즘이 될 수 있습니다.

5 어휘·어법_어휘의 문맥적 의미 파악하기
'남용하다'는 '일정한 기준이나 한도를 넘어서 함부로 쓰다.'의 뜻이므로 '남용하는'을 ㉠과 바꿔 쓸 수 있습니다.

어휘력 완성 153쪽

1 (1) ㉯ (2) ㉰ (3) ㉮ **2** ⑤ **3** ⑤

2 '행위 예술'이 '예술'에 포함되는 상하 관계이고, '추리 소설'이 '소설'에 포함되는 상하 관계입니다.

예술 05 우리 전통 건축의 특징 154~156쪽

1 자연, 인공, 주춧돌, 담 **2** ② **3** ③ **4** ⑤ **5** ①

해제 우리 전통 건축물에는 자연과 조화를 이루려는 우리 선조들의 가치관이 반영되어 있음을 건축 재료와 담·기단 등의 사례를 통해 설명하는 글입니다.

문단별 중심 내용

1문단	자연을 닮은 우리의 전통 건축물
2문단	인공적인 요소를 최소화한 건축 재료
3문단	원래 그 자리에 있던 것처럼 보이는 주춧돌
4문단	담이나 기단에서 나타나는 자연미
5문단	조화로운 구성미를 보이는 전통 건축물

주제 자연과의 조화를 추구한 우리 전통 건축물

2 내용 이해_중심 내용 파악하기
'자연을 닮은 한국 전통 건축'이라는 제목은 이 글의 주제를 함축하고 있으며, '인공미를 최소화하여 조화를 추구해'라는 부제목을 통해 제목을 적절히 뒷받침하고 있습니다.

3 내용 이해_세부 정보 파악하기
3문단에서 궁궐을 제외하면 거의 대부분의 건축물에서 주춧돌은 채취한 그대로 쓰거나 일부만 다듬어서 사용하였다고 했습니다.

4 적용하기_시각 자료에 적용하기
5문단에 따르면 우리나라 전통 건축물은 인공적인 요소를 최소화하더라도 결코 무질서하게 보이지 않고 오히려 조화로움이 느껴집니다.

5 어휘·어법_어휘의 사전적 의미 파악하기
㉠은 '원료나 재료에 손을 더 대어 새로운 물건을 만듦.'이라는 뜻인데, ①의 '가공(架空)'은 '사실이 아니고 거짓이나 상상으로 꾸며 냄.'이라는 뜻입니다. 이처럼 소리는 같지만 뜻이 다른 단어를 동음이의어라고 합니다.

어휘력 완성 157쪽

1 (1) ㉯ (2) ㉮ **2** (1) 서까래 (2) 보 (3) 기둥 (4) 주춧돌 **3** ④

3 '정교하다(정교하게)'는 '솜씨나 기술 따위가 정밀하고 교묘하다.'라는 뜻입니다. 이와 반대되는 낱말은 '거칠고 나쁘다.'라는 뜻의 '조악하다'입니다.

융합 01 미래의 식량 자원, 식용 곤충 160~162쪽

1 곤충, 인류, 영양소, 거부감 **2** ② **3** ⑤ **4** ② **5** ⑤

해제 곤충은 영양 성분과 친환경적 요소 등에서 미래 식량 자원으로서 가치가 있음을 설명하고, 곤충에 대한 거부감을 없앨 방안을 마련해야 함을 당부하는 글입니다.

문단별 중심 내용

가문단	미래 식량으로 주목 받는 곤충
나문단	오래 전부터 곤충을 먹어 온 인류
다문단	영양소가 풍부한 곤충
라문단	친환경적이고 생산성이 높은 곤충
마문단	많은 나라에서 인정하고 있는 식용 곤충
바문단	식용 곤충에 대한 거부감의 해결 방안

주제 곤충이 미래의 식량 자원인 까닭

1 글의 구조_문단

2 내용 이해_세부 정보 파악하기

라문단에서 곤충은 좁은 공간에서 빨리 기를 수 있고, 필요한 사료도 소가 먹는 양의 12분의 1 정도면 된다고 설명하였습니다. ①은 나문단에서, ③은 나문단과 마문단에서, ④는 라문단에서, ⑤는 가문단에서 확인할 수 있습니다.

3 전개 방식_내용 전개 방식 파악하기

마문단에서 비유적인 표현은 사용되지 않았습니다. 벨기에의 예를 들고 있을 뿐입니다.

4 적용하기_구체적인 상황에 적용하기

바문단은 사람들이 곤충에 대해 느끼는 거부감을 없애기 위한 노력이 있어야 한다는 내용입니다. 이를 고려할 때, 식용 곤충에게 귀엽고 친숙한 느낌이 드는 애칭을 지어 준 것은 식용 곤충의 본래 이름을 통해 느껴지는 거부감을 없애기 위해서임을 알 수 있습니다.

오답 피하기

① 바문단이나 [보기]에서 더 많은 식용 곤충을 지정해야 한다는 내용은 나타나 있지 않습니다.

③ 새로 만든 식용 곤충의 애칭에서 각 곤충이 지닌 영양 성분이 직접 드러나지는 않습니다. 익숙한 곤충의 이름은 바꾸지 않았다는 점에서도 이를 알 수 있습니다.

④ 식용 곤충의 이름을 바꾸었다고 해서 정부나 사회단체의 지원이 더 적극적으로 이루어진다는 내용은 바문단이나 [보기]에서 찾을 수 없습니다. 바문단에서는 정부나 사회단체의 지원은 시민들이 식용 곤충으로 만든 음식을 자주 접할 수 있도록 하는 데 필요하다고 하였습니다.

⑤ 새로 만든 식용 곤충의 애칭과 많은 나라에서 곤충을 식용으로 한다는 것은 아무런 관련이 없습니다.

5 어휘·어법_어휘의 사전적 의미 파악하기

문맥상 ㉠은 '관심의 대상이 되어 나타나다.', 즉 중요하게 부각되고 있다는 뜻으로 사용되었습니다. ⑤의 '떠오르고(떠오르다)'도 이와 같은 뜻으로 사용되었습니다.

오답 피하기

① '얼굴에 어떠한 표정이 나타나다.'라는 뜻으로 쓰였습니다.

② '기억이 되살아나거나 잘 구상되지 않던 생각이 나다.'라는 뜻으로 쓰였습니다.

③ '솟아서 위로 오르다.'라는 뜻으로 쓰였습니다.

④ '기억이 되살아나거나 잘 구상되지 않던 생각이 나다.'라는 뜻으로 쓰였습니다.

어휘력 완성 163쪽

1 (1) ㉰ (2) ㉯ ③ ㉮ **2** ① **3** ①

1 '친근감'은 사이가 아주 가까운 느낌, '이질감'은 성질이 서로 달라 잘 맞지 않는 느낌을 뜻합니다. 또 '혐오감'은 병적으로 싫어하고 미워하는 감정을 뜻합니다.

2 '유충'은 '알에서 나온 후 아직 다 자라지 않은 벌레.'를 뜻하므로 '애벌레'와 뜻이 비슷한 유의 관계입니다. 그런데 '꽃'과 '장미'는 '꽃'이 '장미'를 포함하는 상하 관계입니다. 이와 달리 ②, ③, ④, ⑤는 모두 서로 뜻이 같거나 유사한 유의 관계입니다.

3 곤충이 여러 가지 측면에서 장점이 많다는 것을 설명하고 있으므로 '금상첨화'로 표현할 수 있습니다. '금상첨화'는 비단 위에 꽃을 더한다는 뜻으로, 좋은 일 위에 또 좋은 일이 더하여짐을 비유적으로 이르는 한자성어입니다.

융합 02 혈액형으로 성격을 안다? 164~166쪽

1 혈액형, 성격, 우리나라 **2** ⑤ **3** ② **4** ⑤ **5** ⑤

해제 혈액형을 구분하는 방법을 소개한 뒤 혈액형으로 성격을 판단하는 것은 과학적 근거가 없음을 설명하는 글입니다.

문단별 중심 내용

1문단	혈액형을 분류하는 과학적 원리
2문단	성격을 파악하는 용도로 혈액형을 사용
3문단	우리나라 사람들이 혈액형별 성격을 믿는 까닭
4문단	우리나라와 일본에만 있는 혈액형별 성격 판단

주제 혈액형의 구분 방법 및 혈액형별 성격 판단의 오류

1 글의 구조_문단 내용 정리하기

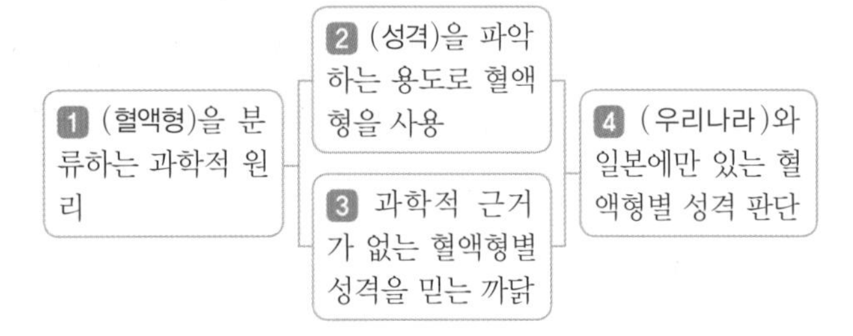

2 내용 이해_세부 정보 파악하기

1문단에 따르면 O형은 다른 혈액과 섞여도 응고되지 않기에 다른 혈액형을 지닌 사람에게 수혈할 수 있지만, 다른 혈액형을 수혈 받을 수는 없습니다. ①은 4문단에서, ②는 1문단에서, ③, ④는 3문단에서 확인할 수 있습니다.

3 적용하기_구체적인 상황에 적용하기

3문단에 따르면 바넘 효과가 나타나기 위해서는 사람들에게 두루 적용되는 내용이어야 합니다. ②는 내용이 적용되는 사람들과 적용되지 않는 사람들이 뚜렷하게 나뉠 수 있으므로 바넘 효과의 사례로 사용하기에는 적절하지 않습니다.

4 비판하기_외부 자료를 바탕으로 비판하기

[보기]는 동물이 인간보다 대체로 많은 혈액형을 가지고 있다는 자료입니다. 따라서 이를 이용하여 혈액형별 성격을 믿으면 혈액형이 네 가지인 인간의 성격이 소나 말, 돼지 같은 동물보다 단순하다는 결과가 나온다고 비판할 수 있습니다.

문제 돋보기

4 보기 의 자료를 활용하여 '혈액형별 성격 판단'을 비판하는 내용으로 가장 적절한 것은 무엇입니까? (⑤)

> **보기**
> 소는 12가지, 말은 7가지, 양은 8가지, 닭은 13가지의 혈액형이 있다. 그리고 돼지는 무려 15가지의 혈액형을 가지고 있다. 원숭이의 경우 사람과 유사한 A, B, AB, O형이 있으며, 침팬지는 A형과 O형뿐이다. 고릴라는 B형만 있으며, 오랑우탄은 A, B, AB형 3가지가 있다. 사람과 친숙한 개의 경우에는 7개의 혈액형이 국제적으로 인정되었고 인정받지 못한 혈액형을 포함해 모두 13가지 종류가 있다.

사람보다 많음.

① 한국인의 75%가 혈액형과 성격 간에 밀접한 관계가 있다고 생각한다. → [보기]와 관련 ×, 비판 ×
② 혈액형별 성격은 일본이 자신들의 우월성을 드러내기 위해 만든 것이다. → [보기]와 관련 ×
③ 혈액형에 따라 사람을 임의로 구별하는 것은 구별이 아니라 차별일 뿐이다. → [보기]와 관련 ×
④ 혈액형은 어떤 기준을 잡느냐에 따라 엄청나게 많은 유형으로 나뉠 수 있다. → [보기]와 관련 ○, 비판 ×
⑤ 혈액형에 따라 성격이 결정된다면 사람이 동물보다 단순하다는 의미가 된다. → [보기]와 관련 ○, 비판 ○

5 어휘·어법_어휘의 문맥적 의미 파악하기

'간주하다'는 '무엇을 어떠하다고 생각하거나 여기다.'라는 뜻입니다. 따라서 '마음속으로 그러하다고 인정하거나 생각하다.'의 뜻인 '여기다'와 바꿔 쓸 수 있습니다.

어휘력 완성 167쪽

1 (1) ㉮ (2) ㉯ **2** ④ **3** ④

3 '맞아떨어지다'가 '어떤 기준에 꼭 맞아 남거나 모자람이 없다.'라는 뜻이므로 '비교되는 대상들이 서로 어긋나지 아니하고 같거나 들어맞다.'라는 뜻의 '일치하다'와 가장 비슷합니다.

오답 피하기

① '둘 이상의 사물을 견주어 서로 간의 유사점, 차이점, 일반 법칙 따위를 고찰하다.'의 뜻입니다.
② '서로 다르다.'의 뜻입니다.
③ '어떤 것의 양, 성질, 상태, 계획 따위가 달라지지 아니하고 한결같다.'라는 뜻입니다.
⑤ '비교 대상의 성질이나 모양, 상태 따위가 아주 다르다.'라는 뜻입니다.